Biblioteca

Julie Garwood

Julie Garwood

DESPERTAR A LA PASIÓN

Traducción de
Graciela Jáuregui Lorda

CISNE

Título original: *The Gift*

Primera edición con este formato: noviembre, 2011

© 1991, Julie Garwood
© 2005, Random House Mondadori, S.A.
  Travessera de Gràcia, 47-49. 08021 Barcelona
© Graciela Jáuregui Lorda, por la traducción, a quien la edi-
  torial reconoce la titularidad de los derechos de reproduc-
  ción y su derecho a percibir los royalties que pudieran
  corresponderle

Printed in Spain – Impreso en España

ISBN: 978-84-9989-282-5 (vol. 54/5)
Depósito legal: B-33422-2011

Compuesto en gama, s. l.

Impreso en Novoprint, S. A.
Energia, 53. Sant Andreu de la Barca (Barcelona)

M 9 9 2 8 2 5

Para Bryan Michael Garwood.
Este es todo tuyo

PRÓLOGO

Inglaterra, 1802

Era solo una cuestión de tiempo que los invitados a la boda se mataran los unos a los otros.

El barón Oliver Lawrence había tomado todas las precauciones, ya que el rey George había elegido su castillo para la ceremonia. Estaba actuando como anfitrión hasta que llegara el rey de Inglaterra, un deber que había aceptado con tanto entusiasmo como un flagelo de tres días, pero la orden había sido impartida por el mismo rey, y Lawrence, siempre fiel y obediente, la había cumplido de inmediato. La familia de Winchester y los rebeldes de St. James habían protestado con vehemencia por su elección. Sin embargo, sus protestas fueron inútiles, ya que el rey estaba decidido a hacerlo a su manera. El barón Lawrence comprendió la razón que había más allá del decreto. Desafortunadamente, era el único inglés que aún se llevaba bien con las familias de la novia y del novio.

El barón no podría alardear sobre esto durante mucho más tiempo. Pensaba que su estancia en la apacible tierra se podría medir por los latidos del corazón. Como la ceremonia se llevaría a cabo en un campo neutral, el rey pensó que la concurrencia se comportaría. Lawrence sabía que no sería así.

Los hombres que le rodeaban estaban dispuestos a matar. Una palabra dicha con el tono equivocado, una acción considerada amenazadora podían convertirse en la chispa necesaria para encender el baño de sangre. Solo Dios sabía las ganas que tenían de pelearse. Se les notaba en los rostros.

El obispo, vestido con la ropa blanca de ceremonia, se sentó en una silla con respaldo alto entre las dos familias enemistadas. No miró ni hacia la izquierda, donde estaban los Winchester, ni hacia la derecha, donde estaban ubicados los guerreros de St. James, solo miró hacia delante. Para entretenerse, el sacerdote repiqueteaba los dedos sobre el brazo de madera de la silla. Tenía el aspecto de haber comido una porción de pescado agrio. De vez en cuando emitía un agudo suspiro, un sonido que para el barón era igual al relincho de un viejo caballo, y luego dejaba que el maldito silencio envolviera otra vez el gran salón.

Lawrence sacudió la cabeza con desesperación. Sabía que no obtendría ninguna ayuda del obispo cuando se desencadenara el verdadero problema. La novia y el novio esperaban en alcobas separadas. Solo serían conducidos, o arrastrados, hasta el salón cuando el rey llegara. Entonces sería mejor que Dios los ayudara, pues seguramente se desataría un infierno.

Realmente, era un día lamentable. Lawrence tuvo que apostar su propio contingente de guardias entre los caballeros del rey, a lo largo del perímetro del salón, como una medida más de disuasión. Nunca se había oído sobre una medida así en un casamiento, sin embargo, tampoco se había oído que los invitados acudieran a la ceremonia armados como para una batalla. Los Winchester estaban tan cargados con armas que apenas se podían mover. Su insolencia era vergonzosa; su lealtad, más que sospechosa. Aun así, Lawrence no condenaba completamente a los hombres. Era verdad que incluso para él resultaba un desafío obedecer ciegamente a su líder. Después de todo, el rey estaba loco, como una cabra.

Todo el mundo en Inglaterra sabía que había perdido el juicio, aunque nadie se atrevía a comentarlo en voz alta. Perderían sus lenguas, o algo peor, si se atrevían a decir la verdad. El casamiento que se iba a formalizar era un testimonio más que suficiente ante cualquier duda que los Thomas hubieran lanzado acerca de que su líder no estaba bien. El rey le había dicho a Lawrence que estaba decidido a que todos se llevaran bien en su reino. Al barón no le resultó fácil responder a esa expectativa infantil.

A pesar de su locura, George era el rey, y Lawrence creía que los invitados a la boda debían mostrar un poco de respeto. Su conducta injuriosa no podía ser tolerada. Dos de los tíos mayores de los Winchester estaban acariciando las empuñaduras de sus espadas en una obvia anticipación de la sangría. Los guerreros de St. James lo advirtieron de inmediato y respondieron adelantándose al unísono. No tocaron sus armas, y a decir verdad, la mayoría de los hombres de St. James ni siquiera estaban armados. En lugar de ello sonrieron. Lawrence pensó que esa acción era solo intimidatoria.

Los Winchester superaban al clan de St. James por seis a uno. Sin embargo, eso no les otorgaba ventaja. Los hombres de St. James eran mucho más agresivos. Las historias sobre sus correrías eran legendarias. Se decía que le habían sacado un ojo a un hombre solo porque era bizco; que les gustaba patearle los testículos a un adversario solo para escucharle gritar; y solo Dios sabía qué les hacían a sus enemigos. Las posibilidades eran demasiado espantosas para pensar en ellas.

Una conmoción proveniente del patio desvió la atención de Lawrence. El ayudante personal del rey, un hombre de rostro hosco llamado sir Roland Hugo, subió rápidamente por la escalera. Llevaba una vestimenta de fiesta, y las calzas rojas y la túnica blanca destacaban su imponente corpulencia. Lawrence pensó que parecía un gallo regordete. Como era un buen amigo suyo guardó para sí esa desagradable opinión.

Los dos hombres se abrazaron enseguida. Luego Hugo dio un paso atrás y le dijo en voz muy baja:

—Me adelanté. El rey llegará en unos minutos.

—Gracias a Dios —respondió Lawrence con un visible alivio. Se secó las gotas de sudor de la frente con su pañuelo de lino.

Hugo miró por encima del hombro de Lawrence y luego sacudió la cabeza.

—Tu salón está tan tranquilo como una tumba —le susurró—. ¿Tuviste tiempo de entretener a los invitados?

Lawrence le miró con incredulidad.

—¿Entretenidos? Hugo, para entretener a esos bárbaros se necesitaría un sacrificio humano.

—Veo que tu sentido del humor te ha ayudado a superar esta atrocidad —le contestó su amigo.

—No estoy bromeando —replicó el barón—. Tú también dejarás de sonreír cuando adviertas lo volátil que se ha convertido esta situación. Los Winchester no trajeron regalos, amigo mío. Están armados para la batalla. Sí, lo están —le aseguró al ver que sacudía la cabeza con incredulidad—, y traté de que dejaran su arsenal fuera, pero no me escucharon. Hoy no están muy complacientes.

—Ya veremos —murmuró Hugo—. Los soldados que escoltan a nuestro rey los desarmarán enseguida. Estaría loco si permitiera que nuestro señor entrara en una arena tan amenazadora. Esto es una boda, no un campo de batalla.

Hugo demostró que podía cumplir con su amenaza. Los Winchester apilaron sus armas en un rincón del gran salón cuando el enfurecido ayudante del rey les dio la orden. La demanda fue respaldada por unos cuarenta soldados leales que tomaron sus posiciones rodeando a los invitados. Incluso los bribones de St. James entregaron sus pocas armas, pero solo después de que Hugo ordenara que los soldados colocaran las flechas en sus arcos.

Lawrence pensó que, si vivía para contar la historia, nadie se la creería. Gracias a Dios, el rey George no tenía idea de qué medidas extremas se habían tomado para asegurar su protección.

Cuando el rey de Inglatera entró en el gran salón, los soldados bajaron inmediatamente sus arcos, aunque las flechas permanecieron en ellos por si se necesitaba un rápido disparo.

El obispo se levantó de la silla, se inclinó formalmente ante su rey y luego le indicó que tomara su asiento.

Dos de los abogados del rey, cargados con documentos, seguían sus pasos. Lawrence esperó hasta que su soberano se sentara y luego se arrodilló ante él. Repitió su voto de lealtad en voz alta con la esperanza de que sus palabras avergonzaran a los huéspedes y estos mostraran igual consideración.

El rey se inclinó hacia delante, con sus grandes manos sobre las rodillas.

—Tu rey patriota está complacido contigo, barón Lawrence. Soy tu rey patriota, vencedor de todos los pueblos, ¿verdad?

Lawrence estaba preparado para esa pregunta. Hacía años que el rey había decidido llamarse así, y le gustaba escuchar esa afirmación cada vez que era posible.

—Sí, mi señor, eres mi rey patriota, vencedor de todos los pueblos.

—Ese es un buen chico —susurró el rey. Extendió la mano y palmeó la cabeza calva a Lawrence.

El barón se sonrojó. El rey le estaba tratando como a un joven escudero. Pero incluso el barón comenzaba a sentirse como tal.

—Ponte de pie, barón Lawrence, y ayúdame a controlar esta importante situación —le ordenó el rey.

Lawrence lo hizo de inmediato. Cuando miró de cerca a su soberano tuvo que esforzarse para no mostrar ninguna reacción. Se sorprendió al ver el deteriorado aspecto del rey. George había sido una figura atractiva en sus días de juventud. La edad no había sido amable con él. Sus arrugas eran más profundas y tenía bolsas bajo los ojos. Usaba una peluca blanca, con los extremos de los lados hacia arriba, pero el color le oscurecía el cutis.

El rey sonrió a su vasallo con inocente expectativa. Lawrence también le sonrió. Había tanta bondad y sinceridad en la expresión de su soberano. El barón se sintió repentinamente mal por él. Durante muchos años, antes de que su enfermedad le confundiera, George había sido mucho más que un rey justo y competente. Su actitud hacia sus súbditos había sido la de un padre benevolente que cuida a sus hijos. Merecía más de lo que estaba recibiendo.

El barón se colocó junto al rey y luego se volvió para mirar al grupo de hombres que consideraba infieles. Les ordenó con furia:

—¡Arrodíllense!

Todos se arrodillaron.

Hugo estaba observando a Lawrence con una expresión de sorpresa en el rostro. Obviamente no había advertido que su amigo podía ser tan enérgico. Y Lawrence tenía que admitir que hasta el momento tampoco lo había hecho.

El rey se sintió complacido por la muestra de lealtad, y eso era todo lo que importaba.

—¿Barón? —le dijo mirando en dirección a Lawrence—. Ve a buscar a la novia y al novio. Se hace tarde y hay mucho que hacer.

Mientras Lawrence hacía una reverencia en respuesta a esa orden, el rey se volvió y miró a sir Hugo.

—¿Dónde están todas las damas? No veo ninguna. ¿Por qué, Hugo?

Hugo no quería decir la verdad al rey: que los hombres no habían traído a sus mujeres porque estaban preparados para la guerra y no para el júbilo. Su honestidad solo lastimaría los tiernos sentimientos del monarca.

—Sí, mi rey patriota —contestó Hugo—, yo también advertí la falta de damas.

—Pero ¿por qué? —insistió el rey.

La mente de Hugo no tenía ninguna explicación plausible para esa particularidad. En su desesperación llamó a su amigo.

—¿Por qué, Lawrence?

El barón había llegado a la entrada. Advirtió el tono de pánico en la voz de su amigo y se volvió de inmediato.

—El viaje hubiera sido demasiado dificultoso para unas damas tan... frágiles —le explicó.

Casi se ahogó con sus palabras. La mentira era atroz, ya que cualquiera que conociera a las mujeres Winchester sabía que eran tan frágiles como chacales. Sin embargo, la memoria del rey George no andaba muy bien como para darse cuenta, pues asintió de inmediato con la cabeza aceptando la explicación.

El barón se detuvo para observar a los Winchester. Después de todo, lo que le obligó a mentir fue su comportamiento. Luego siguió su camino.

El novio fue el primero en responder a la llamada. Tan pronto como el alto y delgado marqués de St. James apareció en el salón se abrió un ancho sendero para que pasara.

El novio entró en el salón como un poderoso guerrero listo para inspeccionar a sus súbditos. Si hubiera sido tosco, Lawrence habría pensado que era un joven y arrogante Genghis Khan. Sin embargo, el marqués no era para nada tosco. Tenía el cabello castaño oscuro y ojos verdes claros. Su rostro era delgado, anguloso, y ya tenía la nariz rota por una pelea que, por supuesto, había ganado. La pequeña protuberancia hacía que su perfil fuera más rudamente hermoso.

Nathan, como le llamaban sus familiares cercanos, era uno de los nobles más jóvenes del reino. Tenía catorce años y un día. Su padre, el poderoso conde de Wakersfield, estaba fuera del país cumpliendo con una importante asignación para su gobierno y, por lo tanto, no podía estar junto a su hijo en aquella ceremonia. En realidad, el conde no tenía idea de que se estaba llevando a cabo aquel casamiento. El barón sabía que se pondría furioso cuando se enterara. El conde era un hombre muy desagradable en condiciones normales y cuando le provocaban podía ser tan vengativo y perverso como Satanás. Era tan desconsiderado como toda la familia St. James junta. Lawrence suponía que por esa razón todos buscaban su consejo para asuntos importantes.

Sin embargo, aunque a Lawrence no le agradaba el conde, sí le agradaba Nathan. Había estado en compañía del muchacho varias veces, y en cada ocasión advirtió que Nathan escuchaba las opiniones de los demás y luego hacía lo que le parecía mejor. Solo tenía catorce años, sí, pero ya era todo un hombre. Lawrence le respetaba. También sentía un poco de lástima por él, ya que cada vez que habían estado juntos nunca le había visto sonreír. Pensaba que eso era una pena.

El clan St. James nunca le llamaba por su nombre. Se referían a él como al «muchacho», ya que para ellos aún tenía que probar su valor. Había pruebas que debía superar primero. Los familiares no dudaban del eventual éxito del muchacho. Creían que era un líder natural, sabían que por su complexión sería un hombre muy grande, y esperaban que fuera, sobre todo, tan rudo como ellos. Después de todo, era parte de la familia y había ciertas responsabilidades que recaerían sobre sus hombros.

El marqués miró directamente al rey de Inglaterra mientras se dirigía hacia él. El barón le observó atentamente. Sabía que los tíos de Nathan le habían indicado que no se arrodillara ante su rey a menos que él se lo ordenara.

Nathan ignoró sus instrucciones. Se arrodilló sobre una rodilla, bajó la cabeza y recitó su voto de lealtad con voz firme. Cuando el rey le preguntó si era su rey patriota, el esbozo de una sonrisa suavizó la expresión del muchacho.

—Sí, mi señor —contestó Nathan—. Usted es mi rey patriota.

La admiración del barón por el marqués aumentó diez veces, y por la sonrisa del rey advirtió que él también estaba complacido. Los familiares de Nathan no lo estaban. Sus miradas eran tan enardecidas como para encender una hoguera. Los Winchester no podían sentirse más felices. Se sonreían con júbilo.

Repentinamente, Nathan se puso de pie con un movimiento ágil. Se volvió y observó a los Winchester durante un prolongado y silencioso momento, y su mirada fría como el hielo pareció congelar la insolencia de los hombres. El marqués no volvió a mirar al rey hasta que la mayoría de los Winchester bajó la mirada al suelo.

Los hombres de St. James no pudieron evitar refunfuñar su aprobación.

El muchacho no estaba prestando atención a sus familiares. Se quedó de pie, con las piernas separadas, las manos cruzadas en la espalda y la mirada fija hacia delante. Su expresión solo mostraba fastidio.

Lawrence se dirigió directamente hacia Nathan para poder asentir con la cabeza y mostrarle lo complacido que estaba con su conducta.

Nathan también respondió asintiendo con la cabeza. Lawrence ocultó su sonrisa. La arrogancia del muchacho conmovía su corazón. Se había plantado frente a sus familiares, ignorando las terribles consecuencias que seguramente se producirían, y había hecho lo correcto. Lawrence se sentía como un padre orgulloso, una reacción bastante extraña ya que el barón nunca se había casado y no tenía hijos.

Se preguntaba si la máscara de hastío de Nathan perduraría durante toda la extensa ceremonia. Mientras pensaba en eso fue a buscar a la novia.

Cuando llegó al primer piso oyó que ella lloraba. El sonido fue interrumpido por el grito enojado de un hombre. El barón llamó a la puerta dos veces antes de que el conde de Winchester, el padre de la novia, la abriera. El conde tenía el rostro tan rojo como si se hubiera quemado con el sol.

—Ya era hora —bramó el conde.

—El rey se retrasó —respondió el barón.

El conde asintió abruptamente con la cabeza.

—Entra, Lawrence. Ayúdame para que ella baje por la escalera, hombre. Es muy obstinada.

La voz del conde reflejaba tanta sorpresa que Lawrence casi sonrió.

—He oído que la obstinación es propia de las hijas tan jóvenes.

—Nunca he oído eso —murmuró el conde—. La verdad es que es la primera vez que estoy a solas con Sara. No estoy seguro de que sepa exactamente quién soy —agregó—. Se lo dije, por supuesto, pero no está de humor para escuchar nada. No tenía idea de que pudiera ser tan difícil.

Lawrence no pudo ocultar su asombro ante las afirmaciones del conde.

—Harold —le contestó usando el nombre de pila del conde—, según recuerdo tienes otras dos hijas mayores que Sara. No comprendo cómo puedes ser tan...

El conde no le dejó terminar.

—Hasta ahora nunca tuve que estar con ninguna de ellas —murmuró.

Lawrence pensó que esa confesión era espantosa. Sacudió la cabeza y siguió al conde para entrar en la habitación. A lo lejos pudo ver a la novia. Estaba sentada en un banco ubicado junto a la ventana, mirando hacia fuera.

Dejó de llorar tan pronto como le vio. Lawrence pensó que era la novia más encantadora que jamás había visto. Una catarata de rizos dorados enmarcaba un rostro angelical. Tenía una corona de flores primaverales sobre la cabeza y un racimo de pecas sobre la nariz.

Las lágrimas rodaban por sus mejillas y tenía más en sus ojos castaños.

Llevaba puesto un vestido blanco largo con bordes de encaje en los puños y el bajo. Cuando se puso de pie el cinturón bordado se cayó al suelo.

Su padre dijo una blasfemia en voz alta.

Ella la repitió.

—Ya es hora de que bajemos, Sara —le ordenó su padre, con un tono tan amargo como el gusto del jabón.

—No.

—Cuando lleguemos a casa te vas a arrepentir de esto, jovencita. Por Dios que lo haré, espera y lo verás.

El barón no entendió la absurda amenaza del conde y pensó que Sara tampoco.

Ella miró fijamente a su padre con una expresión de desidia en el rostro. Luego bostezó y se volvió a sentar.

—Harold, si gritas a tu hija no conseguirás nada —le señaló el barón.

—Entonces le daré una buena bofetada —murmuró el conde. Se adelantó hacia su hija con la mano levantada como para darle el golpe.

Lawrence se colocó delante del conde.

—No la golpearás —le dijo Lawrence enojado.

—Ella es mi hija —gritó el conde—. Haré lo que sea necesario para lograr su cooperación.

—Eres un huésped en mi casa, Harold —respondió el barón, y advirtió que él también estaba gritando y de inmediato bajó la voz—. Déjame intentarlo.

Lawrence se volvió hacia la novia. Sara no parecía para nada preocupada por el enojo de su padre. Volvió a bostezar.

—Sara, todo terminará enseguida —le dijo el barón.

Se arrodilló delante de ella, le sonrió y la obligó gentilmente a ponerse de pie. Mientras la elogiaba le volvió a colocar el cinturón. Ella volvió a bostezar.

La novia necesitaba una siesta con urgencia. Permitió que el barón la condujera hacia la puerta, pero repentinamente regresó al asiento de la ventana y tomó una vieja manta que parecía tres veces más grande que ella.

Luego regresó hasta el barón y le volvió a tomar de la mano.

La manta le colgaba de un hombro y le caía hasta el suelo como una montaña. Tenía el borde sujeto debajo de la nariz.

Su padre trató de quitarle la manta.

Sara comenzó a gritar, su padre comenzó a maldecir y al barón comenzó a dolerle la cabeza.

—Por el amor de Dios, Harold, deja que lleve esa cosa.

—No lo haré —gritó el conde—. Es ofensivo. No lo permitiré.

—Deja que la lleve hasta que lleguemos al salón —le ordenó el barón.

Finalmente, el conde se rindió. Miró a su hija, tomó su posición frente a ellos y comenzó a bajar por la escalera.

Lawrence pensó que le hubiera gustado que Sara fuera su hija. Cuando le miró y le sonrió con tanta confianza sintió deseos de abrazarla. Sin embargo, su disposición sufrió un cambio radical cuando llegaron a la entrada del salón y su padre trató de volver a quitarle la manta.

Nathan se volvió al oír el ruido que provenía de la entrada. Abrió grandes sus ojos pues no podía creer lo que estaba viendo. No había demostrado interés para formular preguntas sobre la novia, pues estaba seguro de que su padre cambiaría los documentos en cuanto regresara a Inglaterra, y por esa razón se sorprendió más aún al verla.

La novia era un demonio. Nathan no podía mantener su expresión de hastío. El conde de Winchester gritaba más que su hija. Sin embargo, ella tenía mucha más determinación. Se había aferrado a una de las piernas de su padre y estaba tratando de morderle una rodilla.

Nathan sonrió. Sus familiares no fueron tan discretos, sus risas llenaron el salón. Por otra parte, los Winchester estaban completamente consternados. El conde, que era su líder, había alejado a su hija de su rodilla y estaba forcejeando por lo que parecía una vieja manta de caballo. Pero tampoco estaba ganando la batalla.

El barón Lawrence perdió los últimos vestigios de su compostura. Levantó a la novia en sus brazos, le quitó la manta al padre y se dirigió hacia Nathan. Sin mayores ceremonias colocó a la novia y la manta en los brazos del novio.

Tenía que aceptarla o dejarla caer. Nathan estaba tratando de decidirse cuando Sara vio que su padre se dirigía hacia ella. Se abrazó rápidamente al cuello de Nathan.

Sara continuó mirando sobre el hombro de Nathan para asegurarse de que su padre no la sacara de allí. Cuando se sintió segura se volvió para mirar al extraño que la estaba sosteniendo. Le miró fijamente durante un rato.

El novio permaneció tan erguido como una lanza. Comenzó a transpirarle la frente. Sentía su mirada sobre el rostro, pero no se atrevió a mirarla. Podía decidir morderle y entonces no sabría qué hacer.

Decidió que tendría que superar cualquier incomodidad que le ocasionara. Después de todo, él era casi un hombre y ella solo una niña.

Nathan continuó mirando directamente al rey hasta que Sara le tocó una mejilla. Finalmente, se volvió para mirarla.

Tenía los ojos castaños más bellos que jamás había visto.

—Papá me va a golpear —le anunció con un mohín.

Él no mostró ninguna reacción ante esa afirmación. Sara se cansó de mirarle. Sus ojos se entrecerraron. Él se puso aún más tenso cuando ella se apoyó sobre su hombro y presionó el rostro sobre su cuello.

—No dejes que papá me pegue —susurró.

—No —le respondió.

Repentinamente, se había convertido en su protector. Nathan ya no podía mantener su expresión de hastío. Tomó bien en sus brazos a su novia y aflojó su postura.

Sara, agotada por el largo viaje y su enérgico berrinche, tomó un extremo de la manta y se lo colocó bajo la nariz. En unos minutos se quedó profundamente dormida.

El novio no supo su edad hasta que el abogado comenzó a leer las condiciones de la unión.

Su novia tenía cuatro años.

1

Londres, Inglaterra, 1816

Sería un secuestro limpio y sin complicaciones.

Irónicamente, el secuestro sería considerado legal en las Cortes excepto por los cargos de entrada, pero esa posibilidad no era significativa. Nathanial Clayton Hawthorn Baker, el tercer marqués de St. James, estaba preparado para utilizar cualquier método que considerara necesario para obtener su objetivo. Si la suerte estaba de su lado, su víctima estaría profundamente dormida. Si no, una simple mordaza eliminaría cualquier ruido de protesta.

De un modo o de otro, legal o no, él se reuniría con su novia. Nathan, como le llamaban sus amigos más cercanos, no tendría que actuar como un caballero, lo cual era una bendición considerando que esas tiernas cualidades eran completamente ajenas a su naturaleza. Además, el tiempo se estaba acabando. Solo faltaban seis semanas para que hubiera una verdadera violación del contrato matrimonial.

Nathan no veía a la novia desde hacía catorce años, cuando se leyeron los contratos, pero la imagen que tenía en su mente no era muy fantástica. No tenía muchas ilusiones sobre la muchacha, ya que había visto suficientes mujeres Winchester para saber que no eran nada extraordinario. No eran muy agraciadas en aspecto ni en disposición. La mayoría tenía forma de pera, con huesos grandes, los traseros más grandes, y si las historias no exageraban, apetitos gigantescos.

Aunque tener una esposa a su lado le parecía tan espantoso como nadar a medianoche entre tiburones, Nathan estaba preparado para soportar la prueba. Quizá si realmente se ocupaba del problema podría encontrar la forma de cumplir con las condiciones del contrato sin tener que estar con la mujer día y noche.

Durante casi toda su vida Nathan había estado solo, negándose a recibir consejos de ningún hombre. Solo le confiaba sus pensamientos a su amigo Colin. Sin embargo, las ganancias eran demasiado grandes para que Nathan las ignorara. El botín que ofrecía el contrato después de un año de convivencia con lady Sara compensaba cualquier repulsión que pudiera sentir o inconveniente que tuviera que soportar. Las monedas que recibiría por decreto de la corona fortalecerían la nueva sociedad que él y Colin habían formado el verano anterior. La Emerald Shipping Company era la primera empresa legítima que habían emprendido, y estaban dispuestos a hacerla funcionar. La razón era simple de comprender. Ambos hombres estaban cansados de vivir al margen de la ley. Habían entrado en la piratería por accidente y lo habían hecho bastante bien, pero ya no valía la pena correr los riesgos que implicaba. Nathan, actuando como el infame pirata Pagan, se había convertido en una leyenda. Su lista de enemigos podía tapizar un gran salón de fiestas. La recompensa por su cabeza había aumentado tanto que hasta un santo se habría sentido tentado a convertirse en un traidor para obtenerla. Mantener en secreto la otra identidad de Nathan era cada vez más difícil. Solo era una cuestión de tiempo que le atraparan, si continuaban con sus incursiones de piratas, así que finalmente Nathan accedió.

La Emerald Shipping Company fue fundada una semana después de haber tomado aquella trascendental decisión. Las oficinas fueron ubicadas en el corazón del distrito ribereño. Había dos escritorios, cuatro sillas y un solo archivo, todo salvado de un incendio. El inquilino anterior no se había molestado en llevárselos. Como las monedas iban a tener mucha demanda, los muebles nuevos estaban al final de la lista de compras. Primero necesitaban barcos adicionales para su flota.

Ambos conocían las idas y venidas de la comunidad de negocios. Ambos se habían graduado en la universidad de Oxford, aunque como estudiantes habían sido muy diferentes. Colin nunca iba a ningún lado sin un grupo de amigos. Nathan siempre estaba solo. Solo cuando los dos hombres se asociaron en un juego mortal de actividades gubernamentales secretas se formó un vínculo entre ellos. Pasó mucho tiempo, más de un año, para que Nathan comenzara a confiar en Colin. Habían arriesgado sus vidas el uno por el otro y por su amado país solo para que sus superiores los traicionaran. Colin se sorprendió cuando se conoció la verdad. Nathan no se sorprendió para nada. Él siempre esperaba lo peor de la gente y rara vez se decepcionaba. Nathan era un hombre cínico por naturaleza y un luchador por hábito. Era un hombre que disfrutaba de una buena pelea y dejaba que Colin limpiara el desorden.

Caine, el hermano mayor de Colin, era el conde de Cainewood. Hacía un año que se había casado con Jade, la hermana pequeña de Nathan, y sin saberlo había reforzado la amistad entre los dos. Colin y Nathan se habían convertido en hermanos por matrimonio.

Como Nathan era marqués y Colin el hermano de

un poderoso conde, los invitaban a todas las fiestas. Colin se mezclaba fácilmente con la clase alta, y en cada ocasión aprovechaba para combinar el placer con la tarea de aumentar su clientela. Nathan nunca iba a ninguna fiesta, y Colin le sugirió que probablemente esa era la razón por la cual le invitaban. Era un hecho que la sociedad no consideraba a Nathan como un hombre muy agradable. A él no le importaban esas opiniones, y prefería la comodidad de una taberna del muelle a la rigidez de un salón formal.

Al parecer, los dos hombres eran muy diferentes. Colin era, como le gustaba señalar a Nathan cada vez que quería molestarle, el lindo de la sociedad. Colin era un hombre atractivo, con ojos almendrados y un marcado perfil patricio. Tenía el desagradable hábito de llevar su cabello castaño oscuro tan largo como el de sus amigos, un resabio de sus días de pirata, aunque ese pecado menor no disminuía la perfección de su rostro sin cicatrices. Colin era casi tan alto como Nathan, pero de complexión mucho más delgada, y tan arrogante como Brummell cuando la ocasión lo requería. Las damas creían que era increíblemente buen mozo. Colin tenía una visible cojera debido a un accidente, pero eso parecía aumentar su atractivo.

En cuanto a su aspecto, Nathan no tenía tanta suerte. Parecía más un guerrero de la antigüedad que un moderno Adonis. Nunca se molestaba en atarse el cabello castaño rojizo con una tira de cuero en la nuca como lo hacía Colin, sino que lo dejaba caer naturalmente sobre sus hombros. Nathan era un hombre muy corpulento, con hombros y muslos musculosos, y sin nada de grasa en toda su contextura. Tenía ojos verdes, algo que sin duda llamaba la atención, si las damas no estaban demasiado apuradas hasta el punto de alejarse de su gesto hosco.

Para los extraños, los dos amigos eran completamente opuestos. Colin era considerado el santo; Nathan, el pecador. En realidad, sus modos de ser eran muy parecidos. Ambos ocultaban muy bien sus emociones. Nathan utilizaba el aislamiento y un temperamento rudo como armas contra el compromiso. Colin utilizaba la superficialidad por la misma razón.

En verdad, la sonrisa de Colin era una máscara al igual que el ceño de Nathan. Las traiciones pasadas habían entrenado bien a los dos hombres. Ninguno de los dos creía en las historias de amor o en la tontería de vivir felices para siempre. Solo los tontos creían en esas fantasías.

El ceño de Nathan era muy evidente cuando entró en la oficina. Encontró a Colin holgazaneando sentado en un sillón de respaldo alto con los pies apoyados en el alféizar de la ventana.

—Jimbo tiene dos monturas listas, Colin —le dijo Nathan, refiriéndose a su camarada de a bordo—. ¿Tenéis que hacer alguna diligencia vosotros dos?

—Tú sabes para qué son las monturas, Nathan. Tú y yo vamos a ir hasta los jardines para ver a lady Sara. Esta tarde habrá mucha gente. Nadie nos verá si nos ocultamos entre los árboles.

Nathan se volvió para mirar por la ventana antes de responder.

—No.

—Jimbo cuidará la oficina mientras no estamos.

—Colin, no necesito verla antes de esta noche.

—Maldición, primero necesitas verla bien.

—¿Por qué? —le preguntó Nathan. Parecía realmente perplejo.

Colin negó con la cabeza.

—Para prepararte.

Nathan se volvió.

—No necesito prepararme —le contestó—. Todo está listo. Ya sé cuál es la ventana de su alcoba. El árbol de fuera sostendrá mi peso, ya lo he probado para estar seguro. Su ventana no tiene cerradura, y el barco está listo para zarpar.

—Has pensado en todo, ¿verdad?

Nathan asintió con la cabeza.

—Por supuesto.

—¿Y si ella no pasa por la ventana? ¿Pensaste en esa posibilidad?

Esa pregunta provocó la reacción que Colin quería. Nathan parecía sorprendido, luego negó con la cabeza.

—Es una ventana grande, Colin.

—Ella podría ser más grande.

Si Nathan se sintió desalentado ante esa posibilidad, no lo demostró.

—Entonces la haré rodar por la escalera —dijo lentamente.

Colin se rió al imaginar la escena.

—¿No sientes curiosidad por saber cómo es?

—No.

—Bueno, pues yo sí —admitió finalmente Colin—. Y como no voy a ir con vosotros en la luna de miel, es razonable que satisfaga mi curiosidad antes de que os vayáis.

—Es un viaje, no una luna de miel —replicó Nathan—. Deja de molestarme, Colin. Ella es una Winchester, por el amor de Dios, y la única razón por la que vamos a viajar es para alejarla de sus parientes.

—No sé cómo vas a soportarlo —le dijo ya sin sonreír y con una expresión de preocupación—. Dios mío, Nathan, vas a tener que acostarte con ella para tener un heredero si quieres la tierra.

Antes de que Nathan pudiera comentar algo, Colin continuó:

—No tienes que pasar por esto. La compañía saldrá adelante con o sin los fondos del contrato. Además, ahora que el rey George ha bajado oficialmente, el príncipe regente seguramente ordenará anular el contrato. Los Winchester han hecho una intensa campaña para que cambie de idea. Podrías darle la espalda a esto.

—No. —Su tono fue enfático—. Mi firma está en ese contrato. Un St. James nunca rompe su palabra.

—No puedes hablar en serio —le contestó Colin—. Los hombres de St. James han roto casi todo cuando están de mal humor.

Nathan tuvo que estar de acuerdo con esa observación.

—Sí. A pesar de todo, Colin, yo no voy a dar la espalda a este asunto, como tú no aceptarías el dinero que te ofreció tu hermano. Es una cuestión de honor. Ya hemos hablado de esto. Ya he tomado una decisión.

Se apoyó sobre el marco de la ventana y suspiró profundamente.

—No dejarás de insistir hasta que acceda a ir, ¿verdad?

—No —le contestó Colin—. Además, querrás contar la cantidad de tíos Winchester y así sabrás contra cuántos tendrás que pelear esta noche.

Era un argumento mezquino, y ambos lo sabían.

—Nadie se va a interponer en mi camino, Colin.

La afirmación fue hecha en un tono suave y estremecedor.

—Conozco tus talentos especiales, querido amigo. Solo espero que esta noche no haya una matanza.

—¿Por qué?

—Detestaría perderme toda la diversión.

—Entonces ven conmigo.

—No puedo —le respondió Colin—. Un favor merece otro, ¿recuerdas? Tuve que prometerle a la duquesa que iría al recital de su hija, que el cielo me proteja, si ella ha encontrado la manera de que lady Sara acuda a su fiesta esta noche.

—Ella no estará allí —le respondió Nathan—. El maldito de su padre no la deja ir a ninguna función.

—Ella estará allí. El conde de Winchester no se atreverá a ofender a la duquesa. Ella pidió específicamente que lady Sara estuviera en la fiesta.

—¿Qué razón dio?

—No tengo la menor idea —contestó Colin—. Se acaba el tiempo, Nathan.

—Maldición. —Después de decir eso Nathan se alejó de la ventana—. Entonces vamos.

Colin era rápido para sacar ventaja de su victoria. Salió enseguida, antes de que su amigo pudiera cambiar de parecer.

Mientras atravesaban por la ciudad congestionada, Colin se volvió para preguntarle a Nathan:

—¿No te preocupa saber cómo identificaremos a Sara?

—Estoy seguro de que ya lo has pensado —le señaló con frialdad.

—Lo hice —replicó Colin con tono alegre—. Mi hermana Rebecca me prometió que estaría cerca de Sara toda la noche. Pero también he tomado mis precauciones.

Esperó un largo minuto para que Nathan le preguntara cómo había hecho eso y luego continuó:

—Si Rebecca no puede cumplir con su misión, les pedí a mis otras tres hermanas que estuvieran preparadas para hacerlo. Sabes, viejo, podrías mostrar un poco más de entusiasmo.

—Esta salida es una completa pérdida de tiempo.

Colin no estaba de acuerdo, pero se guardó su opinión.

Ninguno de los dos volvió a hablar hasta que llegaron a los jardines y dejaron de cabalgar. Los árboles los ocultaban perfectamente, aunque podían ver bien a los invitados paseando por los jardines de la propiedad de la duquesa.

—Maldición, Colin, me siento como un niño de escuela.

Su amigo se rió.

—Deja que la duquesa se haga a la mar —le señaló al ver a los músicos que se encaminaban hacia la galería de abajo—. Contrató una orquesta completa.

—Diez minutos, Colin, y me iré.

—De acuerdo —le apaciguó Colin. Se volvió para mirar a su amigo. Nathan estaba frunciendo el entrecejo—. Sabes, ella habría estado deseando irse contigo, Nathan, si hubieras...

—¿Estás sugiriendo que le envíe otra carta? —le preguntó Nathan. Levantó una ceja ante lo absurdo de esa posibilidad—. Recuerdas lo que sucedió la última vez que seguí tu consejo, ¿verdad?

—Por supuesto que lo recuerdo —contestó Colin—. Pero las cosas podrían haber cambiado. Podría haber habido un mal entendido. Su padre podría...

—¿Un mal entendido? Envié la nota un jueves, y era muy específico, Colin.

—Lo sé —le dijo Colin—. Les dijiste que ibas a recoger a tu novia el lunes.

—Tú pensaste que tendría que haberle dado más tiempo para que recogiera sus pertenencias.

Colin hizo una mueca.

—Lo hice, ¿verdad? En defensa de mi caballerosidad, debo decir que nunca pensé que huiría. Ella también fue rápida, ¿verdad?

—Sí, lo fue —respondió Nathan.

—Podrías haberla seguido.

—¿Por qué? Mis hombres la siguieron. Yo sabía dónde estaba y decidí dejarla sola un poco más.

—¿Un aplazo en la ejecución, acaso?

Nathan se rió.

—Ella es solo una mujer, Colin, pero sí, supongo que fue una suspensión temporal.

—Hubo más que eso, ¿verdad? Sabías que ella estaría en peligro tan pronto como la reclamaras. Tú no vas a admitirlo, Nathan, pero a tu manera la estabas protegiendo al dejarla sola. Tengo razón, ¿verdad?

—Dijiste que no iba a admitirlo —replicó Nathan—. ¿Por qué te molestas en preguntar?

—Que Dios os ayude a los dos. El próximo año será un infierno. Todo el mundo tratará de mataros.

Nathan se encogió de hombros.

—Yo la protegeré.

—No lo dudo.

Nathan negó con la cabeza.

—La tonta compró un pasaje en uno de nuestros barcos para huir de mí. Eso aún me irrita. Es una ironía, ¿no te parece?

—En realidad, no —respondió Colin—. Ella no podía saber que eras el dueño del barco. Tú insististe en mantener un socio en secreto en la compañía, ¿recuerdas?

—De otra manera no habríamos tenido clientes. Sabes bien que los hombres de St. James no son bien mirados. Aún son un poco toscos con las esposas. —La mueca que hizo le indicó a su amigo que ese rasgo le parecía atractivo.

—Aún me parece extraño —le señaló Colin—. Hiciste que tus hombres siguieran a lady Sara, y también que la cuidaran, sin embargo, no te molestaste en preguntarles cómo era ella.

—Tú tampoco les preguntaste —replicó Nathan.

Colin se encogió de hombros. Volvió a mirar a los invitados que estaban en los jardines.

—Supongo que pensé que habías decidido que el contrato no valía la pena el sacrificio. Después de todo, ella... —Perdió completamente el hilo de su pensamiento al ver que su hermana se dirigía hacia ellos. Otra mujer caminaba junto a ella—. Allí está Becca. Si la tonta se moviera un poco hacia la izquierda... —No terminó la observación. El suspiro de Colin llenó el aire—. Dios mío... ¿Esa es lady Sara?

Nathan no le respondió. En verdad, no sabía si podía hablar en aquel momento. Su mente estaba completamente concentrada en la visión que tenía delante de él.

Era encantadora. Nathan tuvo que sacudir la cabeza. No, pensó, ella no podía ser su novia. La dama gentil que le estaba sonriendo tímidamente a Rebecca era demasiado hermosa, demasiado femenina y demasiado delgada para pertenecer al clan Winchester.

Y sin embargo, había un parecido a aquella chiquilla de cuatro años que había sostenido en sus brazos, algo indefinible que le indicaba que ella era lady Sara.

Ya no tenía aquella mata de rizos color miel. Tenía el cabello largo hasta los hombros, aún rizado, pero color castaño oscuro. Su cutis parecía terso desde la distancia que los separaba, y Nathan se preguntaba si aún tendría la nariz llena de pecas.

Tenía una altura normal, teniendo en cuenta que miraba a los ojos a la hermana menor de Colin. Sin embargo, su figura no tenía nada de especial. Era redondeada en los lugares indicados.

—Mira cómo se acercan los buitres —anunció Colin—. Parecen tiburones rodeando a su presa. Tu esposa parece ser su blanco, Nathan —agregó—. Caramba, uno pensaría que tendrían la decencia de dejar tranquila a una mujer casada. Pero no puedo culparlos. Dios mío, Nathan, es magnífica.

Nathan estaba ocupado observando los hombres ansiosos que iban tras su novia. Sentía un deseo incontenible de borrarles las afectadas sonrisas de sus rostros. ¿Cómo se atrevían a tratar de tocar lo que le pertenecía?

Sacudió la cabeza ante su ilógica reacción por su novia.

—Allí viene tu encantador suegro —le anunció Colin—. Dios, no había notado lo encorvadas que tiene las piernas. Mira cómo la sigue —continuó—. No está dispuesto a perder de vista su botín.

Nathan respiró profundamente.

—Vamos, Colin. Ya he visto suficiente.

Su voz no demostraba ninguna emoción. Colin se volvió para mirarle.

—¿Y bien?

—¿Y bien qué?

—Maldición, Nathan, dime qué piensas.

—¿Sobre qué?

—Lady Sara —insistió Colin—. ¿Qué piensas de ella?

—¿La verdad, Colin?

Su amigo asintió rápidamente con la cabeza.

Nathan sonrió lentamente.

—Ella pasará por la ventana.

2

El tiempo se acababa.

Sara tendría que irse de Inglaterra. Probablemente todos pensarían que había huido otra vez. Ella suponía que comenzarían a llamarla cobarde, y aunque esa calumnia le dolería, estaba decidida a continuar con sus planes. Sara simplemente no tenía otra elección. Ya le había enviado dos cartas al marqués de St. James pidiéndole su ayuda, pero el hombre con el que estaba legalmente casada no se había molestado en responderle. No se atrevió a volver a ponerse en contacto con él. Simplemente, ya no quedaba más tiempo. El futuro de la tía Nora estaba en juego, y Sara era la única que podía salvarla.

Si los miembros de la sociedad creían que estaba huyendo del contrato matrimonial, que lo creyeran.

Nunca nada salía como Sara imaginaba. La primavera anterior, cuando su madre le pidió que fuera hasta la isla de Nora para ver si ella estaba bien, Sara accedió de inmediato. Su madre no recibió ninguna carta de su hermana durante más de cuatro meses, y la preocupación por su estado de salud comenzó a enfermarla. En verdad, Sara estaba tan preocupada por la salud de su madre como por su tía. Algo andaba mal. Su tía no tenía la costumbre de olvidarse de escribir. No, el paquete de cartas mensuales era tan seguro e inevitable como la lluvia de los picnic anuales de Winchester.

Sara y su madre acordaron que ninguna de las dos revelaría la verdadera razón que había detrás de su repentina partida. Dirían que Sara iba a visitar a su hermana mayor Lillian, que vivía en las colonias de América, con su esposo y su hijo.

Sara pensó en decirle la verdad a su padre, pero luego descartó esa idea. Aunque él era el más razonable de los hermanos, aun así era un Winchester. Nora no le agradaba más que a sus hermanos, aunque por respeto a su esposa no era tan duro en sus opiniones.

Los hombres de la familia Winchester le habían dado la espalda a Nora cuando se casó con alguien de más bajo rango. El casamiento se había llevado a cabo hacía catorce años, pero los Winchester no olvidaban fácilmente. Ponían gran énfasis en la expresión «ojo por ojo». La revancha era tan sagrada para ellos como los mandamientos para los obispos, aun cuando la falta fuera tan leve como un mes de dificultades públicas. No solo nunca olvidarían su humillación, sino que tampoco perdonarían jamás.

Sara tendría que haberlo comprendido. De otro modo nunca le habría permitido que Nora la hubiera ido a visitar. Realmente creía que el tiempo había suavizado las actitudes de sus tíos. La triste verdad era todo lo contrario. No fue un feliz encuentro entre las hermanas. La madre de Sara ni siquiera pudo hablar con Nora. En realidad, nadie lo hizo, y Nora simplemente desapareció una hora después de que ella y Sara hubieran bajado del barco.

Sara estaba casi enloquecida por la preocupación. Finalmente, había llegado el momento de poner en marcha su plan, y tenía los nervios destrozados. Su miedo se había convertido en algo casi tangible, que apuraba su determinación. Ella estaba acostumbrada a dejar que otros la cuidaran, pero el zapato estaba en pie equivocado, como le gustaba decir a Nora, y Sara necesitaba encargarse del asunto. La vida de Nora dependía de su éxito.

La horrenda simulación que Sara había tenido que soportar durante dos semanas se había convertido en una pesadilla. Cada vez que oía el repiquetear de las campanas de la puerta estaba segura de que eran las autoridades que venían a informar de que habían encontrado el cuerpo de Nora. Finalmente, cuando creyó que ya no podría tolerar la preocupación ni un minuto más, su fiel sirviente Nicholas descubrió dónde habían escondido sus tíos a la tía Nora. La amable mujer había sido encerrada en el ático de la casa de la ciudad de su tío Henry hasta que se hicieran todos los arreglos con la Corte para la tutela. Luego la enviarían al asilo más cercano y dividirían su cuantiosa herencia entre los hombres de la familia.

«Malditas sanguijuelas», murmuró Sara. Le temblaba la mano cuando cerró su maleta. Pensó que era enojo y no miedo lo que le hacía temblar así. Cada vez que pensaba en el terror que debía de estar soportando su tía se enfurecía aún más.

Respiró profundamente para tranquilizarse mientras llevaba su maleta hasta la ventana abierta. La arrojó y le indicó al sirviente: «Es la última, Nicholas. Apúrate antes de que la familia regrese. Buena suerte, amigo».

El sirviente recogió la última maleta y corrió hasta el carruaje que estaba esperando. Sara cerró la ventana, apagó la vela y se acostó.

Ya era casi la medianoche cuando sus padres y su hermana Belinda regresaron de su salida. Cuando Sara oyó los pasos en el pasillo se puso boca abajo, cerró los ojos y fingió que estaba dormida. Un momento después escuchó el chirrido de la puerta que se abría y supo que su padre estaba controlando que su hija estuviera donde se suponía que debía estar. A Sara le pareció que había pasado una eternidad hasta que escuchó que la puerta se volvía a cerrar.

Sara esperó otros veinte minutos para que la casa se aquietara. Luego se levantó y sacó de debajo de la cama sus pertenencias. Tenía que pasar inadvertida en su viaje. Como no tenía nada negro se puso su vestido de paseo azul oscuro. El escote era un poco pronunciado, pero no tenía tiempo para preocuparse de ese problema. Además, su capa ocultaría ese defecto. Estaba demasiado nerviosa para trenzarse el cabello, así que se lo ató en la nuca con un moño para que no le molestara.

Después de colocar la carta que le había escrito a su madre sobre el tocador, envolvió su sombrilla, sus guantes blancos y su bolso en la capa. Arrojó todo por la ventana y se subió al borde.

La rama de la que quería cogerse estaba a sesenta centímetros, pero un metro debajo de ella. Sara rezó una rápida plegaria mientras se acercaba más al borde. Se quedó allí sentada largo rato hasta que se animó a saltar.

Nathan no podía creer lo que estaba viendo. Iba a trepar por el gigantesco árbol cuando se abrió la ventana y comenzaron a caer varios artículos de mujer. La sombrilla le golpeó un hombro. Esquivó las otras cosas y se ocultó más en las sombras. La luna le brindó suficiente luz para ver a Sara cuando se acercó al borde de la ventana. Estaba a punto de gritarle, seguro de que se rompería el cuello, cuando ella saltó. El se adelantó para tratar de alcanzarla.

Sara se sostuvo de un rama gruesa, rezó otra plegaria para evitar gritar. Luego esperó hasta dejar de mecerse hacia atrás y adelante con tanta violencia y se deslizó lentamente hacia el tronco.

—Oh, Dios, oh, Dios, oh, Dios —repitió la letanía mientras bajaba por el tronco. El vestido se le enganchó en otra rama, y cuando por fin llegó al suelo ya se le había subido hasta la cabeza.

Se acomodó el vestido y suspiró aliviada.

—Ya está —murmuró—. No fue tan terrible después de todo.

Dios mío, pensó, estaba comenzando a mentirse a sí misma. Se arrodilló en el suelo, recogió sus pertenencias y perdió unos minutos preciosos colocándose los guantes blancos. Tardó un poco más en sacudir el polvo de la capa. Después de colocársela sobre los hombros, desató las cuerdas del bolso, colocó las tiras de raso alrededor de su muñeca, la sombrilla debajo del brazo, y finalmente se dirigió hacia el frente de la casa.

Se detuvo abruptamente, segura de haber oído un ruido detrás de ella. Sin embargo, cuando se volvió no vio más que árboles y sombras. Pensó que su imaginación la estaba engañando. Probablemente era solo el ruido de los latidos de su corazón.

—¿Dónde está Nicholas? —murmuró un poco más tarde. Se suponía que el sirviente tendría que estar esperándola en las sombras, cerca de la escalinata de entrada. Nicholas le había prometido escoltarla hasta la casa de la ciudad de su tío Henry Winchester. Algo debió de demorarle, pensó Sara.

Pasaron otros diez minutos antes de que Sara aceptara el hecho de que Nicholas no regresaría a buscarla. No se atrevía a esperar más. Era muy arriesgado que averiguaran que había salido. Desde que su padre había regresado a Londres hacía dos semanas, había adquirido el hábito de ver si ella estaba durante la noche. Habría un gran escándalo cuando averiguara que había huido otra vez. Sara temblaba de solo pensar en las consecuencias.

Estaba completamente sola. Esta convicción le volvió a acelerar los latidos del corazón. Irguió los hombros y se dirigió hacia su destino.

La casa de la ciudad del tío Henry quedaba a tres calles. No tardaría mucho en caminar hasta allí. Además, era la medianoche y seguramente las calles estarían desiertas. Los villanos también necesitaban descansar, ¿verdad? Era lo que esperaba. Llegaría bien, pensó mientras se apuraba por la calle. Si alguien trataba de asaltarla, usaría su sombrilla como arma para defenderse. Estaba decidida a llegar hasta donde fuera necesario para evitar que su tía Nora tuviera que pasar otra noche bajo la sádica supervisión de su tío Henry.

Sara corrió como un relámpago a lo largo de toda la primera calle. Un pinchazo en el costado la obligó a caminar más despacio. Se tranquilizó un poco al ver que estaba segura. Al parecer, esa noche no había nadie más en las calles. Sara sonrió ante esa bendición.

Nathan la siguió. Deseaba satisfacer su curiosidad antes de tomar a su novia y colocarla sobre su hombro para dirigirse al muelle. En un rincón de su mente tenía el irritante pensamiento de que quizá estaba tratando de huir de él otra vez. Lo descartó como algo tonto, ya que ella no podía conocer su plan de raptarla.

¿Adónde iba?, se preguntaba mientras trataba de seguirla.

Ella tenía iniciativa. Esto le pareció sorprendente ya que era una Winchester. Sin embargo, ya le había dado una muestra de verdadera valentía. La oyó gritar de miedo cuando se arrojó del borde de la ventana. Luego quedó atrapada en las ramas y rezó en voz baja mientras bajaba, lo cual le hizo sonreír. Cuando estaba en aquella indecorosa posición le vio las largas y bien formadas piernas, y tuvo que contenerse para no reírse.

Era evidente que Sara aún no había advertido la presencia de Nathan. Él no podía creer su inocencia. Si se hubiera molestado en mirar atrás, le habría visto.

Ella nunca se molestó en mirar hacia atrás. Su novia giró en la primera esquina, pasó rápidamente por un callejón oscuro y luego volvió a aminorar su paso.

No había pasado inadvertida. Dos hombres corpulentos, con sus armas preparadas, se deslizaron de su hogar temporal como serpientes. Nathan iba detrás de ellos. Se aseguró de que le oyeran cuando se aproximaba, luego esperó hasta que se volvieron para mirarle antes de golpearles las cabezas.

Nathan los volvió a arrojar al callejón, mientras continuaba observando a Sara. Pensó que la forma en que su novia caminaba por la calle debería estar prohibida. El balanceo de sus caderas era demasiado tentador. Entonces vio otro movimiento entre las sombras. Corrió para salvar a Sara una vez más. Ella giró en la segunda esquina cuando Nathan golpeó con el puño en la mandíbula a su segundo posible atacante.

Tuvo que volver a intervenir para salvarla antes de que ella llegara a su destino. Nathan supuso que iba a visitar a su tío Henry Winchester cuando ella se detuvo en la entrada de su residencia y observó las ventanas oscuras durante largo rato.

Nathan pensaba que Henry era el más despreciable de todos los familiares de Sara y no encontraba una sola razón lógica por la cual ella querría ver a medianoche al pusilánime bastardo.

Ella no estaba allí de visita. Nathan llegó a esa conclusión cuando se dirigió hacia un costado de la casa. La siguió y luego se quedó apoyado contra la puerta lateral para mantener alejados a otros intrusos. Cruzó los brazos sobre el pecho y aflojó su postura mientras la observaba luchar para abrirse camino entre los arbustos y así poder entrar en la casa por una ventana.

Era el robo más inepto que jamás había observado.

Sara tardó diez minutos en abrir la ventana. Sin embargo, ese simple logro fue una corta victoria. Estaba a punto de subirse al borde de la ventana cuando se le rompió el dobladillo del vestido. Nathan la escuchó chillar disgustada y luego observó que se volvía para mirar el vestido. La ventana se volvió a cerrar mientras Sara lamentaba el daño.

Nathan pensó que si ella hubiera tenido aguja e hilo a mano se habría sentado cerca de los arbustos a coser el vestido.

Finalmente, regresó a su objetivo. Ella pensó que era muy astuta cuando utilizó la sombrilla para abrir la ventana. Ajustó las tiras de su bolso a su muñeca antes de saltar para llegar hasta el borde de la ventana. Tuvo que hacerlo tres veces antes de lograrlo. Entrar por una ventana era más difícil que salir. Cuando por fin logró entrar no lo hizo con mucha gracia. Nathan oyó un golpe fuerte y pensó que su novia había caído sobre su cabeza o su trasero. Esperó uno o dos minutos y luego subió silenciosamente detrás de ella.

Nathan se adaptó a la oscuridad rápidamente. Sin embargo, Sara no lo hizo tan pronto. Oyó un ruido que parecía vidrio roto, seguido por una interjección muy poco femenina.

Ella era muy ruidosa. Nathan se dirigió al salón de entrada y vio que Sara subía por la escalera hacia el primer piso.

Entonces Nathan vio a un hombre alto y delgado como un mimbre y pensó que era uno de los sirvientes. El hombre tenía un aspecto ridículo. Llevaba una camisa de dormir blanca larga hasta las rodillas, un candelabro tallado en una mano y un gran trozo de pan en la otra. El sirviente levantó el candelabro sobre su cabeza y comenzó a subir detrás de Sara. Nathan le tocó la parte trasera del cuello, extendió la mano para tomar el candelabro de manera que no hiciera ruido cuando cayera al suelo y luego arrastró al sirviente hasta una alcoba oscura que se encontraba junto a la escalera. Permaneció junto a la figura encogida durante un largo minuto mientras escuchaba todos los ruidos que provenían de arriba.

Sara nunca sería una buena ladrona. Escuchó los ruidos de las puertas que se cerraban y supo que su novia era quien las golpeaba. Iba a despertar a un muerto si no se tranquilizaba un poco. ¿Y qué era lo que buscaba?

Un grito agudo desgarró el aire. Nathan suspiró con fastidio. Se dirigió hacia la escalera para volver a salvar a la tonta mujer, pero se detuvo cuando ella apareció en el descansillo. No estaba sola. Nathan retrocedió hacia la alcoba y esperó. Comprendió la razón de todas sus molestias. Sara sostenía por los hombros encorvados a otra mujer y la estaba ayudando a bajar por la escalera. No podía ver el rostro de la otra mujer, pero por su andar lento y vacilante podía afirmar que estaba muy débil o dolorida.

—Por favor, no grites, Nora —susurró Sara—. Todo va a salir bien ahora. Yo te voy a cuidar.

Cuando las dos llegaron al salón de entrada, Sara se sacó la capa y se la colocó a la mujer sobre los hombros, luego se inclinó para besarla en la frente.

—Yo sabía que vendrías por mí, Sara. Nunca lo dudé. Sabía que encontrarías una forma de ayudarme.

La voz de Nora se quebró de emoción. Se secó los ojos con la mano. Nathan observó los moretones oscuros en las muñecas. Reconoció las marcas. Obviamente, la anciana había sido atada.

Sara extendió las manos para arreglar los alfileres del cabello de su tía.

—Por supuesto que sabías que vendría por ti —susurró Sara—. Te quiero, tía Nora. No permitiré que te suceda nada. Ya está —agregó con un tono más alegre—, ya tienes el cabello arreglado otra vez.

Nora le tomó la mano a Sara.

—¿Qué haría yo sin ti, niña?

—Esa es una preocupación tonta —respondió Sara, con un tono de voz tranquilo, pues sabía que su tía estaba a punto de perder el control. En realidad, Sara estaba en las mismas condiciones. Cuando vio los moretones en el rostro y los brazos de su tía sintió deseos de llorar.

—Regresaste a Inglaterra porque yo te lo pedí —le recordó Sara—. Pensé que tendrías un feliz encuentro con tu hermana, pero me equivoqué. Esta atrocidad es culpa mía, Nora. Además, debes saber que siempre vas a contar conmigo.

—Eres una niña adorable —le contestó Nora.

A Sara le temblaba la mano cuando trató de abrir la puerta.

—¿Cómo me encontraste? —le preguntó Nora desde atrás.

—Ahora no importa —le respondió Sara, y abrió la puerta—. Ya tendremos todo el tiempo del mundo para charlar después de que subamos al barco. Te llevaré de regreso a casa, Nora.

—Oh, aún no me puedo ir de Londres.

Sara se volvió para mirar a su tía.

—¿A qué te refieres con que aún no te puedes ir de Londres? Todo está arreglado, Nora. Compré el pasaje con mis últimas reservas. Por favor, no me digas que no con tu cabeza. No es el momento de ponerte difícil. Tenemos que irnos esta noche. Es muy peligroso que te quedes aquí.

—Henry me quitó mi sortija de matrimonio —le explicó Nora. Volvió a negar con la cabeza. El rodete plateado que tenía sobre la cabeza se inclinó de inmediato hacia un lado—. No me iré de Inglaterra sin ella. Mi Johnny, Dios guarde su alma, me ordenó que no me la quitara cuando nos casamos hace catorce años. No puedo irme a casa sin mi sortija, Sara. Es muy valiosa para mí.

—Sí, debemos encontrarla —respondió Sara al ver que su tía comenzaba a sollozar otra vez. También estaba preocupada por la respiración dificultosa de la mujer—. ¿Tienes idea de dónde podría haberla escondido el tío Henry?

—Esa es la verdadera blasfemia —respondió Nora. Se apoyó sobre la barandilla de la escalera para aliviar el dolor de su pecho, y luego contestó:— Henry no se molestó en esconderla. La lleva en el meñique. La luce como un trofeo. Si podemos determinar dónde está bebiendo tu tío esta noche podremos recuperarla.

Sara asintió con la cabeza. Comenzó a dolerle el estómago al pensar en lo que tendría que hacer.

—Yo sé dónde está. Nicholas le ha estado siguiendo. ¿Puedes caminar hasta la esquina? No me atreví a ordenar que el carruaje esperara en la puerta por temor a que el tío Henry regresara más temprano a casa.

—Por supuesto que puedo caminar, Sara —respondió Nora. Se alejó de la barandilla. Su andar era rígido mientras se dirigía lentamente hacia la puerta—. Cielo santo, si tu madre pudiera verme ahora, se moriría de vergüenza. Voy a ir a dar un paseo a medianoche en camisón y con una capa prestada.

Sara sonrió.

—No se lo vamos a contar a mi madre, ¿verdad? —emitió un sonido entrecortado al ver que su tía hacía un gesto de dolor—. Te duele terriblemente, ¿verdad?

—Tonterías —contestó Nora—. Ya me siento mejor. Vamos —le ordenó con un tono más enérgico—, no debemos demorarnos aquí, niña. —Se cogió a la barandilla y comenzó a bajar—. Se necesitará más de un Winchester para terminar conmigo.

Sara comenzó a cerrar la puerta, pero luego cambió de idea.

—Creo que debería dejar la puerta bien abierta para que alguien entrara en las posesiones del tío Henry. Aunque no es muy probable —agregó—. Al parecer esta noche no hay villanos en las calles. Cuando venía caminando hacia aquí no vi a ninguno.

—Dios mío, Sara, ¿viniste caminando? —le preguntó la tía Nora realmente horrorizada.

—Sí —le contestó Sara, con un poco de jactancia en la voz—. Mantuve la guardia alta, por supuesto, así que puedes dejar de fruncir el entrecejo. Tampoco tuve que usar mi sombrilla para defenderme de nadie con malas intenciones. Oh, cielo santo, dejé mi hermosa sombrilla en la ventana.

—Déjala —le ordenó su tía al ver que Sara volvía a subir por la escalera de entrada—. Si nos quedamos más tiempo aquí estaremos arriesgando nuestra suerte. Ahora, dame tu brazo, querida. Me sostendré de ti mientras doy este pequeño paseo. ¿Realmente viniste caminando hasta aquí, Sara?

Sara se rió.

—A decir verdad, creo que corrí la mayor parte del camino. Estaba muy asustada, Nora, pero hice el trayecto sin contratiempos. ¿Sabes?, creo que todos los comentarios sobre la inseguridad de nuestras calles son una exageración.

Las dos damas cogidas del brazo se alejaron por la oscura calle angosta. La risa de Sara las seguía. El carruaje las estaba esperando en la esquina. Sara estaba ayudando a su tía para que subiera al vehículo cuando apareció un asaltante. Nathan intervino colocándose simplemente a la luz de luna. El hombre le miró y se volvió a ocultar en las sombras.

Nathan pensó que la anciana le había visto, pues miró sobre su hombro cuando él se adelantó, pero decidió que su vista debía de estar nublada por la edad, ya que se volvió sin decirle nada a su sobrina.

Sara no había advertido su presencia, pues mantenía una acalorada discusión con el conductor sobre el precio del viaje, hasta que finalmente accedió a pagar la exorbitante suma y subió al vehículo. El carruaje ya había partido cuando Nathan se cogió a la barandilla y subió en la parte trasera. El vehículo se meció por el aumento de peso antes de tomar velocidad otra vez.

Ciertamente, a Sara le estaba resultando fácil su rapto. Nathan la había escuchado decirle a su tía que se irían de Londres en barco. Por lo tanto supuso que su destino sería el muelle. Entonces el carruaje giró en una de las calles laterales cercana a la ribera y se detuvo abruptamente frente a una de las tabernas más conocidas de la ciudad.

Ella iba tras de la maldita sortija de matrimonio, pensó Nathan irritado. Nathan saltó del carruaje y se situó en la luz, pues quería que los hombres que estaban frente a la taberna le vieran bien. Separó las piernas como para pelear, colocó la mano derecha sobre el látigo que tenía atado en el cinturón y frunció el entrecejo.

El grupo advirtió su presencia. Tres de los más pequeños regresaron a la taberna. Los otros cuatro se apoyaron sobre la pared de piedra y miraron hacia el suelo.

El conductor bajó, recibió órdenes y entró rápidamente en la taberna. Regresó un minuto después, murmurando que tendría que recibir más dinero por todos los problemas que tenía que soportar, y regresó a su asiento.

Pasaron unos minutos más y la puerta de la taberna

se volvió a abrir. Salió un hombre con rostro huraño y un gran abdomen. Llevaba ropa arrugada, sucia y muy usada. El extraño se quitó el cabello grasiento de la frente en un lamentable intento por arreglarse mientras se acercaba con jactancia al carruaje.

—Mi amo, Henry Winchester, está demasiado borracho para salir —anunció—. Venimos a esta parte de la ciudad cuando queremos que nadie lo sepa —agregó—. Vine en su lugar, señora. Su cochero dijo que una mujer necesitaba algo, y creo que soy el hombre que necesita.

El desagradable sujeto se rascó la ingle mientras esperaba la respuesta a su ofrecimiento.

El olor hediondo del hombre entró por la ventanilla. Sara casi da una arcada. Se colocó el pañuelo perfumado en la nariz, se volvió hacia su tía y le susurró:

—¿Conoces a este hombre?

—Por supuesto que sí —le contestó su tía—. Su nombre es Clifford Duggan, Sara, y es el que ayudó a tu tío.

—¿Te golpeó?

—Sí, querida, lo hizo —respondió Nora—. En realidad, varias veces.

El sirviente en cuestión no podía ver el interior oscuro del carruaje. Se inclinó hacia delante para ver mejor a su presa.

Nathan se acercó hasta un costado del carruaje. Su intención era destrozar al hombre por haberse atrevido a mirar lascivamente a su novia. Se detuvo al ver que un puño con guante blanco volaba a través de la ventanilla y golpeaba ruidosamente la bulbosa nariz del hombre.

Clifford no estaba preparado para el ataque. Emitió un grito de dolor, se tambaleó hacia atrás y se cayó de rodillas. Mientras decía una maldición tras otra, trató de ponerse diligentemente de pie.

Sara aprovechó su ventaja. Abrió con violencia la puerta del carruaje y golpeó al villano en la parte media de su cuerpo. El sirviente dio casi un salto mortal antes de caer en la cuneta sobre su trasero.

Los hombres que estaban apoyados contra la pared gritaron en señal de aprecio por el espectáculo que estaban observando. Sara ignoró a ·su público mientras bajaba del carruaje. Se volvió para entregarle el bolso a su tía, se quitó los guantes y también se los entregó por la ventanilla, y finalmente se dirigió al hombre que estaba tendido en el suelo.

Estaba demasiado enfurecida para preocuparse. Se colocó sobre su víctima como si fuera un ángel vengador. Le temblaba la voz de furia cuando le dijo:

—Si alguna vez vuelve a maltratar a una dama, Clifford Duggan, juro por Dios que tendrá una muerte lenta y agonizante.

—Nunca maltraté a una dama —se quejó Clifford. Estaba tratando de recuperar el aliento para abalanzarse sobre ella—. ¿Cómo sabe mi nombre?

Nora se asomó por la ventanilla.

—Eres un gran mentiroso, Clifford —le gritó—. Te vas a quemar en el infierno por tus pecados.

Clifford abrió grandes los ojos.

—¿Cómo ha salido...?

Sara interrumpió la pregunta dándole un puntapié. Él la volvió a mirar con una expresión insolente.

—¿Crees que tienes agallas para lastimarme? —le preguntó con un gesto despectivo. Miró a los hombres que estaban apoyados contra la pared. En realidad, el sirviente estaba más humillado que herido por el ataque de Sara. Las risitas eran más hirientes que la bofetada—. La única razón por la que no respondo es porque mi amo querrá darte una buena paliza antes de entregarte a mí.

—¿Tienes idea de en qué problema estás metido, Clifford? —le preguntó Sara—. Mi esposo se va a enterar de esta atrocidad y él sí se desquitará. Todo el mundo teme al marqués de St. James, incluso los cerdos ignorantes como tú, Clifford. Cuando le cuente lo que hiciste te hará lo mismo. El marqués hace lo que le pido. —Se detuvo para chasquear los dedos—. Oh, veo que he logrado acaparar toda tu atención con esa promesa —agregó asintiendo con la cabeza al ver que Clifford había cambiado su expresión. El hombre parecía aterrorizado. Ya no intentaba ponerse de pie sino que se arrastraba hacia atrás sobre su trasero.

Sara estaba excesivamente complacida consigo misma. No se había dado cuenta de que Clifford había visto al gigante que estaba a escasos tres metros detrás de ella. Pensó que había atemorizado al sirviente mencionando a un St. James.

—Un hombre que golpea a una dama es un cobarde —le anunció—. Mi esposo mata a los cobardes como si fueran mosquitos. Y si tienes alguna duda, recuerda que es un St. James.

—Sara, querida —la llamó Nora—. ¿Quieres que te acompañe adentro?

Sara no dejó de mirar a Clifford cuando le respondió a su tía.

—No, Nora. No estás vestida para esta ocasión. No tardaré.

—Entonces apúrate —le gritó Nora—. Te enfriarás, querida.

Nora continuó asomada por la ventanilla, aunque su mirada estaba dirigida hacia Nathan. Él la saludó asintiendo enérgicamente con la cabeza y volvió a observar a su novia.

Nora advirtió rápidamente cómo el hombre corpulento mantenía a los sabuesos alejados. Su tamaño era intimidatorio. No tardó en darse cuenta de que estaba protegiendo a Sara. Nora pensó en advertir a su sobrina, pero luego descartó la idea. Sara tenía suficientes cosas por las que preocuparse. Esperaría para mencionarle a su salvador hasta que Sara terminara con su importante misión.

Nathan mantenía su atención en Sara. Ciertamente, su novia estaba llena de sorpresas. Le costaba aceptarlo. Había visto lo cobardes que eran los Winchester. Los hombres de la familia siempre hacían sus trabajos sucios en la oscuridad o cuando un hombre les daba la espalda. Sin embargo, Sara no estaba actuando como una Winchester. Actuaba con valentía para defender a la anciana. Y estaba furiosa.

Nathan pensó que no se sorprendería si sacaba una pistola y le disparaba a su víctima entre los ojos. Estaba terriblemente enojada.

Sara pasó junto al sirviente, se detuvo para mirarle bien y luego entró rápidamente en la taberna.

Nathan se acercó de inmediato a Clifford. Le tomó del cuello, le levantó en el aire y luego le arrojó contra la pared de piedra.

El público se dispersó como si fueran ratones para evitar que los golpeara. Clifford se golpeó contra la pared y cayó al suelo desmayado.

—¿Buen hombre? —le llamó Nora—. Creo que mejor debería entrar. Mi Sara necesitará otra vez su ayuda.

Nathan se volvió para mirar con el entrecejo fruncido a la mujer que se atrevía a darle una orden. Entonces los silbidos y las risas provenientes del interior de la taberna acapararon su atención. Con un gruñido de frustración por lo que consideraba una inconveniencia desenrolló su látigo y se dirigió hacia la puerta.

Sara localizó a su tío, que estaba encorvado sobre su cerveza en una mesa redonda, en el centro del establecimiento. Se abrió camino entre la multitud de parroquianos para llegar hasta él. Pensó que utilizaría la vergüenza y la razón para recuperar la sortija de la tía Nora. Sin embargo, cuando vio el anillo de plata en su dedo su mente quedó vacía de todo argumento razonable. Había una copa llena de cerveza negra sobre la mesa. Antes de poder contenerse, Sara tomó la copa y se la vació en la cabeza calva a su tío.

Él estaba demasiado borracho para reaccionar rápidamente. Gritó, eructó y luego trató de ponerse en pie. Sara le había quitado la sortija del dedo antes de que pudiera detenerla.

Tardó bastante en poder enfocarla. Sara se colocó la sortija en el dedo mientras esperaba.

—Dios mío... ¿Sara? ¿Qué estás haciendo aquí? ¿Sucede algo malo? —el tío Henry balbuceó las preguntas con jactancia. El esfuerzo le costó la poca fuerza que le quedaba. Se volvió a sentar y la miró con los ojos inyectados de sangre. Henry se dio cuenta de que la copa estaba vacía—. ¿Dónde está mi cerveza? —le gritó al tabernero.

Sara estaba completamente disgustada con su tío. Aunque creía que luego no iba a recordar ni una palabra de su sermón, estaba decidida a decirle lo que pensaba de su conducta pecaminosa.

—¿Sucede algo malo? —repitió su pregunta con tono de burla—. Eres despreciable, tío Henry. Si mi padre hubiera sabido lo que tú y sus otros hermanos le estabais haciendo a la tía Nora, estoy segura de que habría llamado a las autoridades y os hubiera enviado a la horca.

—¿Qué dices? —le preguntó Henry. Se frotó la frente mientras trataba de concentrarse en la conversación—. ¿Nora? ¿Me estás gritando por esa mujer inservible?

Antes de que Sara pudiera responder a esa vergonzosa observación, él continuó:

—Tu padre estaba enterado del plan desde un principio. Nora es demasiado vieja para cuidar de sí misma. Nosotros sabemos qué es lo mejor para ella. No trates de hacer una escena conmigo, niña, pues no te diré dónde está.

—Ustedes no saben qué es mejor para ella —gritó Sara—. Lo que tú quieres es su herencia, y esa es la verdadera razón. Todo el mundo en Londres conoce tus deudas de juego, tío. Encontraste una forma fácil de pagarlas, ¿verdad? Iban a encerrar a Nora en un asilo, ¿no es así?

Henry miraba alternativamente su copa de cerveza vacía y la expresión violenta de su sobrina. Finalmente, comprendió que ella le había volcado la cerveza en la cabeza. Se tocó el cuello de la camisa para asegurarse y cuando sintió la humedad pegajosa se puso lívido. Necesitaba otra cerveza desesperadamente.

—Vamos a alejar a la bruja, y no puedes hacer nada al respecto. Ahora vete a casa antes de que te azote el trasero.

Sara oyó una risita detrás de ella, se volvió y miró a un parroquiano.

—Beba su refresco, señor, y no se meta en esto. —Solo volvió a mirar a su tío después de que el extraño bajó su mirada hacia su copa—. Estás mintiendo sobre mi padre. Él nunca participaría en una crueldad así. Y en cuanto a golpearme, hazlo y tendrás que sufrir la ira de mi esposo. Se lo contaré —le amenazó asintiendo con la cabeza.

Sara esperaba que su falsa amenaza sobre los métodos de represalia de su esposo tuvieran el mismo éxito con su pariente que habían tenido con el sirviente Clifford.

Era una esperanza vana. Henry no se intimidó para nada.

—Estás tan loca como Nora si crees que un St. James saldría en tu defensa. Mira, Sara, podría golpearte y nadie se daría por enterado, y mucho menos tu esposo.

Sara se mantuvo firme. Estaba decidida a obtener la promesa de su tío de dejar en paz a Nora antes de retirarse de la hedionda taberna. Temía que él o alguno de sus hermanos enviara a alguien a seguir a su tía y a traerla de regreso a Inglaterra. La herencia de Nora del patrimonio de su padre era lo suficientemente importante para que valiera la pena la molestia.

Estaba tan exasperada con su tío que no advirtió que algunos de los parroquianos se estaban acercando lentamente hacia ella. Nathan sí lo advirtió.

Uno de los hombres, que parecía el líder del grupo, se relamió los labios anticipándose al bocado que creía que pronto devoraría.

Sara comprendió repentinamente la futilidad de su plan.

—¿Sabes, tío Henry?, estaba tratando de pensar en algo para que me prometieras que dejarías en paz a Nora, pero ahora comprendo que es una tontería. Solo un hombre de honor cumpliría con su promesa. Tú eres demasiado puerco como para cumplir con tu palabra.

Su tío extendió la mano para abofetearla. Sara le esquivó fácilmente. Dejó de retroceder cuando chocó contra algo bastante sólido, se volvió y vio que estaba rodeada por varios hombres de aspecto desagradable. De inmediato advirtió que necesitaban un buen baño.

Todos estaban tan deslumbrados por la bella dama que no advirtieron la presencia de Nathan. Estaban demasiado ansiosos para ser precavidos. Un momento después comprenderían su error. Nathan se apoyó contra la puerta cerrada y esperó la primera provocación.

Se produjo con la velocidad de un rayo. Cuando el primer infiel tomó del brazo a Sara, Nathan rugió enfurecido. El sonido fue profundo, gutural, ensordecedor. Y también efectivo. En la taberna todo el mundo se quedó helado... todos excepto Sara. Ella saltó y se volvió en dirección al sonido.

Habría gritado si no se le hubiera cerrado la garganta. Realmente le costaba respirar. Cuando vio al enorme hombre apoyado en la puerta se le aflojaron las rodillas y tuvo que sostenerse de la mesa para no caerse. El corazón le golpeaba dentro del pecho y tenía la sensación de que moriría de miedo.

¿Qué era él? No, qué no, se corrigió, sino quién. Él era un hombre... sí, un hombre... pero el más grande, el de aspecto más peligroso, el más... oh, Dios, la estaba mirando fijamente.

La llamó con un dedo.

Ella negó con la cabeza.

Él asintió con la cabeza.

Todo el lugar comenzó a dar vueltas. Sara tendría que volver a confiar en su ingenio. Trató desesperadamente de encontrar algo en el gigante que no fuera tan aterrador. Entonces advirtió que alguien la estaba tomando del brazo. Sin dejar de mirarle sacó la mano de su brazo dándole una palmada.

El gigante parecía haberse bañado. Eso ya era bastante. Su cabello también parecía limpio. Era de color bronce oscuro, tan bronceado como su rostro y sus brazos. Dios santo, pensó, sus brazos y sus hombros eran tan... musculosos. También sus muslos. El pantalón ajustado le marcaba el arma que llevaba. Pero era un pantalón limpio. Generalmente, los villanos llevan pantalones arrugados y malolientes, ¿verdad? Por lo tanto, razonó ilógicamente, él no podía ser un villano. Esa conclusión la hizo sentirse mejor. Ya podía respirar.

Muy bien, pensó, él no es un villano; es solo un jefe guerrero, decidió después de realizar una completa inspección, quizá un guerrero vikingo por el largo de su cabello. Sí, era simplemente un bárbaro que de alguna manera se había trasladado en el tiempo.

El guerrero de ojos verdes le volvió a indicar que se acercara. Ella miró hacia atrás para asegurarse de que no estaba llamando a otra persona. No había nadie allí.

Se refería a ella. Pestañeó, pero él no desapareció. Sacudió la cabeza para borrar esa visión del infierno.

Él la volvió a llamar con un dedo.

—Ven aquí.

Su voz era profunda, imperativa, arrogante. Que Dios la ayudara... comenzó a caminar hacia él.

Entonces se abrió el infierno. El sonido del látigo en el aire, el grito de dolor del tonto que trató de tocarla cuando ella pasó junto a él, retumbaron en los oídos de Sara. No miró el revuelo. Su mirada estaba dirigida hacia el hombre que estaba destruyendo metódicamente la taberna.

Lo hacía parecer tan fácil. Un simple movimiento de su muñeca, que no parecía costarle el menor esfuerzo, dejaba una impresión perdurable en su público.

Sara también advirtió que, cuanto más se acercaba a él, Nathan fruncía más el entrecejo.

Obviamente, el guerrero no estaba de buen humor. Decidió que le complacería hasta que pudiera recuperar su compostura. Luego correría hacia afuera, subiría al carruaje con Nora y escaparía hacia el muelle.

Era un buen plan, pensó. Pero el problema era quitar primero al vikingo de la puerta.

Advirtió que se había detenido a mirarle cuando le volvió a indicar que se moviera. Sintió que una mano le tomaba el hombro, la miró y oyó el chasquido del látigo.

Sara sintió que volaba. Corrió hacia él, decidida a llegar allí antes de que le fallara el corazón.

Se detuvo delante de él, inclinó la cabeza hacia atrás, y miró esos penetrantes ojos verdes hasta que él por fin la miró. Sara extendió impulsivamente la mano y le tocó el brazo para asegurarse de que no era un producto de su imaginación.

Él era real. Su piel parecía de acero, pero un acero tibio. La mirada de esos hermosos ojos la salvaron de la locura. El color era hipnotizador, intenso.

Era extraño, pero cuanto más le miraba más segura se sentía. Sonrió aliviada. Él reaccionó levantando una ceja.

—Sabía que no eras un villano, vikingo.

Repentinamente Sara se sintió sin peso, como si fuera flotando a través de un túnel oscuro hacia el bronceado vikingo.

Nathan la sostuvo antes de que golpeara contra el suelo. Su novia se había desmayado cuando la colocó sobre su hombro. Examinó la taberna para ver si había quedado algo. Había cuerpos sobre todo el suelo de madera. Eso no era suficiente, pensó. Sintió la necesidad de marcar al tío cobarde que estaba escondido debajo de la mesa. Podía oír los sollozos entrecortados del hombre.

Nathan pateó la mesa para ver a su presa.

—¿Sabes quién soy, Winchester?

Henry estaba en una posición fetal. Cuando negó con la cabeza, frotó el mentón contra las tablas de madera.

—Mírame, desgraciado.

Su voz sonó como un trueno. Henry le miró.

—Soy el marqués de St. James. Si alguna vez te vuelves a acercar a mi esposa o a esa anciana, te mataré. ¿Nos entendemos?

—¿Tú eres... él?

A Henry se le había subido la bilis a la garganta y casi no podía hablar. Nathan le empujó con la punta de la bota y luego salió de la taberna.

El tabernero espió desde su escondite detrás de la parrilla y observó la devastación que le rodeaba. Esa noche oscura ya no vendería más cerveza, ya que casi ninguno de sus clientes estaba en condiciones de beber. Cubrían el suelo como cáscaras de nueces. Era una escena que no olvidaría. Quería recordar cada detalle para poder contarle a sus amigos lo que había sucedido. También sabía cómo contaría el final. El caballero Winchester llorando como un niño haría reír a sus futuros clientes.

Un ruido de arcadas distrajo al tabernero de sus meditaciones. El poderoso Winchester estaba vomitando sobre el suelo.

El grito enojado del tabernero se fundió con la exclamación entrecortada de miedo de Nora. Cuando vio a su sobrina sobre el hombro del extraño se llevó una mano al pecho.

—¿Sara está herida? —exclamó. Se imaginaba lo peor.

Nathan negó con la cabeza. Abrió la puerta del carruaje y luego se detuvo para responderle a la anciana con un mohín.

—Se desmayó.

Nora se sintió tan alivada con la noticia que no advirtió que el hombre estaba complacido por la condición de su sobrina. Se corrió para dejar un espacio para Sara. Sin embargo, Nathan colocó a su novia en el asiento opuesto. Nora le echó un vistazo a Sara para ver si todavía respiraba y luego se volvió para mirar a su salvador. Observó cómo recogía su látigo y lo colgaba en su cinturón.

Nora no esperaba que subiera al vehículo con ellas. Cuando él lo hizo ella se corrió a un rincón del asiento.

—Sara se puede sentar a mi lado —le ofreció Nora.

Nathan no se molestó en contestarle. Sin embargo, ocupó todo el lugar del asiento de enfrente. Luego colocó a Sara sobre su regazo. Nora advirtió que era muy gentil cuando tocaba a su sobrina. Detuvo la mano en la mejilla de Sara cuando le apoyó la cabeza sobre su pecho. Sara emitió un pequeño suspiro.

Nora no sabía qué pensar del hombre. El carruaje ya estaba en pleno movimiento cuando trató de entablar una conversación.

—Joven, mi nombre es Nora Bettleman. La dama que acaba de salvar es mi sobrina. Su nombre es Sara Winchester.

—No —le respondió con tono duro—. Su nombre es lady St. James.

Después de hacer esa enfática afirmación desvió su mirada hacia la ventanilla. Nora continuó mirándole fijamente. El hombre tenía un perfil definido y agradable.

—¿Por qué nos está ayudando? —le preguntó—. No me convencerá diciéndome que es empleado de la familia Winchester —agregó asintiendo con la cabeza—. ¿Le contrató alguno de los hombres de St. James?

Nathan no le respondió. Nora suspiró antes de volver a atender a su sobrina. Estaba deseando que Sara se recuperara de su desmayo para aclarar la confusión.

—Dependo de esa niña que tiene en los brazos, señor. No soporto pensar que le pueda suceder algo malo.

—Ella no es una niña —la contradijo.

Nora sonrió.

—No, pero yo aún considero que lo es —admitió Nora—. Sara es un alma tan confiada, tan inocente. Se parece a la familia de su madre.

—Usted no es una Winchester, ¿verdad?

Nora estaba tan complacida de que finalmente conversara con ella que volvió a sonreír.

—No —le respondió—. Soy tía de Sara por parte de su madre. Yo era Turner antes de casarme con mi Johnny y adoptar su apellido.

Nora volvió a mirar a Sara.

—Creo que nunca se había desmayado. Bueno, pero las dos últimas semanas fueron de mucha tensión para ella. Tiene ojeras, obviamente no ha dormido bien. La preocupación por mí —agregó con un poco de ronquera—. Aun así, debe de haber visto algo muy atemorizante para que se desmayara. ¿Qué supone que...?

Nora dejó de especular cuando vio la mueca que hacía Nathan. El hombre era muy peculiar pues sonreía por las cosas más extrañas.

Luego le explicó:

—Ella me vio a mí.

Sara comenzó a moverse. Aún se sentía mareada, desconcertada, pero maravillosamente cómoda. Frotó la nariz contra la tibieza del pecho de Nathan, inhaló la fragancia limpia y masculina, y suspiró satisfecha.

—Creo que está reaccionando —susurró Nora—. Gracias a Dios.

Sara volvió la cabeza lentamente para mirar a su tía.

—¿Reaccionando? —le preguntó bostezando de manera muy poco femenina.

—Te desmayaste, querida.

—No —respondió Sara consternada—. Nunca me desmayo. Yo... —Detuvo su explicación al advertir que estaba sentada en el regazo de alguien. No, en el de alguien no, en el de él. Se puso pálida. Recordó todo.

Nora se acercó para darle una palmada en la mano.

—Todo está bien, Sara. Este amable caballero te salvó.

—¿El que tenía el látigo? —susurró Sara, rogando estar equivocada.

Nora asintió con la cabeza.

—Sí, querida, el del látigo. Debes darle las gracias, y por el amor de Dios, Sara, no te vuelvas a desmayar. No traje las sales aromáticas.

Sara asintió con la cabeza.

—No me volveré a desmayar —le respondió y para poder cumplir su promesa decidió que sería mejor no volver a mirarle.

Trató de levantarse sin que él lo notara, pero en cuanto comenzó a moverse la tomó más fuerte de la cintura.

Ella se inclinó un poco hacia delante.

—¿Quién es? —le preguntó a Nora.

Su tía se encogió de hombros.

—Aún no me lo ha dicho —le explicó—. Quizá, querida... si le dices lo agradecida que estás... bueno, nos diga su nombre.

Sara sabía que era descortés hablar de un hombre como si no estuviera allí. Se volvió lentamente para mirarle la cara, aunque le miró deliberadamente el mentón.

—Gracias, señor, por haber entrado en la taberna para defenderme. Siempre estaré en deuda con usted.

Él le levantó el mentón con el pulgar. Su mirada era inescrutable.

—Me debes más que gratitud, Sara.

Sara abrió grandes los ojos.

—¿Sabe quién soy?

—Yo se lo dije, querida —acotó Nora.

—No tengo más monedas —le dijo Sara—. He gastado todo lo que tenía para comprar los pasajes para nuestro viaje. ¿Nos está llevando al puerto?

Él asintió con la cabeza.

—Tengo una cadena de oro, señor. ¿Eso sería suficiente?

—No.

Su respuesta abrupta la irritó. Le miró disgustada por ser tan descortés.

—Pero no tengo más que ofrecerle —le anunció.

El carruaje se detuvo. Nathan abrió la puerta. Se movió con una velocidad increíble para ser un hombre tan grande. Estaba fuera del carruaje ayudando a bajar a Nora antes de que Sara se hubiera arreglado el vestido. El hombre la había arrojado a un rincón del carruaje.

De pronto la volvió a tomar de la cintura. Sara solo tuvo tiempo de tomar sus guantes antes de que la sacara del carruaje como una bolsa de alimentos. Él se atrevió a tomarla de los hombros y apretarla junto a él. Ella protestó de inmediato.

—Señor, soy una mujer casada. Quite su brazo. No es decente.

Obviamente, sufría algún defecto auditivo, ya que ni siquiera la miró cuando le dio esa orden. Estaba a punto de intentarlo otra vez cuando él emitió un silbido penetrante. Hasta ese momento la zona iluminada por la luz de la luna había estado completamente desierta. En un abrir y cerrar de ojos estaba completamente rodeada de hombres.

La tripulación de Nathan miró fijamente a Sara. Actuaban como si nunca antes hubieran visto una mujer bonita. Él miró a su novia para ver cómo reaccionaba ante sus miradas de adoración. Ella no estaba prestando atención a los hombres. Estaba ocupada mirándole. Nathan casi sonrió.

La apretó un poco para que abandonara su muestra de insolencia y luego se dirigió a la anciana.

—¿Tiene algún equipaje?

—¿Tenemos, Sara? —preguntó Nora.

Sara trató de alejarse de su ancla antes de responder.

—Le dije que soy una mujer casada. Ahora suélteme. Él no se movió. Ella desistió.

—Sí, Nora, tenemos equipaje. Tomé algunas cosas prestadas de mamá para ti. Estoy segura de que no se molestará. Nicholas guardó las maletas en el depósito de Marshall. ¿Podemos ir a buscarlas?

Trató de dar un paso hacia delante, pero se encontró atrapada otra vez por el gigante.

Nathan vio a Jimbo detrás de la tripulación y le indicó que se acercara. Un hombre alto, de piel oscura, se acercó y se detuvo frente a Sara. Ella abrió los ojos al ver al otro gigante. Le miró detenidamente durante un momento y luego llegó a la conclusión de que habría sido atractivo si no hubiera sido por el extraño pendiente de oro que llevaba en la oreja.

Debió de haber sentido que Sara le miraba fijamente pues repentinamente se cruzó de brazos y la miró con el entrecejo fruncido.

Ella también frunció el entrecejo.

Una chispa apareció en sus ojos oscuros y le regaló una amplia sonrisa. Ella no supo cómo interpretar ese extraño comportamiento.

—Que dos hombres se ocupen del equipaje, Jimbo —le ordenó Nathan—. Abordaremos el *Seahawk* cuando amanezca.

Sara advirtió que el vikingo se había incluido en sus planes.

—Mi tía y yo estaremos perfectamente seguras ahora —le dijo—. Estos hombres parecen bastante agradables, señor. Ya hemos abusado demasiado de su valioso tiempo.

Nathan continuó ignorándola. Llamó a otro hombre. Cuando se adelantó un hombre musculoso aunque más bajo, Nathan le indicó:

—Ocúpate de la anciana, Matthew.

Nora emitió un sonido entrecortado. Sara pensó que era porque las iban a separar. Sin embargo, antes de que pudiera discutir con su protector, Nora irguió los hombros y se acercó lentamente al hombre enorme.

—No soy una anciana, señor, y olvidaré ese insulto. Tengo cincuenta y un años, joven, y me siento muy ágil.

Nathan levantó un poco una ceja, pero contuvo su sonrisa. Una brisa derribaría a la anciana por lo frágil que parecía, sin embargo, tenía el tono de voz de un comandante.

—Debería disculparse con mi tía —le indicó Sara.

Ella se volvió hacia su tía antes de que él pudiera reaccionar ante esa afirmación.

—Estoy segura de que él no quiso herir tus sentimientos, Nora. Solo es rudo.

Nathan sacudió la cabeza. La conversación era ridícula para él.

—Muévete, Matthew —le ordenó.

Nora se volvió hacia el hombre que estaba cerca de ella.

—¿Y dónde cree que me va a llevar?

Como respuesta, Matthew levantó en brazos a Nora.

—Bájeme, bribón.

—Está bien —respondió Matthew—. Pareces enferma. No me pesas más que una pluma.

Nora estaba a punto de protestar otra vez, pero su siguiente pregunta la hizo cambiar de idea.

—¿Dónde te hiciste esos moretones? Dime el nombre del maldito infiel y con gusto le cortaré el cuello por ti.

Nora le sonrió al hombre que la estaba sosteniendo. Advirtió que tenía casi su misma edad y que parecía un hombre decente. Hacía años que no se sonrojaba, pero sintió que en ese momento lo estaba haciendo por el calor que sentía en las mejillas.

—Gracias, señor —balbuceó mientras se acomodaba el rodete en la cabeza—. Es un ofrecimiento muy amable de su parte.

Sara estaba sorprendida por el comportamiento de su tía. ¡Estaba pestañeando y actuando como una joven coqueta en su primera fiesta! Los observó hasta que se perdieron de vista y luego advirtió que los demás hombres también se habían desvanecido. Estaba sola con su salvador.

—¿Mi tía Nora estará segura con ese hombre? —le preguntó.

Su respuesta no fue más que un gruñido de obvia irritación.

—¿Un gruñido significa sí o no? —le preguntó Sara.

—Sí —le contestó con un suspiro cuando ella le golpeó en las costillas.

—Por favor, suélteme.

Él hizo lo que le pidió. Sara estaba tan sorprendida que casi pierde el equilibrio. Quizá si mantenía un tono de voz agradable él escucharía otras peticiones. Ciertamente, valía la pena intentarlo.

—¿Estaré segura con usted?

Él se tomó su tiempo para responderle. Sara se volvió y se colocó frente a él. Las puntas de sus dedos tocaban las puntas de sus botas.

—Por favor, contésteme —susurró con un tono dulce y suplicante.

Él no parecía impresionado con su intento de mantener una amable conversación. Por otra parte, su exasperación era evidente.

—Sí, Sara. Siempre estarás a salvo conmigo.

—Pero no quiero estar a salvo con usted —gritó. En cuanto las palabras salieron de su boca comprendió lo tonta que había sido esa afirmación y trató de corregirla rápidamente—. Lo que quiero decir es que quiero sentirme segura siempre. Todo el mundo quiere sentirse seguro. Hasta los villanos...

Dejó de divagar al ver que él hacía un mohín.

—Quiero estar a salvo sin usted. No estará planeando viajar con Nora y conmigo, ¿verdad? ¿Por qué me mira así?

Nathan le respondió la primera pregunta e ignoró la segunda.

—Sí, voy a viajar con vosotras.

—¿Por qué?

—Quiero hacerlo —le comunicó lentamente. Decidió esperar un poco más para darle los detalles. Sara se volvió a sonrojar. Nathan no sabía si era por miedo o enojo.

Su novia aún tenía pecas en la nariz. Se sintió complacido por esto. Le hizo recordar el pequeño demonio que había tenido en los brazos. Sin embargo, ya no era una niñita. Había crecido, pero aún era un pequeño demonio.

Le dio un golpecito en el pecho para que volviera a atenderla.

—Lo lamento, señor, pero no puede viajar con Nora y conmigo —le anunció—. Tendrá que buscar otro barco. No sería seguro para usted estar en el mismo barco conmigo.

Esa extraña afirmación ganó toda su atención.

—¿Oh? ¿Y por qué?

—Porque a mi esposo no le gustaría —le explicó. Asintió con la cabeza al advertir su incredulidad y luego continuó—. ¿Ha oído hablar del marqués de St. James? Oh, por supuesto que sí. Todo el mundo sabe del marqués. Él es mi esposo, vikingo, y le dará un ataque si averigua que viajo con un... protector. No, temo que no resultará. ¿Por qué se sonríe?

—¿Por qué me llamas vikingo? —le preguntó Nathan.

Ella se encogió de hombros.

—Porque se parece a uno.

—¿Debería llamarte arpía?

—¿Por qué?

—Porque te estás comportando como una.

Sintió deseos de gritar.

—¿Quién es usted? ¿Qué quiere de mí?

—Aún estás en deuda conmigo, Sara.

—Oh, Dios, ¿va a volver sobre lo mismo?

Se enfureció al ver que Nathan asentía lentamente con la cabeza. Él estaba disfrutando plenamente de la situación. Cuando Sara lo advirtió su indignación se evaporó, ya que comprendió que nunca le haría entrar en razón. El hombre estaba loco. Sería mejor que se alejara lo antes posible de este bárbaro, pensó. Sin embargo, primero tenía que encontrar una forma de apaciguarle.

—Está bien —le contestó—. Estoy en deuda. Estamos completamente de acuerdo. Ahora, por favor, dígame qué cree que le debo e intentaré pagarle.

Se acercó para poder sostenerla si volvía a desmayarse después de que le respondiera.

—Mi nombre es Nathan, Sara.

—¿Y? —le preguntó, intrigada por saber por qué repentinamente había decidido decirle su nombre.

Ella era lenta para comprender. Nathan suspiró cansado.

—Y tú, lady St. James, me debes una noche de boda.

3

Ella no se desmayó; gritó. Nathan no trató de tranquilizarla. Cuando ya no pudo soportar más el irritante sonido, la arrastró hasta las oficinas de la Emerald Shipping Company. Dejó a la histérica mujer en manos de su tía. Como creía que era capaz de comportamientos caballerescos solo en raras ocasiones, no comenzó a reírse hasta que estuvo otra vez fuera.

Nathan disfrutó de la reacción de Sara ante su anuncio. Lady Sara no era para nada sutil. Estaba seguro de que nunca tendría que preocuparse por saber qué pensaba. A Nathan, condicionado a la bajeza durante toda su vida, le parecía encantadora la simpleza de su novia. Un poco ruidosa, pero encantadora.

Después de encargarse de algunos detalles finales, Nathan subió al barco. Jimbo y Matthew le estaban esperando en la cubierta. Ambos tenían el entrecejo fruncido, pero Nathan decidió ignorar su muestra de insolencia. Les había encomendado la tarea de acomodar a Sara y a Nora en sus camarotes.

—¿Dejó de gritar? —preguntó Nathan.

—Cuando la amenacé con ponerle una mordaza —respondió Jimbo. El hombre corpulento frunció el entrecejo y agregó—: Entonces me golpeó.

Nathan mostró su exasperación.

—Creo que ya no está asustada.

—Creo que nunca estuvo asustada —acotó Matthew—. ¿Viste el fuego en sus ojos cuando la llevaste a las oficinas? Me miró furiosa.

Jimbo asintió de mala gana.

—Después de que te fuiste, ella siguió gritando y diciendo que todo era una broma cruel. Ni siquiera su tía pudo calmarla. Tu novia pidió que alguien la pellizcara y así se despertaría y sabría que todo era una pesadilla.

—Sí, lo hizo —confirmó Matthew con una risita—. Felix se lo tomó en serio. A pesar de su tamaño, el muchacho no es muy astuto.

—¿Felix la tocó? —Nathan parecía más incrédulo que enojado.

—No, no la tocó —contestó de inmediato Jimbo—. Trató de darle un pequeño pellizco, eso es todo. Pensó que estaba siendo servicial. Tú sabes que al muchacho le gusta complacer. Cuando tu novia vio que se dirigía hacia ella se convirtió en un gato montés. Apuesto a que Felix no estará tan ansioso por obedecer la próxima vez que ella dé una orden.

Nathan sacudió la cabeza disgustado. Ya se iba a retirar, pero Matthew le detuvo con su siguiente comentario.

—Quizá lady Sara estaría mejor si la pusiéramos con su tía.

—No.

Nathan advirtió lo abrupta que había sido su respuesta al ver que los dos hombres sonreían.

—Ella se queda en mi camarote —agregó con un tono mucho más suave.

Matthew se detuvo para frotarse el mentón.

—Bueno, muchacho, eso podría ser un problema —le anunció—. Ella no sabe que es tu camarote.

Nathan no estaba preocupado por ese anuncio. Le

frunció el entrecejo a Matthew porque el marinero le había llamado «muchacho». Nathan sabía que su censura sin palabras no tendría ningún efecto. Matthew y Jimbo le llamaban así cuando estaban a solas con él. No creían que estuviera lo suficientemente maduro para llamarlo «capitán» en privado. Nathan los había heredado a los dos cuando se hizo cargo del barco. De inmediato demostraron ser inapreciables. Conocían todos los secretos de la piratería y se los enseñaron. Sabía que pensaban que eran sus guardianes. Solo Dios sabía la cantidad de veces que se lo habían dicho. En el pasado habían arriesgado innumerables veces sus vidas para cuidarle la espalda. Su lealtad superaba ampliamente sus hábitos irritantes.

Como los dos hombres le estaban observando expectantes, Nathan agregó:

—Pronto averiguará en qué camarote está.

—La tía no está muy bien —le comentó Matthew—. Apuesto a que tiene un par de costillas rotas. En cuanto se duerma la voy a desnudar y la voy a vendar.

—Lo hicieron los Winchester, ¿verdad? —preguntó Jimbo.

Nathan asintió con la cabeza.

—¿Cuál de los malditos hermanos fue? —preguntó Matthew.

—Al parecer Henry estaba detrás de todo —les explicó Nathan—. Pero creo que los otros hermanos sabían lo que estaba sucediendo.

—¿Vamos a llevar a Nora a casa? —preguntó Matthew.

—Navegaremos hacia esa dirección —respondió Nathan—. No sé qué otra cosa hacer con la mujer. ¿Está lo suficientemente fuerte para soportar el viaje? —le preguntó a Matthew—. ¿O vamos a tener que enterrarla en el mar?

—Lo resistirá bien —predijo Matthew—. Hay alguien duro debajo de esos moretones. Sí, si la mimo lo resistirá. —Le dio un golpecito a Jimbo y luego agregó—: Ahora tendré que cuidar a dos alfeñiques.

Nathan sabía que le estaba acosando. Se volvió y se alejó. Jimbo le gritó desde atrás:

—Se refiere a ti, muchacho.

Nathan levantó la mano para hacerles un gesto obsceno antes de desaparecer, seguido de las risas de los hombres.

Durante las horas siguientes, todos los hombres realizaron tareas en el *Seahawk*. Aseguraron la carga, levantaron el foque, levaron el ancla y aceitaron los ocho cañones antes de dar la orden de zarpar.

Nathan cumplió con su parte hasta que sintió tantas náuseas que tuvo que detenerse. Jimbo se encargó de los cuarenta y dos marineros mientras Nathan volvía a bajar.

Era un ritual descomponerse durante los primeros días. Nathan había aprendido a tolerar el inconveniente. Estaba seguro de que nadie más que Matthew y Jimbo conocían su problema, pero eso no aliviaba la incomodidad.

Por sus experiencias pasadas, Nathan sabía que tendrían que pasar una o dos horas para recuperarse completamente. Decidió ir a ver si su novia estaba bien. Si la suerte le acompañaba, ella estaría profundamente dormida, y eso pospondría la inevitable confrontación. Tendría que estar exhausta. Hacía veinticuatro horas que su novia estaba despierta, y el berrinche que tuvo cuando se enteró de que él era su esposo seguramente la había agotado. Pero si no estaba dormida, Nathan estaba decidido a terminar con el asunto. Cuanto antes establecieran las reglas, antes ella podría aceptar las expectativas de su vida juntos.

Probablemente, se pondría otra vez histérica con él, pensó Nathan. Se preparó para la inevitable súplica y los sollozos y abrió la puerta.

Sara no estaba dormida. En cuanto Nathan entró en el camarote ella saltó de la cama y se quedó allí parada observándole con los puños apretados a los costados del cuerpo.

Era evidente que aún no había superado su enojo o su miedo. El aire dentro del camarote era húmedo y sofocante. Nathan cerró la puerta y luego se dirigió hacia el centro de la gran habitación. Sintió que le estaba observando mientras se estiraba para abrir una compuerta cuadrada construida en el techo. Abrió la ventana interior y la trabó con una varilla en la tercera muesca.

El aire fresco del mar y la luz del sol inundaron el camarote. Nathan respiró profundamente, y luego regresó a la puerta y se apoyó contra ella. Se le ocurrió que su novia podría decidir alejarse. No estaba en condiciones de seguirla, y por lo tanto bloqueó la única salida.

Sara miró fijamente a Nathan durante un buen rato. Sintió que estaba temblando, y sabía que era solo cuestión de tiempo que su furia saliera a flote. Pero estaba decidida a no demostrarle su enojo, no importaba a qué costo. Mostrar cualquier emoción ante el bárbaro ciertamente sería un mal comienzo.

El rostro de Nathan mostraba una expresión de resignación. Tenía los brazos cruzados sobre el pecho y su postura era relajada.

Ella pensó que parecía demasiado aburrido para quedarse dormido. Eso era muy malo. Su mirada intensa le hacía retorcer los dedos de los pies. Sara se esforzó para mirarle fijamente. No iba a acobardarse frente a él, y si alguien tenía que ganar esta contienda de mirar fijamente, esa sería ella.

Nathan pensó que su novia parecía desesperada por ocultar el miedo que le tenía. Ella no estaba haciendo un buen trabajo, ya que tenía los ojos empañados y estaba temblando.

Nathan esperaba estar preparado para otra descarga de histeria. Su estómago se quejaba por los movimientos del barco. Trató de bloquear esa sensación para concentrarse en lo que tenía delante.

Sara era una mujer hermosa. Los rayos del sol le daban a su cabello una tonalidad más dorada que castaña. Después de todo, tenía algo de la familia Winchester, pensó.

Aún llevaba puesto ese vestido azul oscuro tan poco atractivo. En su opinión, el escote era demasiado bajo. Pensó en mencionárselo más tarde, después de que ya no le temiera tanto, pero el repentino entrecejo de Sara le hizo cambiar de idea. Era imperioso que comprendiera quién mandaba.

Permaneció de pie en las sombras de la puerta, pero ella aún podía ver la extensa cicatriz que le cubría el brazo derecho. La marca blanca sobre la piel bronceada era muy notable. La observó detenidamente mientras se preguntaba cómo se habría hecho esa herida horrible y luego emitió un pequeño suspiro.

Aún llevaba puesto ese pantalón indecentemente ajustado. Tenía la camisa blanca desabotonada hasta la cintura, iba arremangado hasta los codos y la informalidad de su vestimenta la enfurecía casi tanto como su repentino ceño.

Pensó en esperar para decirle que uno no se vestía de manera tan indecorosa para viajar en un barco tan elegante, pero al ver la forma en que fruncía el entrecejo cambió de idea. Era imperioso que comprendiera qué se esperaba de él ahora que estaba casado.

—Te vistes como la empleada de una taberna.

Al principio, Sara estaba demasiado sorprendida para reaccionar y tardó en comprender el insulto. Luego emitió un sonido agudo.

Nathan ocultó su sonrisa. Al parecer, Sara no tenía intenciones de llorar. En realidad, parecía que tenía ganas de matarle. Era un hermoso comienzo.

—Parece que te vas a caer del escote, mi novia.

Sara se cubrió de inmediato la parte superior del vestido. Se sonrojó.

—Era el único vestido lo suficientemente oscuro para ocultarme cuando... —Dejó de explicarle al advertir que se estaba defendiendo.

—¿Ocultarte? —le preguntó Nathan—. Sara, eso no oculta nada. En el futuro no usarás vestidos tan reveladores. El único que verá tu cuerpo seré yo. ¿Me has entendido?

Oh, sí, ella lo comprendió bien. El hombre era un grosero, pensó Sara. Con qué facilidad había dado la vuelta a las cosas.

Sara negó con la cabeza. No iba a permitir que la colocara en una posición tan vulnerable cuando él tenía tanto que responder.

—Tú pareces un bárbaro —replicó Sara sin ninguna consideración—. Tu cabello es demasiado largo, y estás vestido como un... villano. Las personas que viajan en un barco tan elegante deben mantener su apariencia impecable. Parece que acabaras de recoger la cosecha. Y tu ceño es absolutamente horrible —agregó asintiendo con la cabeza.

Nathan decidió terminar con esto y concentrarse en su objetivo.

—Está bien, Sara —comenzó—, terminemos con esto.

—¿Terminar con qué?

Nathan suspiró fastidiado, y eso la enfureció más

aún. Trató de no perder el control, pero el deseo de gritarle le hacía doler la cabeza y la garganta. Sintió que se le llenaban los ojos de lágrimas. Tenía mucho que explicarle antes de que ella pensara en perdonarle, y lo mejor sería que lo hiciera antes de que ella pensara que sus pecados eran demasiado mortales para perdonarle.

—Con tu ataque de llanto y súplica —le explicó Nathan encogiéndose de hombros—. Es obvio que estás preocupada —continuó—. Estás a punto de llorar, ¿verdad? Sé que debes de querer que te lleve a casa, Sara. Decidí ahorrarte la humillación de suplicar explicándote que no importa lo que hagas, te quedarás conmigo. Soy tu esposo, Sara. Acostúmbrate a esa idea.

—¿Te molestaría si lloro? —le preguntó con una voz como si alguien la estuviera estrangulando.

—Para nada —le contestó. Era una mentira, por supuesto, ya que le preocupaba verla disgustada, pero no lo iba a admitir. Generalmente, las mujeres usan esa clase de armas contra un hombre y se ponen a llorar cada vez que quieren algo.

Sara respiró profundamente. No se atrevía a decir otra palabra hasta volver a recuperar el control de sí misma. ¿Realmente creía que le iba a suplicar? Por Dios, era un hombre horrible. También intimidatorio. Parecía no tener ni un gramo de compasión.

Continuó mirándole fijamente hasta reunir el valor necesario para formularle las dolorosas preguntas que tenía guardadas desde hacía tanto tiempo. Dudaba de que fuera a decirle la verdad, pero aun así quería saber qué tenía que decir.

Nathan pensó que iba a comenzar a llorar. Sara le tenía miedo otra vez. Esperaba que no se volviera a desmayar. Él tenía poca paciencia con el sexo débil, sin embargo, no quería que Sara le tuviera miedo.

En realidad, sentía un poco de lástima por ella. Ella

no podía desear estar casada con él. Después de todo, él era un St. James y ella había sido criada como una Winchester. Había sido educada para odiarle. La pobre Sara era una víctima del plan, una prenda que el rey había utilizado para tratar de arreglar las diferencias entre las dos familias feudales.

Pero él no podía anular el pasado. Su firma estaba en aquel contrato, y estaba decidido a cumplirlo.

—También debes comprender que no voy a renunciar a este matrimonio —le señaló con voz firme—. Ni ahora ni nunca.

Después de hacer esa afirmación esperó, pacientemente, el ataque de histeria.

—¿Por qué has esperado tanto?

Le habló con un tono tan suave que no sabía si la había oído bien.

—¿Qué has dicho?

—¿Por qué has esperado tanto? —le preguntó Sara con voz más fuerte.

—¿Esperar tanto para qué?

Parecía completamente desorientado. Ella volvió a respirar profundamente.

—Para venir por mí —le explicó. Le tembló la voz. Juntó las manos y agregó—: ¿Por qué has esperado tanto para venir a buscarme?

Estaba tan sorprendido por la pregunta que tardó en responderle. Sara no soportaría que Nathan pensara que no merecía que le respondiera, y le preguntó casi gritando:

—¿Tienes idea de cuánto hace que te espero?

Nathan abrió los ojos grandes. Su novia le había gritado. La miró como si creyera que había perdido la razón.

Y luego sacudió lentamente la cabeza. Sara perdió su compostura.

—¿No? —gritó—. ¿Era tan insignificante para ti que no podías molestarte en ir a buscarme?

Nathan estaba sorprendido por sus preguntas. Sabía que no debía dejar que le levantara la voz, pero sus comentarios eran tan sorprendentes que no estaba seguro de qué decir.

—¿En realidad quieres que crea que estás enojada porque no fui a buscarte antes? —le preguntó.

Sara tomó el objeto que tenía más a mano y se lo arrojó. Afortunadamente, el jarro estaba vacío.

—¿Enojada? —le preguntó con el rugido de un comandante—. ¿Qué te hace pensar que estoy enojada, Nathan?

Él eludió el jarro y las dos velas, y luego se volvió a apoyar contra la puerta.

—Oh, no lo sé. Pareces preocupada.

—Parezco... —Estaba demasiado exasperada para decir otra palabra.

Cuando Nathan asintió con la cabeza hizo una mueca.

—Preocupada —terminó la frase por ella.

—¿Tienes una pistola?

—Sí.

—¿Me la prestarías?

Se esforzó para no reírse.

—¿Para qué quieres mi pistola, Sara?

—Quiero dispararte, Nathan.

Entonces sí se rió. Sara pensó que le odiaba. Sentía ganas de llorar de frustración. Después de todo, quizá sus familiares tenían razón. Quizá él la menospreciaba tanto como sus padres le habían dicho que lo haría.

Ella abandonó la batalla y se volvió a sentar en la cama. Cruzó las manos sobre su falda y bajó la mirada.

—Por favor, sal de mi camarote. Si quieres explicar

tu conducta puedes hacerlo mañana. Estoy demasiado cansada para escuchar tus excusas ahora.

Nathan no podía creer lo que estaba escuchando. Ella se atrevía a darle órdenes.

—Esa no es la forma en que funciona nuestro matrimonio, Sara. Yo doy las órdenes y tú obedeces.

Se lo dijo con un tono duro, enojado. Había sido deliberado, ya que quería que comprendiera que hablaba en serio. Pensó que probablemente la estaba asustando otra vez. Sara comenzó a retorcerse las manos, y aunque se sintió un poco culpable por haber tenido que recurrir a esas técnicas intimidatorias, el asunto era demasiado importante para suavizar su tono. Nathan se prometió a sí mismo que, aunque le diera lástima cuando comenzara a llorar, no retrocedería.

Sara continuó retorciéndose las manos, como si lo que tuviera entre los dedos fuera el cuello de su esposo. La fantasía le ayudó a levantar el ánimo.

Nathan la volvió a la realidad cuando le dijo:

—¿Me has oído, mi novia?

Sara detestaba que la llamara «mi novia».

—Sí, te he oído —le contestó—. Pero realmente no comprendo. ¿Cómo funciona este matrimonio?

Se le volvieron a llenar los ojos de lágrimas. Nathan se sintió como un ogro.

—¿Estás tratando de molestarme? —le preguntó.

Sara negó con la cabeza.

—No —le respondió—. Solo supuse que nuestro matrimonio marcharía en la dirección opuesta. Sí, siempre lo creí —agregó al ver que fruncía el entrecejo.

—¿Oh? ¿Y cómo pensabas que marcharía este matrimonio?

Parecía realmente interesado en su opinión. Sara recuperó el aliento de inmediato. Levantó ligeramente los hombros.

—Bueno, supuse que mi deber sería decirte siempre lo que quería.

—¿Y? —le preguntó al ver que había interrumpido su explicación.

—Y que tu deber sería siempre obtenerlo para mí.

Al ver su expresión adusta comprendió que no le agradaba escuchar esa opinión. Sintió que se volvía a enfurecer.

—Se supone que debes apreciarme, Nathan. Lo prometiste.

—Yo no prometí apreciarte —replicó con un grito—. Por el amor de Dios, mujer, yo no te prometí nada.

Ella no iba a permitir que la venciera con esa mentira. Se puso de pie para volver a mirarle.

—Oh, sí, lo prometiste —le gritó—. Leí el contrato del principio al fin, Nathan. Se supone que a cambio de la tierra y el tesoro debes mantenerme segura. También se supone que debes ser un buen esposo, un padre amable, y lo más importante, vikingo, se supone que debes quererme y apreciarme.

Nathan no sabía qué decir. Sintió deseos de volver a reírse. El cambio de tema era exasperante. También estimulante.

—¿Realmente quieres que te quiera y te aprecie?

—Claro que sí —le contestó. Cruzó los brazos sobre el pecho—. Prometiste que me querrías y me apreciarías, Nathan, y por Dios que lo harás.

Sara se sentó otra vez en la cama y se acomodó los pliegues del vestido. Sus mejillas sonrojadas mostraban su incomodidad.

—¿Y qué se supone que debes hacer tú mientras yo te quiero y te aprecio? —le preguntó—. ¿Cuáles son tus promesas, mi novia?

—Yo no prometí nada —le contestó—. Solo tenía

cuatro años, Nathan. Yo no firmé el contrato. Tú lo hiciste.

Él cerró los ojos y contó hasta diez.

—¿Entonces no crees que debes cumplir con lo que firmó tu padre? ¿Las promesas que él firmó sobre tu comportamiento no son válidas?

—Yo no dije eso —susurró. Suspiró profundamente y luego agregó—: Por supuesto que las cumpliré. Se hicieron en mi nombre.

—¿Y cuáles son? —le preguntó.

Se tomó su tiempo para responderle. Parecía muy disgustada.

—También tengo que quererte y apreciarte —susurró.

Él no estaba satisfecho.

—¿Y?

—¿Y qué? —le preguntó luego fingiendo ignorancia.

Decidió que su novia estaba tratando de volverle loco.

—Yo también leí el contrato del principio al fin. No juegues con mi paciencia.

—Oh, está bien —replicó Sara—. También tengo que obedecerte. ¿Ya estás contento?

—Sí —le contestó—. Ahora volvamos al principio. Como te dije antes, yo seré el que dé las órdenes y tú las obedecerás. Y no te atrevas a volver a preguntarme por qué.

—Trataré de obedecer tus órdenes, Nathan, cuando crea que son razonables.

Se le estaba terminando la paciencia.

—Maldita sea, no me importa si crees que son razonables o no —rugió—. Harás lo que yo diga.

No parecía disgustada porque le hubiera levantado la voz. Le contestó con voz suave:

—No deberías usar blasfemias en presencia de una dama, Nathan. Es vulgar, y tú eres un marqués.

La expresión de su rostro era desalentadora. Sara se sintió completamente derrotada.

—Me odias, ¿verdad?

—No.

Ella no le creyó.

—Sí, me odias —replicó—. No me engañas. Soy una Winchester y tú odias a todos los Winchester.

—Yo no te odio.

—No tienes que gritarme. Después de todo, solo estoy tratando de mantener una conversación decente contigo, y lo menos que puedes hacer es controlar tu temperamento. —No le dio tiempo para que la volviera a gritar—. Estoy muy cansada, Nathan. Me gustaría descansar un poco.

Decidió que se saliera con la suya. Abrió la puerta para irse, pero se volvió.

—¿Sara?

—¿Sí?

—No me tienes miedo, ¿verdad?

Nathan se sorprendió. Era como si acabara de comprender la verdad. Ella negó con la cabeza.

—No.

Se volvió para que no viera su sonrisa.

—¿Nathan?

—¿Qué?

—Te tenía un poco de miedo cuando te vi por primera vez —admitió—. ¿Eso te hace sentir mejor?

Su respuesta fue cerrar la puerta.

Cuando se quedó sola comenzó a llorar. Qué tonta inocente que había sido. Todos esos años soñando con su magnífico caballero de dorada armadura... Imaginó que sería un hombre amable, comprensivo, sensible, que estaría completamente enamorado de ella.

Sus sueños la engañaron. Su caballero, más que dorado, había perdido su brillo. Había demostrado ser tan comprensivo, tan compasivo, tan amable como un chivo.

Sara continuó sintiendo lástima por ella misma hasta que la venció el cansancio.

Una hora más tarde, Nathan regresó a observarla. Estaba profundamente dormida. No se había quitado la ropa y se había tumbado sobre la manta multicolor. Estaba boca abajo con los brazos abiertos.

Nathan se sintió satisfecho. Era un sentimiento extraño, pero sintió que le agradaba verla sobre su cama. Observó que aún tenía puesta la sortija de boda de Nora. Era extraño, pero no le agradaba ver eso. Le sacó la sortija del dedo para no sentir esa irritación irracional, y se la colocó en el bolsillo.

Se ocupó de quitarle la ropa. Después de desabotonarle la larga hilera de diminutos broches de la espalda, le aflojó el vestido. Luego se ocupó de los zapatos y las medias. Se sentía extraño con esta tarea, y la enagua fue un verdadero desafío. El nudo de la tira era imposible de desatar. Nathan usó la punta de su cuchillo para cortarlo. Continuó con la tarea hasta dejar a su novia solo con la camisa de seda. La prenda blanca era extremadamente femenina, con un borde de encaje en el pronunciado escote.

Se dejó llevar por su impulso y le acarició la espalda.

Sara no se despertó. Suspiró profundamente dormida y se puso boca arriba, mientras Nathan colocaba el resto de sus prendas en la silla más cercana.

Nathan no sabía cuánto tiempo llevaba allí observándola. Parecía tan inocente, tan confiada, tan vulnerable cuando dormía. Tenía las pestañas negras, espesas, que se destacaban sobre su tez blanca. Su cuerpo era magnífico. Sus senos parcialmente tapados por la fina camisa le excitaban. Cuando advirtió que estaba reaccionando físicamente se volvió para irse del camarote.

¿Qué iba a hacer con ella? ¿Cómo podría mantenerse alejado de una mujer tan atractiva como su novia?

Nathan dejó de lado esas preguntas cuando sintió un mareo. Esperó hasta que su estómago dejó de sacudirse con tanta violencia, luego tomó una sábana y cubrió a Sara. Le tocó el rostro con la mano, y no pudo evitar sonreír cuando ella frotó instintivamente la mejilla contra sus nudillos. Parecía un gatito cariñoso.

Ella se volvió y le tocó la piel con la boca. Nathan alejó abruptamente la mano. Salió de la habitación y fue a ver a la tía de Sara. Al parecer, Nora dormía pacíficamente. Estaba pálida y su respiración era dificultosa, pero no parecía tener mucho dolor. Tenía una expresión serena. Nathan recordó la sortija que tenía en el bolsillo. Se acercó a la cama, le levantó la mano y le colocó la sortija.

Nora abrió los ojos y le sonrió.

—Gracias, querido muchacho. Ahora que tengo otra vez la sortija de mi Johnny descansaré mejor.

Nathan le agradeció su gratitud asintiendo cortésmente con la cabeza, y luego se volvió y se dirigió hacia la puerta.

—Crees que soy una tonta sentimental, ¿verdad? —le preguntó Nora.

Nathan le sonrió rápidamente.

—Sí, lo creo —le respondió.

Su brusca honestidad la hizo sonreír.

—¿Ya has hablado con Sara? —le preguntó.

—Sí.

—¿Está bien? —preguntó Nora. Deseaba que se volviera para ver su expresión.

—Está durmiendo —le explicó Nathan. Abrió la puerta para irse.

—Espera —le gritó Nora—. Por favor, no te vayas todavía.

Él reaccionó ante el temblor que escuchó en su voz y se volvió de inmediato.

—Estoy muy asustada —susurró Nora.

Nathan cerró la puerta y regresó junto a la anciana. Tenía los brazos cruzados sobre el pecho. Parecía relajado, excepto por su entrecejo fruncido.

—No tiene que preocuparse —le dijo. Su voz era suave, tranquilizadora—. Ahora está a salvo, Nora.

Ella negó con la cabeza.

—No, no me comprendes —le explicó—. No estoy preocupada por mí, querido muchacho. Estoy preocupada por ti y por Sara. ¿Sabes en lo que te has metido? No sabes de lo que son capaces esos hombres. Ni yo sé hasta dónde pueden hundirse por su codicia. Vendrán por ti.

Nathan se encogió de hombros.

—Estaré preparado —le contestó—. Los Winchester no son un desafío para mí.

—Pero querido muchacho, ellos...

—Nora, no sabe de lo que yo soy capaz —replicó Nathan—. Cuando le digo que podré manejar cualquier desafío, debe creerme.

—Utilizarán a Sara para atraparte —susurró Nora—. La lastimarán si es necesario —agregó asintiendo con la cabeza.

—Yo protejo lo que es mío. —Su voz era firme, enfática.

En realidad, su arrogancia la tranquilizó. Asintió lentamente con la cabeza.

—Te creo —le respondió—. Pero ¿qué pasará con las mujeres Winchester?

—¿Se refiere a todas o a una en especial?

—Sara.

—Ella estará bien. Ya no es una Winchester. Es una St. James. Insulta mis habilidades al preocuparse por su seguridad. Yo cuido mis posesiones.

—¿Posesiones? —repitió Nora—. Nunca escuché que alguien se refiriera a su esposa de esa manera.

—Ha estado muchos años alejada de Inglaterra, Nora. Pero las cosas no han cambiado tanto. Una esposa aún es una posesión de su esposo.

—Mi Sara es muy tierna de corazón —le dijo Nora cambiando un poco de tema—. Estos últimos años no han sido fáciles para ella. Ha sido considerada una extraña por el contrato matrimonial. Se diría que era una leprosa en su propia familia. A Sara nunca le permitieron ir a ninguna de las fiestas que las jovencitas tanto esperan. Toda la atención siempre fue para su hermana Belinda.

Nora se detuvo para respirar y luego continuó:

—Sara es leal a sus padres y a su hermana, aunque no comprendo por qué. Será mejor que te cuides de la hermana de Sara, ella es tan astuta como su tío Henry. Están cortados por el mismo patrón.

—Se preocupa demasiado, Nora.

—Solo quiero que comprendas a... Sara —susurró.

Se oía un resuello otra vez en su voz, y era obvio que se estaba cansando.

—Mi Sara es una soñadora —continuó—. Mira sus dibujos y comprenderás lo que te estoy diciendo. Su cabeza está en las nubes la mayor parte del tiempo. Solo ve la bondad de la gente. No quiere creer que su padre es como sus hermanos. La culpa es de su madre. Ha mentido a su hija durante todos estos años, ha inventado excusas para todos los pecados que cometen los demás.

Nathan no hizo ningún comentario.

—Querido muchacho —comenzó otra vez.

Su repentino ceño la detuvo.

—Señora, haré un pacto con usted —le dijo Nathan—. Yo dejaré de llamarla anciana si usted deja de llamarme querido muchacho. ¿Estamos de acuerdo?

Nora sonrió. Estaba mirando de soslayo al gigante. Su sola presencia parecía tragarse la habitación.

—Sí, llamarte querido muchacho es bastante tonto —asintió con una risita—. ¿Puedo llamarte Nathan?

—Sí —le respondió—. En cuanto a sus preocupaciones por Sara, son todas infundadas. No permitiré que nadie la lastime. Ella es mi esposa y siempre la trataré amablemente. Con el tiempo comprenderá su buena fortuna.

Tenía las manos cruzadas en la espalda como un general y caminaba de un lado a otro por la pequeña habitación.

—También la protegiste de esos asesinos la otra noche —comentó Nora—. Sé que la cuidarás. Solo espero que también tengas en cuenta los tiernos sentimientos, Nathan. En realidad, Sara es muy tímida; se guarda sus pensamientos y es muy difícil saber qué siente.

Nathan levantó una ceja al escuchar esa afirmación.

—¿Estamos hablando de la misma mujer, señora?

La sonrisa de Nora fue muy expresiva. Se detuvo para acomodar un mechón de cabello en su rodete.

—Escuché un poco de tu conversación con mi sobrina —le confesó—. No tengo la costumbre de escuchar a escondidas —agregó—, pero estabais discutiendo en voz alta, y lo que oí fueron los comentarios de Sara. Solo una palabra aquí y allí. Dime, Nathan, ¿lo harás?

—¿Hacer qué?

—Quererla y apreciarla.

—Escuchó esa parte, ¿verdad? —No pudo contener su sonrisa al recordar la forma belicosa en que su novia se había atrevido a desafiarle.

—Creo que toda tu tripulación oyó las observaciones de Sara. Debo hablar con ella sobre su forma poco femenina de gritar. Nunca antes la escuché levantar la voz, aunque no puedo culparla. Te tomaste tu tiempo para ir a buscarla. Estaba inquieta por tu... olvido. Debes creerme cuando te digo que no acostumbra levantarle la voz a nadie.

Nathan negó con la cabeza. Se volvió y salió del camarote. Estaba cerrando la puerta cuando Nora le gritó:

—Aún no me has contestado. ¿La querrás y la apreciarás?

—¿Tengo elección, señora?

Cerró la puerta antes de que Nora pudiera responderle.

Sara se despertó y oyó que alguien daba arcadas. El tortuoso sonido le provocó náuseas. Se sentó sobresaltada. Lo primero que pensó fue en Nora. Quizá el movimiento del barco la había descompuesto.

De inmediato, Sara se levantó y corrió hacia la puerta. Aún estaba muy soñolienta y se sintió desorientada. Ni siquiera se dio cuenta de que estaba parcialmente vestida hasta que tropezó con una de sus prendas.

Obviamente alguna de las criadas de Nathan había estado cumpliendo con su trabajo. Sara vio que su baúl había sido colocado junto a la pared y advirtió que seguramente estaba durmiendo cuando lo trajeron. Se sonrojó al pensar que un hombre había entrado en su camarote mientras estaba dormida. Esperaba que la criada la hubiera cubierto con una manta antes de que se hubiera producido la visita.

Oyó un ruido en el pasillo y abrió la puerta. Nathan estaba pasando cuando ella miró hacia fuera. No se molestó en mirar, solo extendió la mano y volvió a cerrar la puerta.

Sara no estaba ofendida por su rudeza, y ya no estaba preocupada por su tía. Al ver el color de la tez de Nathan lo comprendió todo. Su feroz esposo vikingo estaba tan verde como el mar.

¿Era posible?, se preguntó. ¿El rudo e invencible marqués de St. James sufría mareos?

Sara se habría reído con fuerza si no hubiera estado tan agotada. Regresó a la cama y durmió una larga siesta, se despertó para cenar con Nora y se volvió a acostar.

El aire del interior del camarote se enfrió considerablemente durante la noche y Sara se despertó temblando. Trató de taparse los hombros con la manta, pero al parecer estaba enredado en algo sólido. Cuando Sara abrió los ojos descubrió la causa. La manta estaba enredada en las piernas desnudas de Nathan.

Él estaba durmiendo junto a ella.

Casi se le paraliza el corazón. Abrió la boca para gritar. Él le cubrió la mitad del rostro con su gran mano.

—No te atrevas a hacer ningún sonido —le ordenó.

Ella alejó la mano.

—Sal de mi cama —le susurró furiosa.

Él suspiró antes de responder a esa orden.

—Sara, tú eres la que está en mi cama. Si alguien se debe ir, serás tú.

A Sara le pareció que estaba soñoliento y que lo decía en serio. En realidad, se sintió complacida por su dura actitud, ya que parecía tan agotado que solo quería dormir, y por lo tanto su virtud aún estaba a salvo.

—Muy bien —le anunció—. Iré a dormir con Nora.

—No, no lo harás —le contestó—. No vas a salir de este camarote. Si quieres, mi novia, puedes dormir en el suelo.

—¿Por qué insistes en llamarme novia? —le preguntó—. Si no quieres llamarme por mi nombre, entonces llámame esposa y no novia.

—Pero aún no eres mi esposa —le contestó Nathan.

Ella no comprendió.

—Claro que soy tu esposa... ¿verdad?

—No hasta que me acueste contigo.

Pasó un largo minuto antes de que le respondiera a esa afirmación.

—Puedes llamarme novia.

—No necesito tu permiso —gruñó Nathan. Extendió sus manos para abrazarla cuando comenzó a temblar otra vez, pero ella le alejó las manos.

—Dios mío, no puedo creer que esto me esté sucediendo a mí —gritó Sara—. Se supone que debes ser amable, gentil, comprensivo.

—¿Qué te hace pensar que no lo soy? —no pudo evitar preguntarle.

—Estás desnudo.

—Y eso significa que no...

Ella quería golpearle. Volvió la cabeza, pero podía escuchar la burla de su voz.

—Me estás incomodando —le anunció—. A propósito.

A Nathan se le estaba terminando la paciencia.

—No estoy tratando de incomodarte deliberadamente. Así es como duermo, mi novia. A ti también te gustará una vez que...

—Oh, Dios —exclamó Sara.

Decidió que debía terminar con esta vergonzosa conversación. Se dirigió hacia los pies de la cama, ya que un lado estaba bloqueado por la pared y el otro por Nathan.

Dentro del camarote estaba demasiado oscuro para poder encontrar su bata. Nathan había tirado una de las mantas, así que Sara la tomó y se envolvió en ella.

No sabía cuánto tiempo había estado allí mirándole la espalda. Su respiración profunda indicaba que estaba totalmente dormido.

Se estaba congelando. El fino camisón no la protegía del frío de la habitación.

Se sentó en el suelo, se tapó los pies con la manta y luego se acostó de costado.

El suelo parecía cubierto de una capa de hielo.

—Todas las parejas casadas tienen camarotes separados —susurró—. Nunca me han tratado tan mal. Si esta es tu idea de apreciarme, estás fallando, Nathan.

Él escuchó cada palabra de su diatriba. Contuvo su sonrisa cuando le dijo:

—Aprendes rápido, mi novia.

Ella no sabía a qué se refería.

—¿Y qué es lo que crees que he aprendido rápido? —le preguntó.

—Cuál es tu lugar. Mi perro tardó más.

Su grito de furia colmó la habitación.

—¿Tu perro? —Se puso de pie de un salto y le golpeó en el hombro—. Hazte a un lado, esposo.

—Sube, Sara —le ordenó—. Siempre duermo del lado de fuera.

—¿Por qué? —le preguntó Sara.

—Por protección —le contestó—. Si atacan el camarote, el enemigo tendrá que pasar sobre mí para llegar hasta ti. ¿Ahora dormirás, mujer?

—¿Esta es una regla nueva o vieja?

Él no le respondió. Ella le volvió a golpear el hombro.

—¿En esta cama han estado otras mujeres, Nathan?

—No.

No sabía por qué, pero se sintió inmensamente complacida con esa negativa. Su enojo se disipó cuando comprendió que su esposo realmente quería protegerla. Aún era un ogro, pero haría todo lo que pudiera para protegerla. Subió a la cama y se acurrucó contra la pared.

La cama comenzó a moverse con sus temblores. A Nathan se le había terminado la paciencia. Extendió los brazos y la abrazó. Sara quedó literalmente cubierta por su tibieza y su desnudez. Le colocó una de sus pesadas piernas sobre las suyas e inmediatamente le calentó la parte de abajo del cuerpo. El pecho y los brazos se ocuparon del resto.

Ella no protestó. No podía. Le había tapado la boca con la mano. Se acercó más a él, colocó la cabeza bajo su mentón y cerró los ojos.

Cuando Nathan le sacó la mano de la boca, susurró:

—Si alguien va a dormir en el suelo, serás tú.

Su única respuesta fue un gruñido. Sara sonrió. Se sentía mucho mejor. Bostezó, se acercó más a su esposo y dejó que le quitara todos los temblores.

Se durmió sintiéndose tibia y segura... y un poquito apreciada.

Era un agradable comienzo.

4

Cuando se despertó a la mañana siguiente, Sara se sentía mucho mejor. Finalmente había podido descansar y estaba lista para luchar contra el mundo. Ya se sentía lo suficientemente fuerte para volver a hablar con su esposo vikingo.

Durante la noche había ideado un magnífico plan, y estaba segura de que cuando le explicara qué quería de él, Nathan estaría de acuerdo. Probablemente gruñiría y rezongaría, pero al final comprendería lo mucho que significaba para ella, y se rendiría.

Había muchas cosas que discutir, pero decidió que primero resolvería las más angustiosas.

Quería un noviazgo y un casamiento adecuados. No importaba lo rudo y arrogante que se pusiera cuando le explicara su plan, estaba decidida a mantenerse firme. Simplemente utilizaría un tono de voz dulce y sería lo más lógica posible.

Temía lo que le esperaba. No era fácil hablar con Nathan. Él actuaba como si fuera una tarea estar en la misma habitación con ella.

Esto le suscitó un mal pensamiento. ¿Y si realmente no quería estar casado con ella?

—Tonterías —susurró—. Por supuesto que quiere estar casado conmigo.

Ese intento de reforzar su confianza no duró mucho. Estaba tan acostumbrada a pensar en Nathan como en su esposo que nunca pensó en estar casada con otro. Creció con la idea, y debido a su naturaleza serena y bien dispuesta, nunca cuestionó su destino.

¿Y Nathan? Él no parecía la clase de hombre que aceptaba las cosas sin resistencia.

Sara pensó que seguiría preocupada por esta situación hasta que hablara con él.

Se vistió con esmero para estar lo mejor posible cuando se enfrentara con Nathan. Tardó casi una hora en desembalar sus posesiones. Lo primero que eligió fue un vestido de paseo verde oscuro, pero no podía quitarle las arrugas a la falda, así que se puso un vestido color rosa claro. El escote no era tan pronunciado como el que Nathan había criticado con tanta rudeza, así que pensó que eso le pondría de buen humor.

En realidad, su camarote era agradable. Era mucho más grande que el de Nora. Su alcoba era tres veces más grande, el techo era mucho más alto, lo cual daba una sensación de mayor amplitud.

No tenía muchos muebles. En un rincón del camarote había una reja de metal. Sara supuso que era el hogar, aunque admitió que no le gustaba mucho el diseño moderno. En el rincón opuesto de la habitación había un biombo blanco alto. Atrás había ganchos en la pared para colgar la ropa y un lavabo con una jarra de porcelana y un recipiente arriba. En el rincón que estaba frente a la cama estaba su baúl. En el centro de la habitación había una mesa con dos sillas, y contra la pared un gran escritorio de caoba.

Sí, la habitación estaba poco amueblada, pero serviría para los próximos uno o dos meses, teniendo en cuenta el clima. Si el mar permanecía calmado, el viaje hasta la isla de su tía no sería muy largo.

Sara quitó la ropa de Nathan de los ganchos, la dobló y la colocó en su baúl. Luego colgó sus vestidos. También quitó los papeles y las cartas del escritorio y colocó allí sus papeles de dibujo y sus lápices.

Después de ponerse el vestido rosa y los zapatos haciendo juego, se cepilló el cabello y se lo ató atrás con un moño rosa. Tomó la sombrilla rosa del baúl y fue a ver a Nora. Esperaba que su tía hubiera descansado lo suficiente para caminar por la cubierta. Sara quería repasar su discurso con su tía antes de enfrentarse a Nathan.

Sin embargo, Nora estaba profundamente dormida y Sara no se atrevió a despertarla.

Cuando salió del camarote de su tía advirtió que el pasillo angosto y oscuro se ensanchaba hacia una gran habitación rectangular. La luz del sol se filtraba y hacía brillar los suelos de madera. La zona prístina estaba desprovista de muebles, pero en el techo había una gran cantidad de ganchos negros de hierro. Se preguntó para qué se usaría esa zona, o si solo era un espacio desperdiciado. Desvió su atención cuando un miembro de la tripulación bajó por la escalera.

El hombre inclinó la cabeza para bajar y luego se detuvo abruptamente cuando la vio. Sara reconoció al hombre del muelle, pero decidió fingir que no le conocía. Después de todo, había actuado de manera muy poco femenina y era mejor olvidar aquel incidente.

—Buenos días, señor —le dijo con cortesía—. Mi nombre es lady Sara Winchester.

Él negó con la cabeza. Ella no sabía por qué.

—Usted es lady St. James.

Estaba demasiado sorprendida por su atrevimiento para corregirle por haberla contradicho.

—Sí. Ahora soy lady St. James, y gracias por recordármelo.

El hombre enorme se encogió de hombros. A Sara le fascinaba el pendiente de oro que tenía en la oreja. También el hecho de que parecía bastante cauteloso con ella. Quizá el marinero no estaba acostumbrado a tratar con damas gentiles.

—Me alegra mucho que me reconozca, señor —le dijo Sara.

Esperó que le dijera su nombre. Permaneció allí mirándola fijamente durante un interminable minuto antes de responder:

—Nos conocimos anoche, lady St. James —le contestó—. Me golpeó, ¿recuerda?

Ella lo recordaba. Le miró fastidiada por haberle hecho recordar su mal comportamiento y luego asintió lentamente con la cabeza.

—Sí, ahora que lo menciona lo recuerdo, señor, y debo disculparme por eso. Mi única excusa es que en ese momento estaba un poco asustada. ¿Cuál es su nombre?

—Jimbo.

Aunque pensó que el nombre era extraño no se lo comentó. Extendió las manos y le estrechó la mano derecha. La sensación de su piel suave en sus durezas le sorprendió. La sombrilla se cayó al suelo, pero Jimbo estaba demasiado sorprendido para levantarla, y ella quería ganarse su amistad y tampoco lo hizo.

—¿Me perdona por haberle golpeado, señor?

Jimbo no tenía palabras. La mujer que había conocido hacía dos noches era muy diferente a la dama que le estaba hablando con tanta suavidad y humildad. También era muy bella. Tenía los ojos castaños más bonitos que jamás había visto.

—¿Le importa si la perdono o no? —susurró Jimbo.

Sara le apretó cariñosamente la mano antes de soltársela.

—Oh, sí, señor Jimbo. Por supuesto que me importa. Yo fui muy ruda.

Miró hacia el cielo.

—Está bien, la perdono. No me hizo ningún daño —agregó. Se sentía tan torpe como un colegial.

La sonrisa de Sara derritió su entrecejo fruncido.

—Gracias, señor. Tiene un corazón generoso.

Jimbo movió la cabeza hacia atrás y se rió fuerte. Cuando recobró la compostura le dijo:

—Asegúrese de mencionarle mi... corazón generoso al capitán. Él apreciará oír un elogio tan importante.

Ella pensó que era una buena idea.

—Sí, se lo mencionaré —le prometió.

Como el marinero parecía estar de buen humor, decidió hacerle algunas preguntas.

—¿Señor? ¿Ha visto a las criadas esta mañana? Mi cama aún está desarreglada y tengo varios vestidos que necesitan atención.

—No tenemos criadas a bordo de este barco —respondió Jimbo—. En realidad, usted y su tía son las únicas mujeres que viajan con nosotros.

—Entonces, ¿quién...? —No terminó la frase. Si no había criadas, ¿quién le había quitado la ropa? La respuesta surgió al instante. Nathan.

Jimbo observó que se sonrojaba y se preguntaba en qué estaría pensando.

—Tengo otra pregunta que hacerle, señor, si tiene la paciencia suficiente para escuchar.

—¿Qué?

—¿Cómo se llama esta habitación? ¿Tiene un nombre específico? —Señaló con la mano el área que la rodeaba—. Creí que era un pasillo, pero ahora con la luz del sol veo que es más grande. Sería un magnífico salón —agregó—. Cuando subí a bordo no vi ese biombo, y...

Dejó de hablar cuando Jimbo corrió el biombo hacia un lado y lo aseguró con hebillas y cuerdas contra la pared que estaba cerca de la escalera.

—Este es el cuarto de los oficiales —le indicó Jimbo—. O así lo llaman en las verdaderas fragatas.

El pasillo había desaparecido por completo, y una vez que el biombo fue retirado, Sara pudo ver la escalera que conducía a otro nivel.

—¿Adónde conduce esa escalera?

—El vino y el agua están almacenados en el nivel que está debajo de nosotros —respondió Jimbo—. Más abajo está la segunda bodega, donde guardamos las municiones.

—¿Municiones? ¿Para qué necesitaríamos municiones?

Jimbo sonrió.

—¿No observó los cañones cuando subió a bordo, mi señora?

Ella negó con la cabeza.

—En ese momento estaba un poco disgustada, señor, y no presté mucha atención a los detalles.

Jimbo pensó que al decir un poco disgustada no expresaba cabalmente la verdad. La mujer estaba furiosa.

—Tenemos ocho cañones en total —le explicó Jimbo—. Es un número menor que la mayoría de los barcos, pero nosotros siempre estamos sobre el objetivo así que no necesitamos más. Este barco es una versión en menor escala de una fragata que le gustaba al capitán —agregó—. Las municiones están almacenadas debajo del nivel del agua en caso de un ataque. Así están protegidas de una explosión.

—Pero, señor Jimbo, ahora no estamos en guerra. ¿Por qué el capitán tiene esas armas a bordo? ¿Cuál es la necesidad?

Jimbo se encogió de hombros. De pronto, Sara abrió más grandes los ojos.

—Pagan —pronunció el nombre del infame pirata y asintió con la cabeza—. Por supuesto. Su capitán es muy astuto al estar preparado para los villanos que vagan por los mares. Él piensa en defendernos de todos los piratas, ¿verdad?

Fue un esfuerzo enorme, pero Jimbo pudo ocultar su sonrisa.

—Ha oído hablar sobre Pagan, ¿verdad?

Sara le mostró su exasperación.

—Todo el mundo ha oído hablar sobre ese villano.

—¿Villano? Entonces, ¿no le agrada Pagan?

Ella pensó que era la pregunta más extraña que había escuchado. El brillo en los ojos de Jimbo también la confundió. Parecía estar disfrutando de la situación y eso tampoco tenía sentido. Estaban hablando sobre el horrendo pirata, no compartiendo la última broma que circulaba por Londres.

—Sin duda que no me agrada el hombre. Es un criminal, señor. Hay una gran recompensa por su cabeza, grande como Inglaterra. Obviamente se está dejando llevar por una naturaleza romántica si cree en esas tontas historias sobre la bondad de Pagan.

Un sonido agudo interrumpió la charla.

—¿Qué es ese sonido? —le preguntó Sara—. Lo oí cuando me estaba vistiendo.

—Es el contramaestre anunciando el cambio —le explicó Jimbo—. Lo escuchará cada cuatro horas, noche y día. Es el aviso del cambio de servicio.

—¿Señor Jimbo? —le dijo al ver que comenzaba a alejarse de ella.

—Lady Sara, no tiene que llamarme señor —se quejó—. Jimbo esta bien.

—Entonces debes dejar de llamarme lady Sara —replicó Sara—. Ahora somos amigos, y puedes llamarme simplemente Sara. —Le tomó del brazo—. ¿Puedo hacerte una última pregunta?

La miró por encima de su hombro.

—¿Sí?

—Anoche... ¿o fue anteanoche? Bueno, observé que parecías ser empleado de mi esposo. ¿Es correcto?

—Sí.

—¿Sabes dónde está Nathan? Me gustaría hablar con él.

—Está en la popa.

Sara se sorprendió, pero se recuperó rápidamente. Luego negó con la cabeza. La censura de su expresión hizo que Jimbo se volviera completamente.

—Le digo que está en la popa.

—Sí, podría estar chiflado —comenzó a decirle, luego se detuvo para recoger su sombrilla y pasó junto al gigantón—. Pero eres muy desleal al expresar en voz alta ese pensamiento. Ahora soy la esposa de Nathan, y no voy a escuchar esos comentarios. Por favor, no vuelvas a mostrar esa falta de respeto.

Matthew bajó por la escalera y oyó que su amigo murmuraba algo sobre el respeto. Lady Sara sonrió mientras pasaba junto a él.

—¿Qué era todo eso? —le preguntó Matthew a su amigo—. Me pareció oírte decir...

Jimbo le interrumpió mirándole fijamente.

—No vas a creer esto, pero acabo de prometer que nunca le diré a nadie que Nathan está chiflado.

Matthew sacudió la cabeza.

—Ella es extraña, ¿verdad, Jimbo? Me pregunto cómo una persona inocente pudo salir de una familia tan ruin.

—Sara no es como nuestra Jade —comentó Jimbo. Se estaba refiriendo a la hermana menor de Nathan—.

En ninguno de nuestros viajes juntos vi llorar a Jade.

—No, ella nunca lloró —respondió Matthew con orgullo—. Pero esta... No sabía que una mujer se podía comportar de la forma en que ella lo hizo aquella primera noche.

—Gritando como un demonio —acotó Jimbo—. Jade nunca gritó —agregó.

—Nunca —aseveró Matthew con voz enfática.

De pronto Jimbo sonrió.

—Las dos son tan diferentes como el fuego y la nieve, pero tienen una cosa en común.

—¿Y qué es?

—Ambas son hermosas.

Matthew asintió con la cabeza.

La comparación entre las dos mujeres se interrumpió cuando oyeron un grito agudo. Ambos sabían que era Sara.

—Ella es una verdadera molestia, ¿verdad? —exclamó Matthew.

—Una ruidosa molestia —murmuró Jimbo—. Me pregunto qué le pasará ahora.

Era extraño, pero ambos estaban ansiosos por regresar a la cubierta para ver qué estaba sucediendo. También ambos estaban sonriendo.

Sara había encontrado a Nathan. Él estaba en el timón. Ella le iba a llamar cuando él le dio la espalda y se quitó la camisa. Sara vio las cicatrices en su espalda. Su reacción fue instintiva. Gritó enfurecida.

—¿Quién te hizo eso?

Nathan reaccionó de inmediato. Tomó su látigo y se volvió para enfrentar la amenaza. No tardó mucho en advertir que no había ningún enemigo tratando de lastimar a su novia. Sara estaba allí sola.

—¿Qué sucede? —le dijo mientras trataba de calmarse—. Pensé que alguien estaba...

Se detuvo a mitad del grito, respiró profundamente y luego le dijo:

—¿Le duele algo, señora?

Ella negó con la cabeza.

—No vuelvas a gritar así —le ordenó con un tono de voz mucho más suave—. Si quieres que te atienda, simplemente pídelo.

La sombrilla de Sara cayó sobre la cubierta cuando se acercó a su esposo. Estaba tan sorprendida por lo que había visto que ni siquiera se dio cuenta de que la había tirado. Se detuvo a un paso de Nathan. Él vio las lágrimas en sus ojos.

—¿Y ahora qué sucede? —le preguntó—. ¿Alguien te asustó? —No tenía paciencia para esto, para contenerse.

—Es tu espalda, Nathan —susurró—. Está llena de cicatrices.

Él sacudió la cabeza. Nadie se había atrevido a mencionar su desfiguración. Aquellos que habían visto su espalda habían fingido no haberlas advertido.

—Gracias por decírmelo —replicó Nathan—. Nunca lo hubiera sabido si...

Ella comenzó a llorar. Obviamente su sarcasmo era demasiado para ella.

—Mira, Sara —susurró exasperado—, si ver mi espalda te ofende, vete abajo.

—No me ofende —le contestó—. ¿Por qué dices algo tan duro?

Nathan le indicó a Jimbo que se hiciera cargo del timón, y luego colocó las manos en su espalda para no sacudirla.

—Está bien. ¿Entonces, por qué has gritado?

Sara advirtió que tenía mucha sensibilidad sobre sus marcas.

—Me enojé mucho cuando vi las cicatrices, Nathan. ¿Tuviste un accidente?

—No.

—¿Entonces alguien te lo hizo deliberadamente? —No le dio tiempo para responder—. ¿Qué monstruo te provocó ese dolor? Dios mío, cómo debes de haber sufrido.

—Por el amor de Dios, Sara, eso pasó hace mucho tiempo.

—¿Fue Pagan? —le preguntó.

—¿Qué?

Nathan parecía sorprendido. Sara pensó que su sospecha había sido correcta.

—Fue Pagan el que te hizo eso, ¿verdad?

Jimbo comenzó a toser. Nathan le miró fijamente para que se callara.

—¿Por qué crees que fue Pagan? —le preguntó Nathan a Sara.

—Porque es muy desconsiderado —le respondió ella.

—¿Oh? ¿Y cómo sabes eso?

Ella se encogió de hombros.

—Oí que lo era.

—No fue Pagan.

—¿Estás absolutamente seguro, Nathan? Nadie sabe qué aspecto tiene el villano. Quizá fue Pagan y tú no lo supiste porque no te dijo su verdadero nombre.

—Sé quién lo hizo.

—¿Entonces me dirás quién lo hizo?

—¿Por qué?

—Así podré odiarle.

A Nathan se le pasó el enojo. Su lealtad le sorprendió.

—No, no te diré quién fue.

—Pero no fue Pagan.

Nathan pensó que esta mujer podía llevar a un hombre a la bebida.

—No —le volvió a responder.

—Nathan, no tienes que gritarme.

Le dio la espalda y regresó al timón. Jimbo se alejó. Sara esperó hasta que se quedaron solos y se acercó más a su esposo.

Él sintió el roce de sus dedos en su hombro derecho. No se movió. La delicada caricia en la espalda era increíblemente suave y también provocativa. No podía ignorarla ni tampoco las extrañas sensaciones que le evocaba.

—Anoche no te habría golpeado en la espalda si hubiera sabido de estas heridas —susurró Sara—. Pero no podía ver en la oscuridad, y no... sabía.

—Por el amor de Dios, mujer, ahora no duele. Sucedió hace muchos años.

Su tono abrupto la sorprendió. Dejó caer la mano a un lado de su cuerpo. Se acercó para colocarse a su lado. Le tocó el brazo con el de ella. Le miró a la cara esperando que él también la mirara. Pensó que su expresión podía ser esculpida en una piedra. Tenía el aspecto que ella había imaginado de un vikingo. Los músculos que tenía sobre los hombros y los brazos eran los de un guerrero. Tenía el pecho cubierto con vello oscuro que terminaban en una «V» a la altura de la cintura. No se atrevió a mirar más abajo, pues habría sido un descaro, y cuando volvió a mirar hacia arriba vio que la estaba observando.

—¿Nathan?

—¿Qué?

¿Tenía que parecer siempre tan resignado cuando le hablaba? Sara se esforzó para ser amable cuando se disculpó.

—Lamento si lastimé tus sentimientos.

Él no pensó que ese comentario mereciera una respuesta.

—¿El capitán no se molestará? —le preguntó.

—¿Molestarse por qué?

—Porque estás conduciendo su bote.

Su sonrisa la reconfortó.

—No es un bote, Sara. *Al Seahawk* puedes llamarlo barco o buque, pero no bote. Es un insulto, mi novia, y a nosotros los capitanes no nos agrada oír esa clase de blasfemias.

—¿Capitanes?

Nathan asintió con la cabeza.

—Oh, Nathan, no me había dado cuenta. ¿Entonces somos ricos?

—No.

—¿Por qué no?

Parecía disgustada. Nathan le explicó rápidamente cómo él y su amigo Colin habían comenzado con la compañía naviera, por qué habían decidido que él permaneciera como un socio comandatario, y terminó su breve reseña con el hecho de que en unos diez meses la compañía comenzaría a tener ganancias.

—¿Cómo puedes estar tan seguro de que en un año seremos ricos?

—El contrato que firmé.

—¿Te refieres a un contrato de servicio marítimo?

—No.

Sara suspiró de manera dramática.

—Por favor, explícame, Nathan.

Él ignoró su petición. Ella le tocó ligeramente con el codo. Obtener algo de él era todo un esfuerzo.

—Si estás tan seguro sobre esto, me alegrará ayudarte.

Nathan se rió. Sara no se desalentó. Obviamente su ofrecimiento de ayuda le había complacido. Entonces le dijo entusiasmada:

—Podría ayudarte con los libros. Soy realmente buena con los números. ¿No? —agregó al ver que Nathan negaba con la cabeza—. Pero quiero ayudar.

Él dejó el timón y se dio la vuelta para mirarla. Ella estaba preciosa, pensó mientras observaba cómo trataba de arreglarse los rizos. Había mucho viento y la tarea era imposible. Estaba vestida de rosa. Tenía las mejillas sonrojadas. Su mirada se detuvo en su boca. Sus labios eran tan rosados como toda ella.

Se dejó llevar por lo que sentía. La tomó de los hombros antes de que ella pudiera alejarse. La sostuvo contra su pecho, luego enredó una mano en los rizos de su nuca. Su cabello era sedoso. La tomó de los rizos y le inclinó la cabeza hacia atrás. Se dijo a sí mismo que solo la besaría por la tranquilidad de su mente, ya que sabía muy bien que una vez que le explicara la tarea especial que tendría que realizar comenzaría a gritar otra vez.

—Cada uno tiene que cumplir con una tarea especial —le dijo. Acercó su boca a la de ella—. Mi deber es que te quedes embarazada, Sara, y el tuyo es darme un hijo.

La besó antes de que pudiera gritar.

Al principio, Sara estaba demasiado aturdida para reaccionar. Su boca era ardiente, exigente. La estaba ahogando con su tibieza, su maravillosa fragancia masculina.

Nathan quería que ella le respondiera. Sara no le decepcionó. Cuando le introdujo la lengua en la boca, a Sara se le aflojaron las rodillas. Le abrazó y se colgó de él.

No se dio cuenta de que le estaba besando, de que los sonidos que oía eran de ella.

Cuando Nathan obtuvo toda su cooperación suavizó el beso. Ella era muy suave. Sentía el calor dentro de ella, quería acercarse más y más. La tomó de las nalgas y la levantó lentamente hasta que su pelvis tocó la de él.

La besó una y otra vez. Deseaba estar dentro de ella. Nathan sabía que estaba a punto de perder toda su disciplina. Sus deseos clamaban por ser satisfechos. Entonces los silbidos y las risas penetraron en su mente. Era obvio que su tripulación estaba disfrutando del espectáculo que les estaba brindando. Nathan trató de alejar a Sara.

Ella no se alejó de él. Le tiró del cabello para que volviera a profundizar el beso. Él cedió ante su silenciosa petición con un gruñido. El beso que estaban compartiendo era abiertamente carnal, pero cuando Sara le tocó la lengua con la de ella, Nathan se detuvo.

Cuando se separaron ambos estaban sin aliento. Al parecer, Sara no podía mantener el equilibrio. Se cayó sobre el borde de madera que estaba junto al timón. Se apoyó una mano sobre el pecho y susurró:

—Oh, Dios.

Cuando el capitán dejó de tocar a su novia, los hombres regresaron a sus tareas. Nathan observó varias espaldas antes de volver a mirar a Sara. No pudo dejar de sentirse extremadamente satisfecho al ver la expresión de confusión en el rostro de Sara. Deseaba volver a besarla.

Sacudió la cabeza ante su pérdida de disciplina. Decidió que ya había perdido suficiente tiempo con su novia y regresó al timón. Frunció el entrecejo al ver que le temblaban las manos. Era obvio que el beso le había afectado un poco más de lo que había pensado.

A Sara le costó mucho más recuperarse. Estaba temblando de pies a cabeza. No tenía idea de que un beso pudiera ser tan... conmovedor.

Cuando volvió a ver la expresión de aburrimiento en el rostro de Nathan, Sara pensó que a él no le había afectado.

Sintió ganas de llorar y no comprendió por qué. Entonces recordó las afirmaciones obscenas que le había hecho sobre su tarea especial.

—Yo no soy una yegua madre —le susurró—. Y no estoy segura de que me haya gustado que me tocaras.

Nathan la miró por encima del hombro.

—Pudiste haberme engañado. Por la forma en que me besaste...

—Creo que no me gustó.

—Mentirosa.

Era un insulto, sí, pero la forma en que dijo la palabra le entibió el corazón. Sonó como una caricia.

Eso no tenía sentido. ¿Estaba tan desesperada por una palabra de amabilidad del vikingo que ahora respondía a sus insultos? Sara sintió que se sonrojaba. Se miró los zapatos y cruzó modestamente las manos frente a sí.

—No puedes volver a besarme —le anunció, deseando que su tono hubiera sido un poco más enérgico.

—¿No?

Era evidente que se estaba burlando.

—No, no puedes. He decidido que primero tendrás que cortejarme, Nathan, y luego tendremos una ceremonia adecuada ante un verdadero pastor antes de que vuelvas a besarme.

No le miró mientras pronunciaba el enfático anuncio, pero cuando terminó levantó la vista para evaluar su reacción.

Desafortunadamente, su expresión no le indicó nada. Ella frunció el entrecejo.

—Creo que nuestro matrimonio podría objetarse en la Corte a menos que realicemos nuestros votos ante un hombre de Dios.

Finalmente, Nathan le mostró su reacción. Ojalá no lo hubiera hecho. Su ceño era tan ardiente como el sol del mediodía que los estaba castigando.

Pero sus ojos... el color era tan intenso, tan encantador. Cuando la miraba a los ojos ella se olvidaba de respirar. De pronto pensó que su vikingo era realmente buen mozo.

¿Por qué no se había dado cuenta antes?, se preguntó. Dios santo, ¿estaba comenzando a considerarle atractivo?

Nathan la sacó de sus pensamientos cuando le dijo:

—¿Estás pensando que encontraste una forma de anular este contrato?

—No.

—Bien —replicó Nathan—. Como te he dicho antes, Sara, no voy a disolver este contrato.

A ella no le agradó su tono arrogante.

—Ya sabía eso antes de que me lo dijeras.

—¿Lo sabías?

—Sí.

—¿Cómo?

Comenzó a negar otra vez con la cabeza, pero Nathan la detuvo tomándola otra vez en sus brazos. Le agarró el cabello con firmeza.

—Suéltame, Nathan. Me duele la cabeza cuando me sujetas así el cabello.

No la dejó, pero comenzó a frotarle la nuca. Su caricia era muy confortante. Sara tuvo que contenerse para no suspirar.

—Sabes cuánto quiero la tierra y el dinero, ¿verdad, Sara? —le preguntó—. Por eso sabías que iba a cumplir con el contrato.

—No.

Nathan no sabía por qué la había presionado para que le diera una explicación. Sin embargo, sintió curiosidad porque ella estaba actuando con tanta timidez. No podía entenderla, sin embargo, estaba decidido a comprender cómo trabajaba su mente.

—Entonces, ¿por qué sabías que querría casarme contigo?

—¿Por qué no ibas a querer? —le susurró.

—¿Por qué no iba a querer?

—Nathan, soy todo lo que un hombre puede querer de una esposa. —Trató de parecer tan arrogante y segura de sí misma como cuando él le hablaba—. En serio —agregó asintiendo con vehemencia con la cabeza.

—¿Es así?

Pudo ver la risa en sus ojos. Su jactancia comenzó a evaporarse de inmediato.

—Sí, así es.

Se sonrojó un poco. ¿Cómo podía alguien ser tan arrogante y tímida al mismo tiempo?, se preguntó Nathan. Ella era una contradicción para él.

—¿Podrías decirme por qué crees que eres todo lo que yo podría querer?

—Claro —le respondió—. Para empezar, soy bastante bella. No soy insulsa —agregó de inmediato—. Debo admitir que no soy una belleza deslumbrante, Nathan, pero eso no importa.

—¿Crees que no eres una... belleza deslumbrante? —le preguntó asombrado.

Le miró con el entrecejo bien fruncido pues estaba segura de que la estaba acosando deliberadamente.

—Por supuesto que no. Debes de ser un poco cruel para burlarte de mi aspecto. No soy muy fea, Nathan. Porque tenga el cabello y los ojos castaños no significa que sea... fea.

Él sonrió con ternura.

—Sara, ¿no has notado cómo se detienen los hombres para observarte cuando pasas?

Sintió deseos de golpearle.

—Si quieres decir que soy tan poco atractiva, bien, señor... —susurró.

—¿Bien, qué? —le preguntó.

—Tú tampoco sabes apreciar, esposo.

Él sacudió la cabeza. No estaba casado con una mujer vanidosa. Esto le complacía considerablemente.

—Tienes razón —le respondió—. He visto mujeres más bellas, pero como tú dijiste eso no importa.

—Si crees que me haces sentir completamente inferior con esa ruda observación, estás equivocado —replicó Sara—. Realmente soy todo lo que un hombre podría esperar. ¿Te sonríes? Lo digo en serio. Fui educada para ser una buena esposa, como tú fuiste educado para ser un buen proveedor. Así son las cosas —terminó de hablar encogiéndose deliberadamente de hombros.

Era evidente la vulnerabilidad en su expresión. También había incitado su curiosidad.

—Sara, ¿para qué fuiste educada exactamente?

—Puedo administrar una casa con facilidad, no importa la cantidad de sirvientes que haya —comenzó a explicarle—. Puedo coser sin pincharme un dedo, organizar una fiesta para doscientas personas —exageró—, y cumplir con otros deberes relacionados con el manejo de una gran propiedad.

Estaba segura de que le había impresionado con su lista. Hasta ella estaba impresionada. La mayor parte de las cosas eran inventadas, por supuesto, ya que no tenía la menor idea de si era capaz de manejar o no una propiedad, pero Nathan no podía conocer sus carencias, ¿verdad? Además, el hecho de que nunca hubiera atendido invitados no significaba que no pudiera organizar una fiesta para doscientos invitados. Creía que podía cumplir con cualquier objetivo si realmente se lo proponía.

—¿Y bien? —le preguntó al ver que no hacía ningún comentario—. ¿Qué piensas de mis habilidades?

—Podría contratar a alguien para que manejara mi casa —replicó Nathan—. No tengo que estar casado para tener un hogar confortable.

Casi se rió con fuerza, ya que la expresión de decepción en su rostro era cómica.

Sara trató de no sentirse derrotada por su comentario.

—Sí, pero yo también puedo mantener una conversación inteligente sobre cualquier tema con tus invitados. He leído mucho.

Se detuvo al ver que Nathan hacía una mueca. Su conducta era la que uno podía esperar de alguien con su apellido. Nathan estaba resultando ser tan despreciable como los otros hombres de St. James. Era tan cabeza de mula como los otros.

—No podrías contratar a nadie con tan buena educación —susurró Sara.

—¿Y eso es todo? —le preguntó—. ¿No estás educada para hacer nada más?

Su orgullo estaba destrozado. ¿Nada de lo que decía impresionaba a este hombre?

—¿Como por ejemplo?

—Como complacerme en la cama.

Se sonrojó más.

—Por supuesto que no. Se supone que tú debes enseñarme cómo... —Se detuvo y le pisó con fuerza—. ¿Cómo te atreves a pensar que me hayan educado para... para...?

No podía continuar. Su mirada le confundía. No sabía si iba a comenzar a llorar o trataría de matarle.

—Supongo que una damisela puede ocuparse de esas tareas —le dijo para acosarla.

Era un placer fastidiarla, pensó Nathan. Sus reacciones eran tan... desinhibidas. Sabía que debía terminar con el juego. Ella se estaba enfureciendo, pero él estaba disfrutando tanto que no quería detenerse.

—No tendrás una damisela.

Le gritó esa afirmación. Él se encogió de hombros. Le volvió a pisar.

—No importa lo bella que sea, no importa cuánto talento pueda tener, no importa... no la tendré.

No le dio tiempo para responder.

—En cuanto a dormir conmigo, Nathan, puedes olvidarte de eso. Primero tendrás que cortejarme y nos casaremos ante un cura.

Esperó durante un largo minuto para que le respondiera.

—¿Y bien? —le preguntó.

Él se volvió a encoger de hombros.

¿Cómo pudo pensar que era atractivo? Ojalá hubiera tenido la fuerza suficiente para patearle el trasero.

—Esto que estamos discutiendo es un asunto muy serio —insistió Sara—. Y si te vuelves a encoger de hombros, te juro que volveré a gritar.

Pensó que no era el momento para mencionarle que ya lo estaba haciendo.

—Nosotros, no —le dijo con un tono suave—. Tú eres la que cree que este asunto es algo serio —le explicó—. Yo, no.

Sara respiró profundamente y lo intentó por última vez.

—Nathan, por favor, trata de comprender mis sentimientos —susurró—. He decidido que no es decente que te acuestes conmigo. —Se sentía demasiado incómoda para continuar con ese tema—. ¿Te vas a casar conmigo sí o no?

—Ya lo hice.

Estaba furiosa con él.

—Mira, es muy simple de comprender, incluso para un St. James. Quiero que me cortejes, Nathan, y no me vas a tocar hasta que hagamos nuestras promesas delante de un hombre de Dios. ¿Me has oído?

—Estoy seguro de que la ha oído claramente, señorita —le respondieron desde atrás. Sara se alejó de Nathan y al volverse vio a unos diez hombres que le estaban sonriendo. Todos habían dejado de cumplir con sus tareas y estaban asintiendo con la cabeza. La mayoría estaban bastante alejados.

—Sí, apuesto a que ha entendido cada palabra —dijo otro—. No dejará que el capitán la toque hasta que se case correctamente. ¿No es así, Haedley?

Un hombre calvo y encorvado asintió con la cabeza.

—Eso es lo que he oído —le gritó.

Sara estaba mortificada: había estado gritando como una arpía.

Decidió culpar a Nathan. Se volvió para mirarle fijamente.

—¿Tienes que incomodarme así?

—Tú estás haciendo un buen trabajo, mi novia. Vuelve al camarote —le ordenó—. Quítate ese vestido.

—¿Por qué? ¿No te gusta?

—Quítate todo, Sara. Bajaré dentro de unos minutos.

Casi se le detuvo el corazón cuando comprendió lo que le había dicho. Estaba demasiado furiosa para seguir tratando de razonar con él. Se alejó lentamente sin decir una palabra.

Mientras se dirigía hacia la escalera pasó junto a Jimbo.

—Tenía razón, señor Jimbo. Nathan está chiflado.

El marinero no tuvo tiempo de responder, pues Sara ya se había ido.

No comenzó a correr hasta que llegó al cuarto de los oficiales. Se levantó la falda y corrió como un rayo. No se detuvo en la puerta de su camarote sino que continuó hasta el camarote de su tía Nora.

A pesar de su tamaño y su edad, Matthew podía ser muy rápido cuando la ocasión lo requería, y llegó a la puerta al mismo tiempo que Sara.

—Lady Sara, espero que no moleste a la dulce Nora visitándola ahora —le dijo desde atrás.

Ella no oyó que él se aproximaba. Emitió un fuerte sonido entrecortado y se volvió.

—Me ha asustado. No debería andar a hurtadillas, señor. ¿Cuál es su nombre?

—Matthew.

—Encantada de conocerle —le contestó—. En cuanto a mi tía, solo quería ver cómo estaba.

—Yo estoy cuidando a su tía —le explicó Matthew—. Hoy no está para recibir visitas. Está fatigada.

De inmediato, Sara se sintió culpable. Tenía la intención de contarle todo a su tía para que la ayudara a tratar con Nathan. Sin embargo, sus problemas parecían mezquinos.

—Nora no está realmente enferma, ¿verdad? —preguntó Sara con temor en la voz—. Vi los moretones, pero pensé...

—Se curará —le anunció Matthew. Estaba complacido por su actitud cariñosa—. Nora necesita mucho descanso. Tampoco se puede mover. Tiene las costillas quebradas...

—Oh, Dios, no sabía.

—Está bien, está bien, no empiece a llorar —le pidió Matthew. Los ojos de lady Sara estaban empañados. No sabía qué haría si ella se descomponía. El pensar en tener que consolar a la esposa del capitán le ponía nervioso—. No está tan mal —le explicó asintiendo enfáticamente con la cabeza—. La vendé fuerte. Solo necesita descansar. Tampoco quiero que ella se preocupe por nada —agregó.

De inmediato, Sara concluyó que él había adivinado cuál era su misión. Ella bajó la cabeza arrepentida y le respondió:

—La iba a cargar con un problema especial que se ha presentado. Yo tampoco quiero molestarla, por supuesto. No quiero que se preocupe. Cuando se despierte, ¿podría decirle que vendré a visitarla tan pronto como me lo pida?

Matthew asintió con la cabeza. Sara le tomó la mano. La muestra de cariño le conmovió.

—Gracias por ayudar a Nora. Ella es una mujer muy buena. Ha sufrido mucho, señor Matthew, y todo por mi culpa.

Parecía que iba a volver a llorar.

—Ya, ya, usted no ha lastimado a su tía —le dijo Matthew—. Usted no le pateó las costillas. Me dijeron que su padre y sus hermanos fueron los que estuvieron detrás de esa sucia tarea.

—El que estuvo detrás de esta traición fue mi tío Henry —replicó Sara—. Aun así, yo también soy responsable. Si no hubiera insistido en que Nora regresara conmigo a Inglaterra...

No continuó con su explicación. Le volvió a apretar la mano y luego le hizo sonreír cuando hizo una reverencia formal y le dijo que estaba muy complacida de tenerle entre su personal.

Matthew se frotó la frente mientras observaba cómo Sara regresaba a su camarote. Refunfuñó por esta tontería y por el hecho de que había estado realmente nervioso cuando ella casi se puso a llorar. Aun así, estaba sonriendo cuando se alejó.

Sara continuó pensando en Nora hasta que abrió la puerta de su camarote. Tan pronto como vio la gran cama, el problema de Nathan se convirtió en su principal pensamiento.

No se atrevió a perder un minuto más. Cerró la puerta con llave y luego arrastró su pesado baúl hasta la entrada.

Corrió hacia la mesa, pensando en colocarla contra el baúl para reforzar su fortaleza.

Aunque se esforzó no pudo moverla. Finalmente

supo cuál era la causa. Tenía las patas clavadas al suelo. «¿Por qué alguien querría hacer una cosa así?», susurró.

Trató de mover el escritorio y advirtió que también estaba clavado al suelo. Por suerte las sillas no estaban fijas. Sin embargo, eran pesadas. Sara arrastró una hasta el baúl y forcejeó hasta que la pudo levantar y la colocó encima.

Retrocedió para observar su trabajo. Se frotó la parte trasera de la cintura. Sabía que bloquear la entrada era solo una medida provisoria, pero aun así se sintió muy inteligente. Sin embargo, no tardó en descartar ese pequeño orgullo, al advertir que se estaba comportando como una chiquilla. Sí, su conducta era infantil, pero también lo era la de Nathan. Si él no iba a ser razonable, ¿por qué tendría que serlo ella?

Quizá para el anochecer su vikingo comprendería que su petición era válida. Y si el cabeza de mula no estaba de acuerdo, entonces estaba decidida a quedarse dentro del camarote hasta que cediera. Aunque se muriera de hambre.

—Me gustaba más de la otra forma.

Saltó y luego se volvió. Vio a Nathan apoyado en el borde del escritorio, sonriéndole.

No esperó que ella le preguntara cómo había entrado, simplemente le señaló la puerta del techo.

—Siempre entro por arriba —le explicó con voz suave—. Es más rápido.

Tendría que haber asentido con la cabeza, pero no estaba segura. Se apoyó en el baúl y le miró fijamente. ¿Qué iba a hacer ahora?

Su novia parecía haber perdido la voz. Nathan decidió darle un poco más de tiempo para que se calmara antes de presionarla. Estaba muy pálida y existía la posibilidad de que se volviera a desmayar.

—Supongo que estabas tratando de cambiar la habitación —le dijo con un tono suave y tranquilizador.

Sara tenía ganas de gritar, pero en lugar de ello le contestó:

—Sí. Me gusta más así.

Él negó con la cabeza.

—No resultará.

—¿No?

—Quizá no lo hayas advertido, pero el baúl y la silla están bloqueando la puerta. Además, no creo que ninguno de los dos quiera sentarse... allí arriba.

Sus comentarios eran ridículos, por supuesto. Ambos sabían por qué la puerta estaba bloqueada. Sin embargo, ella fingió interesarse en el tema para salvar su orgullo.

—Sí, creo que tienes razón —le indicó—. Los muebles están bloqueando la puerta. Acabo de darme cuenta. Muchas gracias por habérmelo hecho notar. —No se detuvo para respirar y agregó—: ¿Por qué la mesa está clavada al suelo?

—¿También trataste de mover eso?

Ella ignoró el tono risueño de su voz.

—Pensé que quedaría mucho mejor frente al baúl. El escritorio también —agregó—. Pero no los pude mover.

Él se puso de pie y dio un paso hacia ella. Ella retrocedió de inmediato.

—Cuando el mar se agita, los muebles se mueven —le explicó—. Esa es la razón.

Sara sintió como si la estuvieran acechando. El largo cabello de Nathan se ondulaba sobre los hombros cuando se movía. Los músculos de sus hombros parecían enrollarse con sus movimientos de pantera. Ella deseaba huir de él, sin embargo, en lo profundo de su ser quería que la alcanzara. Le había gustado la forma en que la había besado... pero eso sería todo lo que le gustaría.

Por la mirada de Nathan sabía que querría mucho más de ella. Sus tácticas intimidatorias la estaban enloqueciendo. Le frunció el entrecejo para confundirla.

Él le sonrió.

Hizo un semicírculo por el camarote, pero quedó atrapada en la cabecera de la cama. Nathan se detuvo al ver el miedo en sus ojos. Suspiró profundamente.

Sara creyó que lo había pensado mejor, pero antes de que pudiera alegrarse con esa posibilidad él la tomó de los hombros y la atrajo hacia sí.

Le levantó el mentón y la obligó a mirarle. Su voz fue realmente muy amable cuando le dijo:

—Sara, sé que esto es difícil para ti. Si hubiera más tiempo quizá podríamos esperar hasta que me conocieras un poco mejor. No voy a mentirte diciéndote que te voy a cortejar, porque a decir verdad no tengo la paciencia ni la experiencia para hacerlo. Pero aun así no quiero que me tengas miedo. —Se detuvo y se encogió de hombros, y luego agregó—: No debería importarme si me temes o no, pero me importa.

—Entonces...

—No hay tiempo —la interrumpió—. Si no hubieras huido de mí hace ocho meses, ahora tendrías a mi hijo.

Sara abrió grandes los ojos ante este anuncio. Nathan pensó que estaba reaccionando ante la mención de un bebé. Era tan inocente, y Nathan sabía que no tenía ninguna experiencia en asuntos sexuales. Y eso le complacía.

—Yo no huí de ti. ¿De qué estás hablando?

Nathan frunció el entrecejo ante esta negativa.

—No te atrevas a mentirme. —Le apretó un poco los hombros para enfatizar sus palabras—. No lo permitiré, Sara. Siempre debes ser completamente honesta conmigo.

—No estoy mintiendo —le contestó furiosa—. Nunca huí de ti, vikingo. Nunca.

Él la creyó. Parecía muy sincera y completamente disgustada.

—Sara, les envié una carta a tus padres informándoles sobre mi intención de ir a buscarte. Mandé al mensajero un viernes. Se suponía que tú deberías estar lista el lunes siguiente. Hasta les indiqué la hora. El domingo anterior te fuiste a la isla de tu tía. Yo simplemente ato cabos.

—Yo no sabía —replicó Sara—. Nathan, mis padres no deben de haber recibido la carta. Ninguno de los dos me dijo una palabra. Era un momento caótico. Mi madre estaba muy preocupada por su hermana, mi tía Nora. Nora siempre nos escribía por lo menos una carta por mes, pero mamá no había recibido ninguna desde hacía mucho tiempo. Estaba enfermando de preocupación por Nora. Cuando le sugerí que podía ir a ver qué sucedía estuvo de acuerdo de inmediato.

—¿Cuándo te confió esta preocupación tu madre? —le preguntó Nathan.

Su cinismo la irritaba. Sabía lo que estaba pensando y le frunció el entrecejo.

—Pocos días antes de que yo viajara —admitió Sara—. Pero no habría confiado sus preocupaciones si no la hubiera encontrado llorando. Y se mostró muy renuente a cargarme con la preocupación. Muy renuente —agregó—. Ahora que lo pienso, estoy segura de que yo fui la que sugirió ir a la isla de Nora.

Un pensamiento repentino le llamó la atención.

—¿Cómo sabías mi verdadero destino? Mi familia le dijo a todo el mundo que había ido a las colonias a visitar a mi hermana mayor.

No se molestó en explicarle que sus hombres la habían estado siguiendo y que ella había comprado los pasajes en uno de sus barcos. Simplemente se encogió de hombros.

—¿Por qué no podían decir la verdad sobre el asunto?

—Porque Nora los había deshonrado —le explicó Sara—. Hace catorce años se casó con su novio y se fue de Inglaterra. Estaba segura de que todos olvidarían el escándalo, pero nadie lo hizo.

Nathan volvió a hablar sobre las cartas.

—¿Así que no supiste que Nora no le había escrito a tu madre hasta dos días antes de partir?

—Mamá no quería preocuparme —respondió Sara—. No voy a permitir que pienses que mi madre tuvo algo que ver con el ardid. Mi padre o mi hermana podrían haber tratado de interceptar tu carta, Nathan, para hacerte esperar un poco más, pero mi madre nunca hubiera estado de acuerdo con un engaño así.

A Nathan le pareció muy honorable la defensa de su madre. Ilógica, pero al mismo tiempo honorable. Por esa razón no la obligó a aceptar la verdad. Sin embargo, su creencia de que su padre era inocente le enfurecía.

Entonces advirtió que no había tratado de huir de él. Estaba tan complacido que dejó de fruncir el entrecejo.

Sara miró fijamente a su esposo mientras trataba de pensar en otra forma de convencerle de que su madre era completamente inocente de cualquier engaño. Entonces comprendió la verdad de lo que él le había dicho.

Él no la había olvidado.

Su sonrisa fue cautivadora. Nathan no sabía qué hacer con el repentino cambio. Ella se apoyó sobre su pecho, le tomó de la cintura y le abrazó. Él refunfuñó. Estaba más confundido que nunca por su extraño comportamiento. Sin embargo, advirtió que le gustaba esta súbita demostración de afecto. Le gustaba mucho.

Ella suspiró y luego se alejó de su esposo.

—¿Qué es esto? —le preguntó Nathan con tono duro.

Ella no pareció notarlo. Se acomodó el cabello hacia atrás y susurró:

—No me olvidaste. —Volvió a colocarse algunos rizos sobre el hombro en un gesto que consideraba muy femenino, y agregó—: Por supuesto que sabía que no lo habías hecho. Estaba segura de que había habido algún pequeño malentendido porque yo...

Al ver que no continuó, Nathan le dijo:

—¿Porque sabías que quería estar casado contigo?

Ella asintió con la cabeza. Él se rió.

Le miró disgustada, y luego le dijo:

—Nathan, cuando no podía encontrar a Nora envié varias notas a tu residencia pidiéndote ayuda y nunca me respondiste. Entonces me pregunté...

—Sara, yo no tengo una residencia —le indicó Nathan.

—Por supuesto que sí —le discutió—. Tienes una casa en la ciudad. La vi una vez que salí a dar un paseo... ¿por qué sacudes la cabeza?

—Mi casa de la ciudad se quemó el año pasado.

—¡Nadie me lo dijo!

Él se encogió de hombros.

—Entonces tendría que haber enviado el mensaje a tu casa de campo. Está bien, ¿ahora por qué estás sacudiendo la cabeza?

—La casa de campo fue destruida por el fuego —le explicó.

—¿Cuándo?

—El año pasado —le respondió—. Un mes antes de que se destruyera mi casa de la ciudad.

Ella parecía consternada.

—Tuviste muchos accidentes, ¿verdad, Nathan?

No fueron accidentes, pero él no se lo dijo. Losincendios fueron deliberadamente provocados por sus enemigos. Estaban buscando cartas incriminatorias. Nathan había estado trabajando para su gobierno y al final de la investigación se apresó a los delincuentes, pero aún no había tenido tiempo de reparar el daño de su propiedad.

—¿Realmente me escribiste pidiéndome ayuda para encontrar a Nora? —le preguntó Nathan.

Ella asintió con la cabeza.

—No sabía a quién recurrir —admitió Sara—. Creo que fue tu tío Dunnford St. James el que estuvo detrás de este ardid.

—¿Qué ardid?

—Probablemente, él interceptó la carta que les enviaste a mis padres.

Nathan le mostró su exasperación.

—Creo que fue tu padre el que estuvo detrás de ese plan.

—¿Y por qué crees eso?

—Porque Atila, el Huno, murió hace años —le contestó—. Y tu padre es el único hombre lo suficientemente malo como para concebir un plan tan vil.

—No estoy dispuesta a escuchar una calumnia así contra mi padre. Además, yo estoy segura de que fue Dunford.

—¿Sí? ¿Y él es el que golpeó a tu tía?

De inmediato, a Sara se le llenaron los ojos de lágrimas. Él se arrepintió de inmediato de esa pregunta. Ella se volvió para mirarle el pecho antes de contestarle:

—No —susurró—. Ese fue un trabajo de mi tío Henry. Él es el que viste la otra noche en la taberna. Y ahora ya sabes la verdad sobre mí —terminó con un doloroso lamento.

Nathan le levantó el mentón con un dedo. Le frotó la suave piel con el pulgar.

—¿Qué verdad?

Le miró fijamente a los ojos antes de responderle:

—Vengo de una mala cepa.

Esperaba recibir una rápida negativa, un poco de elogio.

—Sí, así es.

El hombre no tenía un hueso de compasión en el cuerpo, pensó Sara.

—Bueno, tú también —susurró. Le alejó la mano del mentón—. Realmente no deberíamos tener hijos.

—¿Por qué no?

—Porque podrían terminar siendo como mi tío Henry. Peor, podrían comportarse como tú. Hasta tú tienes que admitir que los hombres de St. James son todos villanos —agregó asintiendo con la cabeza—. Todos ellos.

Él nunca admitiría una cosa así, y le dio a conocer su posición de inmediato.

—A pesar de su comportamiento rudo son honestos. Uno sabe cuándo están furiosos. Son sinceros.

—Oh, son sinceros, está bien —replicó Sara.

—¿A qué te refieres?

Sabía que le estaba enfadando otra vez, pero no le importaba.

—Tu tío Dunnford fue sincero cuando le disparó a su propio hermano, ¿verdad?

—Así que te enteraste de eso, ¿eh? —Se esforzó para no sonreír.

—Todo el mundo se enteró de eso. El incidente sucedió en la escalera de su casa de la ciudad, a media mañana, y con muchos testigos que pasaban por allí.

Nathan se encogió de hombros.

—Dunnford tenía una buena razón —le contestó Nathan.

—¿Para dispararle a su hermano? —Sara no lo podía creer.

Él asintió con la cabeza.

—¿Y cuál era su razón? —le preguntó.

—Su hermano le despertó.

Sara se sorprendió al ver que él hacía un mohín. Otra vez le parecía atractivo. Ella también sonrió.

—Dunnford no mató a su hermano —le explicó Nathan—. Solo le creó un pequeño inconveniente para sentarse durante un par de semanas. Cuando le conozcas verás...

—Ya le conozco —le interrumpió Sara. De pronto sintió que le faltaba el aliento. La forma en que la estaba mirando la hizo sentir muy extraña por dentro—. También conozco a su esposa.

Aún le estaba sonriendo. Tenía un pícaro brillo en los ojos. Él no se desalentó. Sara no estaba actuando como si le temiera. Nathan trató de pensar en una forma de llevar la conversación hacia el tema más importante que tenía en mente: acostarse con ella.

Le estaba frotando los hombros abstraído. Sara pensó que ni siquiera se daba cuenta de lo que estaba haciendo ya que tenía una mirada distante. Pensó que estaría pensando en sus familiares.

Quería que le frotara la base de la espalda, y como parecía tan preocupado decidió sacar ventaja de su distracción.

Le movió la mano derecha hacia su columna vertebral.

—Frota aquí, Nathan. Me duele la espalda por haber movido los muebles.

Él no discutió su petición. Simplemente hizo lo que le dijo. No fue muy gentil hasta que ella le pidió que lo hiciera más suavemente. Luego ella le bajó ambas manos hasta la base de la espalda. Cuando comenzó a frotarle allí, ella se apoyó en él y cerró los ojos. Era una gloria.

—¿Mejor? —le preguntó después de oírla suspirar durante unos minutos.

—Sí, mejor.

Él no dejó de frotarle la espalda y ella no quiso que lo hiciera.

—¿Cuándo conociste a Dunnford? —le preguntó. Le apoyó el mentón en la cabeza. Aspiró su perfume de mujer.

—Le conocí en los jardines —le contestó—. Tu tío y tu tía estaban allí. Fue una terrible experiencia que jamás olvidaré.

Nathan se sonrió.

—Dunnford no tiene aspecto de bárbaro —le dijo. La acercó lentamente hacia él presionándole la espalda. Ella no se resistió—. Mi tío es un hombre corpulento, musculoso. Sí, supongo que puede ser un poco atemorizante.

—Su esposa también —acotó Sara con una sonrisa—. No podía distinguirlos.

Le pellizcó la espalda por haber sido tan insolente.

—Dunnford tiene bigote.

—Ella también.

La volvió a pellizcar.

—Las mujeres de St. James no son tan gordas como las mujeres Winchester —replicó Nathan.

—Las damas Winchester no son gordas. Son... proporcionadas.

Ya era el momento de que hablaran del verdadero asunto. Respiró profundamente y le dijo:

—¿Nathan?

—¿Sí?

—No me voy a quitar la ropa.

El anuncio le llamó la atención.

—¿No?

Sara se alejó un poco para ver su expresión. Estaba sonriendo suavemente. Esto la alentó para seguir enumerándole sus reglas.

—No, creo que no lo haré. Si tenemos que hacer esto, me dejaré puesta la ropa. Tómalo o déjalo, Nathan.

Se mordió el labio inferior mientras esperaba su reacción. Nathan pensó que podía asustarse otra vez. Eso le enfadó.

—Por el amor de Dios, Sara, no te voy a lastimar.

—Sí, lo harás —le susurró.

—¿Y cómo lo sabes?

—Mamá me dijo que siempre duele. —A Sara se le pusieron las mejillas color escarlata.

—No siempre duele —replicó Nathan—. La primera vez puede ser un poco... incómodo.

—Te estás contradiciendo —le gritó.

—No tienes que actuar como si...

—De todos modos no me va a gustar —le interrumpió—. Debes entenderlo. ¿Cuánto tarda? ¿Minutos u horas? —le preguntó—. Me gustaría prepararme.

Ya no le frotaba la espalda. La estaba sosteniendo con fuerza.

Parecía sorprendido por sus preguntas. Sara decidió sacar ventaja de la situación.

—Solo quiero pedirte un pequeño favor. ¿Podrías esperar hasta esta noche para hacer esa cosa? Ya que estás decidido, ¿podrías darme algunas horas más para aceptar mi destino?

¿Aceptar su destino? Ella actuaba como si tuviera que ir a una ejecución. La de ella. Aunque cedió, Nathan frunció el entrecejo.

—Está bien. Esperaremos hasta esta noche, pero es el único favor que te concederé, Sara.

Ella se puso de puntillas y le besó. Solo le rozó los

labios, pero cuando se separó de él parecía muy complacida consigo misma.

—¿Qué demonios ha sido eso?

—Un beso.

—No, Sara. Esto es un beso.

La atrajo hacia su pecho, le levantó el rostro y apretó la boca contra la de ella. No fue muy gentil, pero a ella no le importó. Se entregó a él y dejó que lo hiciera a su manera. Después de todo, pensó, ella había logrado su victoria y él también merecía una.

Este fue el último pensamiento que tuvo. La intensidad e intimidad de aquel beso le aflojó las rodillas. Se aferró a su esposo y suspiró complacida cuando él introdujo la lengua en su boca.

Nathan le apretó la espalda y la levantó contra su pelvis. Sus caderas instintivamente se abrazaron a su pene. Él empujaba, ella también.

El movimiento era erótico, excitante. Nathan no trató de vencerla al advertir que ella estaba colaborando con él. Le estaba respondiendo. Le tiraba del cabello mientras trataba de acercarse más a él.

Nathan se alejó repentinamente y tuvo que sostenerla hasta que se recuperó del beso. Se sentía arrogantemente feliz por ese hecho tan evidente.

Y la deseaba. La empujó sobre la cama y se volvió para irse. Tuvo que correr el baúl y la silla para poder llegar hasta la puerta.

Cuando abrió la puerta, Sara ya se había recuperado.

—En el futuro, Nathan —comenzó a decirle, haciendo un mohín, a pesar de su voz temblorosa—, apreciaría que no entraras en nuestra alcoba por la chimenea. Te prometo que no volveré a trabar la puerta —agregó. Él se volvió y la miró con incredulidad.

—¿Entrar por dónde? —le preguntó, pensando que seguramente no la había oído bien.

—La chimenea —le explicó Sara—. Y aún no has contestado a mi pregunta. ¿Esta cosa que estás decidido a hacer tarda minutos u horas?

La pregunta desvió su atención y ya no estaba interesado en explicarle que la puerta del techo no era una chimenea. Más tarde le explicaría eso a la ignorante mujer.

—¿Cómo demonios voy a saber cuánto va a tardar? —refunfuñó.

—¿Quieres decir que nunca lo has hecho antes? Nathan cerró los ojos. La conversación se le escapaba de las manos.

—¿Lo hiciste?

—Sí —le respondió disgustado—. Pero nunca he calculado el tiempo —replicó.

Estaba cerrando la puerta cuando se volvió y le sonrió.

Ella se sorprendió ante este rápido cambio en él.

—¿Sara?

—¿Sí?

—Te va a gustar.

La puerta se cerró después de esa promesa.

5

Sara no volvió a ver a Nathan durante el resto del día. Estuvo ocupada arreglando el camarote y sus pertenencias. Como no tenía una doncella, hizo la cama, limpió los muebles y hasta pidió una escoba para barrer el suelo. Recordó que había dejado la sombrilla en la cubierta, pero cuando fue a buscarla no la encontró por ningún lado.

Para la puesta del sol tenía los nervios destrozados. No había podido encontrar ningún plan para ganar otra suspensión. Sara estaba un poco avergonzada de su cobardía. Sabía que alguna vez tendría que acostarse con él, sabía que continuaría temiéndole hasta que no lo hiciera, pero todo eso no aliviaba su temor.

Cuando oyó que llamaban a la puerta casi gritó. Recobró rápidamente la compostura al advertir que seguramente Nathan no llamaría. No, él entraría directamente. Después de todo, el camarote le pertenecía, y Sara pensó que tenía derecho a entrar sin llamar.

Matthew estaba esperando fuera. Lo saludó con una reverencia y le invitó a entrar. Él declinó el ofrecimiento sacudiendo la cabeza.

—Su tía Nora la está esperando —le anunció—. Mientras está en su camarote, le diré a Frost que traiga la cuba. El capitán pensó que querría bañarse, por eso ordenó que trajéramos agua dulce. Es una atención que no recibirá muy a menudo —agregó—. Será mejor que la disfrute.

—Eso ha sido muy considerado por parte de Nathan —le respondió Sara.

—Me aseguraré de decirle que piensa así —le contestó Matthew, que no tenía nada mejor que decir. Caminó junto a Sara sintiéndose extraña y ridículamente tímido. No estaba acostumbrado a que nadie le tratara como a un igual, excepto Nathan. Tampoco una dama le había hecho nunca una reverencia. Y también estaba su sonrisa encantadora, admitió Matthew. Inclinó los hombros un poco hacia delante. Estaba cayendo bajo su encanto como lo había hecho Jimbo.

Cuando llegaron hasta la puerta del camarote de Nora, Matthew salió de su estupor y susurró:

—No la canse mucho, ¿de acuerdo?

Sara asintió con la cabeza, y luego esperó que Matthew le abriera la puerta. Él no comprendió lo que Sara quería hasta que ella se lo indicó. Después de que le abrió la puerta se lo agradeció y entró. Matthew cerró la puerta.

—Mathew parecía azorado —exclamó Nora.

—No me he dado cuenta —admitió Sara.

Sonrió a su tía y se acercó a la cama para darle un beso. Nora estaba apoyada sobre una montaña de almohadas.

—Lo que sí he notado es cómo se preocupa por ti, tía —le comentó. Acercó una silla, se sentó, y arregló las arrugas de su vestido—. Creo que se ha convertido en tu defensor.

—Es un hombre muy atractivo, ¿verdad, Sara? Y también tiene muy buen corazón. Se parece mucho a mi difunto esposo, aunque de aspecto no se parezcan en nada.

Sara contuvo su sonrisa.

—Estás un poco enamorada de Matthew, ¿verdad, Nora?

—Tonterías, niña. Soy demasiado vieja para estar enamorada.

Sara cambió de tema.

—¿Hoy te sientes mejor?

—Sí, querida —respondió Nora—. ¿Y tú cómo te sientes?

—Bien, gracias.

Nora sacudió la cabeza.

—A mí no me parece que estés bien. Sara, estás sentada en el borde de esa silla y parece que vas a saltar ante la primera provocación. ¿Te preocupa Nathan?

Sara asintió lentamente con la cabeza.

—Por supuesto que también estaba preocupada por ti —le confesó—. Pero ahora que te veo comprendo que estarás bien.

—No cambies de tema —le ordenó Nora—. Quiero hablar sobre Nathan.

—Yo no.

—Vamos a hacerlo igual —replicó Nora—. ¿Cómo os lleváis tú y tu esposo?

Sara se encogió de hombros.

—Tan bien como podría esperarse teniendo en cuenta su disposición.

Nora sonrió.

—¿Ya te ha besado?

—Nora, no deberías preguntarme eso.

—Contéstame. ¿Lo hizo?

Sara se miró la falda cuando le respondió.

—Sí, me besó.

—Bien.

—Si tú lo dices.

—Sara, sé que Nathan no es exactamente como tú creías que era, pero si miras debajo de ese áspero exterior encontrarás un hombre bueno.

Sara estaba decidida a mantener la conversación.

—¿Sí? ¿Y cómo sabes cómo lo imaginaba?

—Aun en tus sueños más fantasiosos no podrías haberte imaginado casada con Nathan. A primera vista es un poco dominante, ¿verdad?

—Oh, no lo sé —susurró Sara.

—Por supuesto que lo sabes —replicó Nora—. Te desmayaste cuando le viste por primera vez, ¿verdad?

—Estaba agotada —le indicó Sara—. Nora, él quiere... acostarse conmigo —le dijo repentinamente.

Nora no parecía sorprendida por la noticia. Sara se sintió aliviada por no haber incomodado a su tía. Necesitaba desesperadamente sus consejos.

—Esa debería ser su inclinación natural —le explicó Nora—. ¿Estás preocupada, Sara?

—Un poco —contestó Sara—. Sé cuál es mi deber, pero no le conozco muy bien y quería un noviazgo.

—¿Por qué estás preocupada?

Sara se encogió de hombros.

—¿Crees que te va a lastimar?

Sara negó con la cabeza.

—Es algo muy extraño, tía. Nathan parece un hombre feroz cuando me mira con el entrecejo fruncido, pero en mi corazón sé que no me lastimaría. Hasta me dijo que no quería que le tuviera miedo.

—Bien.

—Pero no va a esperar hasta que me acostumbre a la idea —le explicó Sara.

Nora sonrió.

—Es lógico que no quiera esperar, Sara. Tú eres su esposa, y vi la forma en que te miraba la primera noche. Te desea.

Sara sintió que se sonrojaba.

—¿Y si le decepciono?

—Creo que no lo harás. Él se ocupará de que no lo hagas —la tranquilizó.

—Tenemos que tener un hijo para que Nathan obtenga la segunda mitad del tesoro dispuesto por el rey, y como tuvo que esperar para ir a buscarme... ¿Sabías que creía que había huido de él? —Sara le explicó lo que Nathan le había contado, y cuando terminó Nora frunció el entrecejo—. ¿No te complace que Nathan tratara de ir a buscarme?

—Por supuesto. Tengo el entrecejo fruncido porque creo que tus padres te volvieron a engañar.

—Nora, no creerás que...

—Como te he dicho antes —la interrumpió Nora—, nunca dejé de escribir a tu madre. Incluso admitiría la posibilidad de que una o dos cartas se hubieran perdido, pero no las seis. No, todo fue una mentira, Sara, para sacarte de Inglaterra.

—Mamá no podría haber estado de acuerdo con una mentira así.

—Por supuesto que sí —refunfuñó Nora—. Mi pobre hermana le teme a su esposo. Siempre lo hizo y siempre lo hará. Ambas lo sabemos, Sara, y no tiene sentido fingir. Baja de las nubes, niña. Si Winston le dijo que te mintiera, ella lo hizo. Ahora ya basta de tus lamentables padres. —Se apuró al ver que Sara la iba a interrumpir—. Quiero hacerte una pregunta.

—¿Cuál?

—¿Quieres estar casada con Nathan?

—No importa lo que yo quiera.

—¿Quieres, sí o no?

—Nunca pensé en estar con nadie más —respondió Sara con vacilación—. Realmente no sé cómo me siento, Nora. Aunque rechazo la idea de que otra mujer esté con él. ¿Sabes que no me di cuenta de eso hasta que él mencionó la palabra «damisela»? Reaccioné con vehemencia ante esa proposición. Es todo muy confuso.

—Sí, el amor siempre es confuso.

—No estoy hablando de amor —replicó Sara—. Es solo que durante todos estos años fui educada para pensar en Nathan como en mi esposo.

Nora bufó de manera muy poco elegante.

—Fuiste educada para odiarle. Creyeron que habían educado a otra como Belinda, pero no pudieron hacerlo, ¿verdad? Tú no odias a Nathan.

—No, no odio a nadie.

—Durante todos estos años tú le protegiste en tu corazón, Sara, como protegiste a tu madre cada vez que tuviste la oportunidad. Escuchaste sus mentiras sobre Nathan y luego las descartaste.

—Ellos creen que le odio —confesó Sara—. Fingí estar de acuerdo con todo lo que me decían mis familiares sobre él para que me dejaran en paz. El tío Henry era el peor. Ahora sabe la verdad. Cuando me enfrenté a él en la taberna, cuando vi tu sortija en su dedo, bueno, perdí mi paciencia. Le dije que Nathan se vengaría y que Nathan y yo nos llevábamos muy bien desde hacía mucho tiempo.

—Quizá no todo fue una mentira —le dijo Nora—. Realmente creo que Nathan se vengará por mí en el futuro, Sara. ¿Y sabes por qué?

—Porque se da cuenta de que eres una dama muy dulce —respondió Sara.

—No, querida, creo que todavía no se ha dado cuenta de eso. Se ocupará de mí porque sabe lo mucho que me quieres. Nathan es la clase de hombre que se preocupa por la gente que quiere.

—Pero Nora...

—Te digo que ya está comenzando a preocuparse por ti, Sara.

—Estás imaginando cosas.

La conversación concluyó repentinamente cuando Matthew entró en el camarote.

Le brindó una amplia sonrisa a Nora y le guiñó lentamente un ojo.

—Ya es hora de que descanse —le dijo.

Sara deseó buenas noches a su tía y regresó a su camarote. El baño ya estaba preparado. Se tomó su tiempo para enjabonarse hasta que el agua se enfrió y luego se puso su camisón blanco y la bata haciendo juego. Cuando Nathan entró en la habitación, ella estaba sentada en el borde de la cama cepillándose el cabello.

Dos hombres más jóvenes entraron detrás de él. Los marineros la saludaron con la cabeza, luego levantaron la cuba y se la llevaron. Sara se cerró la parte de arriba de la bata hasta que los hombres se fueron y luego siguió cepillándose el cabello.

Nathan cerró y atrancó la puerta.

No le dijo una palabra. No tenía que hacerlo. Su mirada lo decía todo. El hombre estaba decidido, muy bien. No habría más favores, ni más aplazamientos. Ella comenzó a temblar.

Sara advirtió que Nathan también se había bañado. Aún tenía el cabello mojado, peinado hacia atrás. No llevaba puesta la camisa. Sara le miró fijamente mientras continuaba cepillándose el cabello, preguntándose de qué podía hablarle para aliviar la tensión que sentía en su interior.

Nathan también la miró fijamente mientras separaba la silla de la mesa, se sentó y se quitó lentamente las botas, luego se quitó los calcetines. Después se puso de pie y comenzó a desabrocharse el pantalón.

Ella cerró los ojos.

Él sonrió ante su recato. Aunque no le disuadió. Se quitó el resto de la ropa y lo arrojó sobre la silla.

—¿Sara?

Ella no abrió los ojos cuando le respondió.

—¿Sí, Nathan?

—Quítate la ropa.

Nathan pensó que su tono había sido suave, tierno. Estaba tratando de alejar un poco de su temor. No tenía dudas de que ella estaba preocupada ya que se estaba cepillando el cabello con tanto vigor que se provocaría un fuerte dolor de cabeza. Si no se calmaba se desmayaría.

Sin embargo, no se tranquilizó con el tono de su voz.

—Ya hemos discutido esto, Nathan —le contestó mientras se volvía a pasar el cepillo por la sien—. Te dije que me quedaría vestida. —Trató de que su voz fuera firme, decidida. El esfuerzo no dio resultado. Hasta ella podía oír el temblor en su susurro—. ¿Está bien?

—Está bien —le contestó Nathan con un suspiro.

Su rápida avenencia la tranquilizó. Dejó de cepillarse el cabello. Todavía no le miró cuando se puso de pie y cruzó lentamente la habitación. Le rodeó mirando el suelo.

Después de dejar el cepillo, respiró profundamente y se volvió. Estaba decidida a fingir que no le molestaba su desnudez. Recordó que era su esposa, y no continuaría comportándose como una tonta e inocente chiquilla.

El problema era que sí era una inocente. Nunca había visto un hombre desnudo. Estaba nerviosa. Ahora soy una mujer, no una niña, se dijo a sí misma. No hay razón para sentirse incómoda.

Entonces miró a su esposo y todos los pensamientos de hacerse la mundana volaron por la chimenea. Nathan estaba cerrando la puerta del techo. Estaba de espaldas, pero aun así ella veía lo suficiente para olvidarse de cómo respirar.

El hombre era todo músculo y acero. Y también estaba bronceado. De pronto advirtió que su trasero estaba casi tan bronceado como el resto de su cuerpo. ¿Cómo se había bronceado esa zona tan privada?

No se lo iba a preguntar. Quizá después de veinte o

treinta años de casados se sentiría lo suficientemente cómoda para tratar el tema.

En el futuro, quizá también algún día podría recordar esta noche de agonía y reírse un poco.

Pero en ese momento no se estaba riendo precisamente. Observó cómo Nathan encendía una vela. El suave resplandor hacía brillar su piel. Se sintió agradecida de que estuviera de espaldas mientras realizaba esa tarea. ¿Le estaba dando tiempo para que se acostumbrara a su tamaño?

Si ese era su objetivo, no estaba funcionando, pensó Sara. El hombre se podía disfrazar de árbol. Era lo suficientemente grande.

Sara suspiró al advertir que se estaba comportando como una chiquilla. Lo único que la salvaba era el hecho de que él no sabría lo aterrorizada que estaba. Volvió el rostro para que no pudiera ver que estaba sonrojada y luego le dijo:

—¿Ahora vamos a ir a la cama?

Estaba complacida consigo misma: formuló la pregunta con bastante indiferencia.

Nathan pensó que había sonado como si ella se hubiera tragado un clavo. Sabía que tendría que encontrar una forma de enfrentar su miedo antes de acostarse con ella.

La pregunta era cómo. Suspiró y se volvió para tomarla entre sus brazos. Ella corrió hacia la cama. Nathan la tomó de los hombros y la volvió lentamente para que le mirara.

Su novia no tenía dificultades para mantenerle la mirada. No, no tuvo que levantarle el mentón para que le atendiera. Nathan sonrió. Dudaba de que hubiera bajado la mirada aunque le hubiera dicho que tenía una serpiente en los pies.

—¿Te molesta que esté desnudo? —le preguntó lo obvio pensando en atacar directamente el problema.

—¿Por qué piensas eso?

Deslizó sus manos hacia los lados de su cuello. Podía sentirle el pulso con los pulgares.

—Te gusta que te bese, ¿verdad, Sara?

Ella parecía sorprendida por esa pregunta.

—¿Te gusta? —insistió al ver que continuaba mirándole fijamente.

—Sí —admitió Sara—. Me gusta que me beses.

Él parecía arrogantemente complacido.

—Pero creo que la otra cosa no me va a gustar para nada —agregó pensando en hacerle otra advertencia.

Él no parecía ofendido por su honestidad. Nathan se inclinó y la besó en la frente, luego en la nariz. Luego le rozó la boca con los labios.

—A mí sí me va a gustar —le dijo.

No tenía una respuesta para ese comentario, así que permaneció en silencio. También mantuvo la boca cerrada cuando él la volvió a besar.

Nathan sintió como si estuviera besando una estatua. Sin embargo, no se dio por vencido. Suspiró contra su boca y lentamente le apretó más el cuello. Cuando la piel comenzó a dolerle abrió la boca para ordenarle que la soltara. Sin embargo, esa orden quedó confusa en su mente cuando Nathan introdujo su lengua para tocar la de ella.

Sara respondió bien. El hielo de su interior comenzó a derretirse. Nathan aflojó sus manos tan pronto como ella abrió la boca. Le acarició el cuello con los pulgares. Estaba tratando de abrumarla para que no se resistiera y pensando que lo había logrado cuando ella repentinamente se acercó más a él y le colocó los brazos alrededor del cuello.

Su suspiro de placer se mezcló con el gemido de Nathan. Él no abandonó su ataque. El beso fue intenso, prolongado, apasionado, interminable. Como ella desconocía estos nuevos sentimientos, Nathan no tardó en hacerle olvidar su timidez, su resistencia. Trató de contener su deseo, pero cuando ella le acarició el cabello mojado y sintió esa caricia suave y sensual, la llama de su interior comenzó a arder.

No vaciló. La había tranquilizado y ahora estaba impaciente. Sara gimió cuando él le quitó los brazos del cuello. Continuaba besándola, pero no era suficiente. Ella quería estar cerca de su calor. Él no estaba cooperando. Nathan continuaba bloqueándole los brazos y tirando al mismo tiempo. No entendía qué quería de ella, y no podía ordenar sus pensamientos ya que estaba demasiado ocupada besándole y demasiado abrumada por los nuevos y maravillosos sentimientos que surgían en su interior.

—Ahora me puedes volver a poner los brazos en el cuello —le susurró cuando terminó de besarla. Su sonrisa estaba llena de ternura. Ella era transparente. Su expresión de confusión no le ocultaba nada. Podía ver la pasión y la confusión. Nathan nunca había conocido una mujer que respondiera con tanta naturalidad.

Se sorprendió un poco al advertir lo mucho que deseaba complacerla. La verdadera inocencia que le brindaba le hacía sentirse como si pudiera conquistar el mundo.

Primero tendría que conquistarla a ella.

—No tengas miedo —le susurró. Le acarició la mejilla con los dedos y sonrió otra vez al ver cómo Sara inclinaba el rostro hacia ese lado para que la acariciara más.

—Estoy tratando de no tener miedo. Estoy más tranquila porque sé que te importan mis sentimientos.

—¿Y cuándo has llegado a esa conclusión?

Nathan se preguntó por qué tenía ese brillo repentino en la mirada. Al parecer algo le resultaba divertido.

—Cuando estuviste de acuerdo en que me dejara la ropa puesta.

Nathan suspiró profundamente. Decidió que no era el momento de mencionar que ya le había quitado el camisón y la bata. Pensó que pronto lo averiguaría.

—Sara, no soy un hombre muy paciente cuando deseo algo tanto como te deseo a ti.

La tomó de la cintura y la levantó contra él. Piel contra piel. Sara reaccionó abriendo grandes los ojos, pero antes de que pudiera decidir si le gustaba o no, él la estaba besando otra vez.

El hombre ciertamente sabía cómo besar. Ella no le obligó a abrirle la boca... en lugar de eso, se convirtió rápidamente en la agresora. Ella le frotó la lengua primero. Él reaccionó con un gemido. Sara pensó que ese sonido significaba que le agradaba su muestra de arrojo y se volvió más desenfrenada.

El beso fue vehemente. Él deseaba reavivar la pasión entre ellos. Cuando ella comenzó a emitir esos pequeños gemidos con la garganta, Nathan supo que había logrado su objetivo. Ella ya estaba ardiente otra vez. Y los sonidos lo hacían desear estar dentro de ella.

Sara le tomó de los hombros. Le frotó los senos contra el pecho. Él la levantó y la apretó contra su pene, y luego ahogó el gemido que esta intimidad le provocó con un ardiente y prolongado beso.

Sara no podía pensar. Las sensaciones que le provocaba su beso eran tan extrañas, tan maravillosas. Sabía que le había quitado la ropa, y le había molestado deliberadamente cuando le recordó su promesa de que podía dejársela puesta. Había sido un engaño por su parte, pero en ese momento había tenido muy buen sentido. Quería que él se detuviera, que le diera tiempo para acostumbrarse a su cuerpo, su calor, sus caricias.

No tenía idea de cómo habían llegado a la cama, pero repentinamente Nathan estaba quitando la manta. Dejó de besarla cuando la levantó y la colocó de espalda sobre las sábanas. No le dio tiempo para que cubriera su desnudez, ya que la cubrió de pies a cabeza con su cuerpo tibio.

Era demasiado pronto. Sara comenzó a sentirse atrapada y totalmente a su merced. No quería tener miedo, no quería decepcionarle.

La bruma de la pasión se disipó en un instante. No quería hacer más esto.

Pero tampoco quería que dejara de besarla. Y estaba asustada.

Probablemente se opondría si empezaba a gritar. Por esa razón mantuvo la boca cerrada en un esfuerzo por contener el grito que tenía en la garganta.

Nathan trató de separarle las piernas con la rodilla. Ella no permitiría esa intimidad así que comenzó a forcejear. También le golpeó los hombros. Él se detuvo de inmediato. Se apoyó sobre un codo para aligerar su peso y comenzó a mordisquearle el cuello. A Sara le gustó. Su aliento era tibio, dulce, excitante. Reaccionó con un temblor. Nathan le susurró lo mucho que le complacía, lo mucho que la deseaba, e incluso lo hermosa que creía que era. Cuando terminó con sus palabras de elogio estaba seguro de que ya la había convencido para que le aceptara completamente.

Estaba equivocado. Tan pronto como intentó separarle los muslos, ella se volvió a poner rígida. Él apretó los dientes con frustración.

La sensación de su piel suave avivó el deseo de estar dentro de ella. Pero ella aún no estaba preparada. Tenía la frente mojada por el esfuerzo para contenerse. Cada vez que trataba de acariciarle los senos ella se ponía tensa. Su frustración se convirtió en algo doloroso.

En algunos minutos perdería completamente el control. No quería lastimarla. Estaba desesperado por penetrarla, pero ella estaría lista, excitada, mojada, cuando finalmente la hiciera suya.

No estaba preparada. Le estaba pellizcando el hombro para que se alejara de ella.

Decidió dejarla durante uno o dos minutos. Nathan se colocó a un lado pensando en poner un poco de distancia entre ellos antes de perder completamente la cordura, separarle los muslos y penetrarla.

Pensó que solo necesitaba un par de minutos para recobrar su disciplina. Cuando su corazón se aquietara, cuando no le costara tanto respirar, cuando el dolor de la espalda cediera un poco, lo intentaría otra vez.

Convencer a una virgen era un trabajo duro, y como él no tenía absolutamente ninguna experiencia en convencer ni acostarse con vírgenes, se sentía completamente inepto.

Quizá algún día en el futuro, cuando fuera un hombre muy, muy viejo, podría recordar esta noche de dulce tortura y reírse un poco. Aunque por el momento no tenía ganas de reírse. Deseaba sacudir a su novia para exigirle que no le tuviera miedo.

La contradicción de esos conflictivos pensamientos le hicieron sacudir la cabeza. Cuando él se alejó de ella, la sensación de sentirse atrapada se desvaneció. Deseaba que la volviera a besar.

La expresión del rostro de Nathan la preocupó. Parecía como si quisiera gritarle. Sara respiró profundamente y se acercó a su lado para mirarle a la cara.

—¿Nathan?

Él no le respondió. Tenía los ojos cerrados y la mandíbula apretada.

—Me dijiste que eras un hombre paciente.

—A veces.

—Estás disgustado conmigo, ¿verdad?

—No.

Ella no le creyó.

—No frunzas el entrecejo —le susurró. Extendió la mano para tocarle el pecho.

Él reaccionó como si le hubiera quemado.

—¿Ya no quieres hacer esto? —le preguntó Sara—. ¿Ya no me deseas?

¿No desearla? Quería tomarle la mano y mostrarle lo mucho que la deseaba. No lo hizo, por supuesto, ya que estaba seguro de que volvería a aterrorizarse.

—Sara, dame un minuto —le pidió—. Temo que... —No terminó la explicación, no le dijo que temía lastimarla si la volvía a tocar. Eso solo aumentaría su temor, así que se mantuvo en silencio.

—No tienes que tener miedo —susurró Sara.

Nathan no podía creer lo que estaba escuchando. Abrió los ojos para mirarla. Ella realmente no podía creer... sin embargo, la ternura de su voz indicaba que creía que él tenía miedo.

—Por el amor de Dios, Sara, no tengo miedo.

Le deslizó lentamente los dedos por el pecho. Él le tomó la mano cuando llegó a su abdomen.

—Ya basta —le ordenó.

—Solo te has acostado con mujeres con experiencia, ¿verdad, Nathan?

Su respuesta fue un gruñido.

Ella sonrió.

—Nathan, te gusta besarme, ¿verdad?

Él le había formulado la misma pregunta hacía quince minutos, cuando había estado tratando de que no tuviera miedo. Si no hubiera estado tan dolido, se habría reído. La mujer le estaba tratando como si él fuera el virgen.

Estaba a punto de corregir su pensamiento cuando

ella se acercó más a él. De pronto advirtió que su novia ya no tenía miedo.

—¿Te gusta? —insistió Sara.

—Sí, Sara, me gusta besarte.

—Entonces bésame otra vez, por favor.

—Sara, besarte no es lo único que tengo en mente. Quiero acariciarte. En todas partes.

Esperó que se volviera a poner rígida. Necesitaba tener paciencia para esto. Sus nervios estaban a punto de estallar, y sin embargo, lo único que quería era penetrarla.

Cerró los ojos y gruñó.

Y luego sintió que ella le tomaba la mano. Abrió los ojos cuando ella le colocó la mano sobre su seno.

Nathan no se movió durante un interminable minuto. Ella tampoco. Se miraron fijamente. Él esperó para ver qué hacía ella después. Ella esperó que él continuara con lo suyo.

Sara se impacientó con él. El sentimiento le producía un hormigueo interior. Y también la hacía más temeraria. Le frotó los dedos de los pies contra las piernas y se inclinó lentamente para besarle.

—No me gusta sentirme atrapada —le dijo entre besos—. Pero ahora no me siento atrapada, Nathan. No te des por vencido conmigo todavía, esposo. Esta es una nueva experiencia para mí. En serio.

Él le acarició suavemente el rostro.

—No me voy a dar por vencido —le susurró. Su tono era un poco jocoso cuando agregó—: En serio.

Ella suspiró contra su boca y le besó de la manera en que quería hacerlo. Cuando le introdujo la lengua en la boca, Nathan perdió el control. Se volvió a convertir en agresora, profundizando más aún el beso y entregándose impetuosamente.

Nathan mantuvo su gentil acometida hasta que ella

se puso de espaldas y trató de hacerle rodar con ella. Nathan no se resistió sino que se inclinó y la besó entre los senos. Su boca rozó primero un pezón y luego el otro hasta que ambos se endurecieron. Su lengua la enloquecía. Cuando ya no pudo soportar más ese dulce tormento, le tomó del cabello y comenzó a tirar hacia ella.

Cuando por fin le tomó el pezón con la boca, Sara sintió como si la hubiera alcanzado un relámpago. Se arqueó pidiendo más. Él comenzó a succionar.

Se le hizo un nudo en la boca del estómago.

—Nathan, por favor —gimió. No tenía idea de qué era lo que le estaba pidiendo, solo sabía que el increíble calor la estaba enloqueciendo.

Nathan se volvió hacia el otro seno, mientras deslizaba una mano entre sus muslos. Ella no los apretó y gimió otra vez.

Nathan se apoyó sobre un codo para ver su expresión. Ella trató de ocultar el rostro contra su hombro. Él la tomó del cabello.

—Me gusta la forma en que me respondes —le susurró—. ¿Te gusta como te estoy tocando?

Él ya sabía la respuesta. Podía sentir que estaba lista para él. Ardiente. La acarició entre las piernas hasta que ella se humedeció. La penetró con un dedo.

Hasta ese momento Sara tenía los puños cerrados. Entonces los abrió. Le golpeó los hombros, la espalda. Le arañó las nalgas.

—Nathan —susurró—. No hagas eso. Duele. Oh, Dios, no te detengas.

Sara continuó contradiciéndose y arqueándose contra la mano de Nathan. Él apenas podía comprender lo que le decía. El deseo de tenerla le hizo temblar.

Hizo callar su débil protesta con un beso y se colocó sobre ella. Cuando él se movió ella no trató de cerrar sus piernas sino que se movió para abrazar el pene entre sus muslos.

Él enredó sus cabellos entre sus manos para mantenerla quieta y besarla. La forma en que frotaba su pelvis contra la de ella le enloquecía. No estaba siendo muy gentil, ella no le dejaba. Sus uñas arañaban. Eso le gustaba. También gemía. Eso le gustaba más aún.

La penetró lentamente, pero se detuvo cuando sintió el delgado escudo de su resistencia. Le levantó la cabeza para mirarla a los ojos.

—Envuélveme con tus piernas —le ordenó con determinación.

Cuando Sara lo hizo él gimió. Aun así vaciló.

—Mírame, Sara.

Ella abrió los ojos y le miró fijamente.

—Vas a ser mía. Ahora y para siempre.

Tenía los ojos empañados por la pasión. Le tomó el rostro con las manos.

—Siempre fui tuya, Nathan. Nathan.

La volvió a besar. La penetró profundamente con un movimiento rápido, pensando en terminar lo antes posible con el dolor que sabía que sentiría.

—Silencio, nena —le susurró cuando ella se quejó. Estaba completamente dentro de ella. Su calor le envolvía—. Dios mío, esto sí que es bueno.

—No, no es bueno —exclamó Sara. Trató de cambiar de posición para aliviar el dolor, pero él le sostuvo la cadera y no le permitió que se moviera.

—Enseguida será mejor —le dijo.

A Nathan le costaba respirar. Tenía la cabeza apoyada en el hombro de ella. Le pellizcaba la piel con los dientes, y al mismo tiempo le hacía cosquillas con la lengua. La dulce tortura la hizo olvidar un poco el dolor.

—No me empujes así, Sara —le ordenó con voz tensa—. No me voy a detener ahora. No puedo.

Le frotó la lengua en el lóbulo de la oreja. Ella dejó de forcejear y suspiró complacida.

—El dolor no durará mucho —le susurró—. Te lo prometo.

Ella reaccionó más ante la ternura de su voz que ante la promesa que le acababa de hacer. Sin embargo, esperaba que tuviera razón. Aún le dolía. El latido era insistente, pero después de un minuto disminuyó. Sin embargo, cuando él comenzó a moverse otra vez, el dolor volvió.

—Si no te mueves, no es tan terrible —susurró Sara.

Nathan gimió con intensidad.

—¿Puede ser, Nathan? —le suplicó.

—Está bien —le contestó. Era una mentira, por supuesto, pero ella era demasiado inocente para comprender lo mucho que necesitaba moverse. —No me moveré.

Sara le acarició el cabello, la nuca. Nathan ya no podía controlar su excitación.

Ella parecía no poder dejar de tocarle.

—Nathan, bésame.

—¿Ya no te duele?

—Un poco.

Cuando se movió para besarla se alejó un poco de ella deliberadamente, y luego volvió a penetrar.

—Te has movido —exclamó Sara.

En lugar de darle la razón, la besó. Cuando trató de alejarse otra vez ella le clavó las uñas en los muslos. Trató de mantenerle quieto contra ella. Él ignoró sus protestas, pues deseaba que ardiera de pasión como él lo estaba haciendo. Deslizó la mano bajo sus cuerpos fundidos y su pulgar atizó lentamente el fuego dentro de ella.

Apoyó la cabeza sobre las almohadas y le soltó los muslos.

Entonces ella también comenzó a moverse. Levantó la cadera contra la de él. Sus movimientos eran instintivos, incontrolables.

Pronto ella también le pedía más. Él le respondió saliendo lentamente de ella y penetrando más profundamente.

Sara le apretó con fuerza y se arqueó violentamente. Se produjo el ritual del apareamiento. La cama crujió con los movimientos. Sus cuerpos sudorosos brillaban bajo la luz de la vela. Los dulces gemidos se mezclaban con los intensos gruñidos.

Ambos buscaban desenfrenadamente la culminación del placer. Él casi gritó cuando acabó.

Apoyó la cabeza sobre el hombro de Sara cuando cedió ante el orgasmo que experimentó.

Sabía que ella estaba a punto de acabar también. Sus movimientos continuaban siendo enérgicos y cuando sintió que ella se ponía tensa contra él, la ayudó a lograr su orgasmo penetrándola con fuerza.

Ella gritó su nombre.

A Nathan le temblaron los oídos por el ruido. Se dejó caer sobre ella para que dejara de temblar.

Ninguno de los dos se movió durante un rato largo. Nathan estaba demasiado satisfecho. Sara estaba demasiado agotada.

Sintió un poco de humedad cerca de la oreja, la tocó y se dio cuenta de que había estado llorando. Realmente había perdido la compostura. Estaba demasiado complacida para preocuparse por eso. Y demasiado satisfecha. ¿Por qué nadie le había dicho lo maravilloso que podía ser hacer el amor?

El corazón de su esposo latía al unísono con el de ella. Suspiró feliz. Ahora era su esposa.

—Ya no me puedes decir mi novia —susurró contra su cuello. Le tocó la piel con la punta de la lengua. Tenía un gusto salado, masculino, maravilloso.

—¿Soy demasiado pesado para ti?

Parecía cansado. Le contestó que sí, y de inmediato Nathan se echó a un lado.

Sin embargo, ella no quería que la dejara todavía. Quería que la abrazara, que le dijera las palabras de amor y elogio que todas las flamantes esposas anhelan escuchar. También quería que la volviera a besar.

No obtuvo nada de eso. Nathan tenía los ojos cerrados. Parecía tranquilo y soñoliento.

Ella no tenía idea de la guerra que estaba sosteniendo Nathan consigo mismo. Estaba tratando de comprender desesperadamente qué le había sucedido. Nunca había perdido tan completamente el control. Ella le había hechizado. También le había confundido. Se sentía vulnerable y ese sentimiento le asustaba.

Sara se puso de lado.

—¿Nathan?

—¿Qué?

—Bésame otra vez.

—Duérmete.

—Dame un beso de buenas noches.

—No.

—¿Por qué no?

—Si te beso te voy a desear otra vez —le explicó finalmente. No se molestó en mirarla sino que miró al techo—. Eres demasiado delicada.

Ella se sentó en la cama, vacilando por el dolor que sentía entre los muslos. Él tenía razón. Ella era delicada. Sin embargo, no parecía importar. Aún quería que la besara.

—Tú me vuelves delicada —susurró. Le golpeó el hombro—. Recuerdo que te pedí específicamente que no te movieras.

—Tú te moviste primero, Sara. ¿Lo recuerdas? —le dijo Nathan lentamente.

Ella se sonrojó. No se desalentó. Él no parecía muy rudo. Se acurrucó contra él, deseando que la abrazara.

—Nathan, ¿el después no es tan importante como el durante?

Él no sabía de qué le estaba hablando.

—Duérmete —le ordenó por segunda vez. Echó las mantas sobre los dos y volvió a cerrar los ojos.

Ella le colocó un brazo encima. Estaba agotada. Y también frustrada. Se lo dijo.

Nathan se rió.

—Sara, sé que habías acabado.

—No estoy hablando de eso —susurró.

Esperó que le pidiera que le explicara a qué se refería, pero cedió al ver que él permanecía en silencio.

—¿Nathan?

—¿Y ahora qué?

—Por favor no me hables con ese tono.

—Sara... —comenzó a decirle con tono de advertencia.

—Después de acostarte con esas otras mujeres, bueno, después... ¿qué hacías?

¿Adónde quería llegar?

—Me iba —replicó Nathan.

—¿Me vas a dejar?

—Sara, esta es mi cama, voy a dormir.

A Sara se le estaba terminando la paciencia.

—No antes de que te explique un poco de buena educación —le anunció—. Después de que un hombre termina... eso, debería decirle a su mujer lo admirable que es. Entonces debería abrazarla y besarla, y dormirse abrazado a ella.

Él no pudo evitar sonreír. Ella parecía un general.

—Se llama hacer el amor, Sara, ¿y cómo sabes lo que es adecuado y lo que no? Eras virgen, ¿recuerdas?

—Solo sé lo que es adecuado —replicó Sara.

—¿Sara?

—¿Sí?

—No me grites.

Se volvió para mirarla. Parecía que iba a llorar. Nathan no tenía la paciencia necesaria para enfrentar sus lágrimas. Ella era vulnerable... y hermosa. Tenía la boca rosada e hinchada de sus besos.

Extendió los brazos y la abrazó. Después de darle un beso rápido en la cabeza, le apoyó el rostro en el hombro y susurró:

—Eres una mujer admirable. Ahora duérmete.

No pareció decirlo de corazón, pero a ella no le importó. La estaba abrazando. Le estaba acariciando la espalda. Pensó que eso era muy significativo. Se aferró a él y cerró los ojos.

Nathan apoyó el mentón sobre la cabeza de Sara. Cada vez que recordaba cómo habían hecho el amor, bloqueaba sus pensamientos. No estaba preparado para dejar que sus emociones tomaran la delantera. Era muy disciplinado para permitir que una mujer llegara tan lejos.

Ya se iba a dormir cuando ella volvió a susurrar su nombre. La apretó para indicarle que se callara. Ella volvió a susurrar su nombre.

—¿Sí? —le respondió bostezando deliberadamente.

—¿Sabes cómo se llama esto?

No le iba a dejar tranquilo hasta que le dijera qué tenía en la mente. Nathan la volvió a apretar, pero después cedió.

—No, Sara. ¿Cómo se llama?

—Mimarse.

Él gruñó. Ella sonrió.

—Es un buen comienzo, ¿verdad?

Su única respuesta fueron sus ronquidos. A Sara no le molestó que se quedara dormido en medio de su ferviente discurso. Simplemente se lo explicaría todo otra vez al día siguiente.

No podía esperar hasta el día siguiente. Encontraría cien maneras de que Nathan comprendiera su buena suerte. Ella ya sabía que iba a ser una buena compañera para él. Sin embargo, él aún no lo sabía, pero eventualmente, con paciencia y comprensión, advertiría lo mucho que la quería. Estaba segura.

Ella era su esposa, su amor. Su matrimonio era verdadero en todos los sentidos. Había un vínculo entre ellos. El matrimonio era una institución sagrada, y Sara estaba decidida a proteger y cumplir sus votos.

Se durmió abrazándole con fuerza. Al día siguiente comenzaría oficialmente su nueva vida como la esposa de Nathan. Sería un día en el paraíso.

6

Fue un día en el infierno.

Cuando se despertó, Nathan ya se había ido del camarote. Había abierto la tapa de la chimenea y la habitación estaba llena de sol y aire fresco. Era un día más cálido que el anterior. Después de bañarse, se puso un vestido liviano color azul, con bordes de lino blanco y salió a buscar a su esposo. Quería preguntarle dónde estaban las sábanas limpias para poder cambiar las que había puestas. También quería que la volviera a besar.

Sara había llegado hasta el escalón de arriba de la escalera para subir a la cubierta cuando oyó el grito de un hombre.

Corrió para ver qué era toda aquella conmoción y casi tropezó con un hombre tendido sobre la cubierta. El marinero mayor se había caído y estaba desmayado.

Tenía enredada entre los pies la sombrilla que ella no pudo encontrar el día anterior. Jimbo estaba arrodillado junto al hombre postrado. Le golpeó dos veces el rostro para hacerle reaccionar.

En unos segundos, una multitud se congregó alrededor de su amigo. Todos ofrecieron una o dos sugerencias para que Jimbo hiciera reaccionar al hombre.

—¿Qué demonios ha sucedido?

La voz de Nathan sonó directamente detrás de Sara. No se volvió para responder su pregunta.

—Creo que tropezó con algo.

—No fue algo, señorita —anunció alguien de la tripulación. Señaló la cubierta—. Lo que se le enredó en las piernas fue su sombrilla.

Sara se vio obligada a aceptar toda la responsabilidad.

—Sí, fue mi sombrilla —dijo—. Se había caído por mi culpa. ¿Se pondrá bien, Jimbo? Realmente no quise provocar este accidente. Yo...

A Jimbo le dio lástima.

—No necesita culparse, lady Sara. Los hombres saben que fue un accidente.

Sara levantó la mirada para observar a la multitud. La mayoría estaba asintiendo con la cabeza y sonriéndole.

—No debe ponerse nerviosa, señorita. Ivan recobrará el sentido enseguida.

Un hombre con barba pelirroja asintió con la cabeza.

—No se inquiete —acotó—. No fue tan grave. Su nuca detuvo la caída.

—¿Murray? —gritó Jimbo—. Tráeme un balde con agua. Eso le reanimará.

—¿Ivan nos podrá cocinar nuestra comida esta noche? —preguntó el hombre que Sara recordó que se llamaba Chester. La estaba mirando con el entrecejo fruncido.

Sara también le miró con el entrecejo fruncido. Era evidente que la culpaba por esta desafortunada circunstancia.

—¿Su estómago es más importante que la salud de su amigo? —le preguntó Sara. No le dio tiempo para que le respondiera ya que se arrodilló junto al hombre y le golpeó suavemente el hombro. El viejo marinero no respondió.

—Dios mío, Jimbo, ¿le he matado? —susurró Sara.

—No, no le ha matado —le contestó Jimbo—. Mire cómo respira, Sara. Cuando despierte le dolerá la cabeza, eso es todo.

Nathan levantó a Sara y la alejó de la multitud. Ella no quería irse.

—Soy responsable de su accidente —le dijo. Su mirada estaba dirigida a Ivan, pero podía ver que los hombres que la rodeaban seguían asintiendo con la cabeza. Se sonrojó al ver que estaban de acuerdo—. Fue un accidente —exclamó.

Nadie la contradijo. Eso la hizo sentirse un poco mejor.

—Yo debería ocuparme de Ivan —anunció—. Cuando abra los ojos debo decirle lo mucho que lamento haber olvidado la sombrilla.

—No estará de humor para escuchar —predijo Nathan.

—Sí —coincidió Lester—. Ivan el Terrible es de los que no perdonan un descuido durante mucho tiempo. Le encanta ser rencoroso, ¿verdad, Walt?

Un hombre un poco más robusto, de ojos color castaño oscuro, asintió con la cabeza.

—Esto es más que un descuido, Lester. Ivan se va a enfurecer.

—¿Ivan es el único cocinero? —preguntó Sara.

—Sí —le informó Nathan.

Finalmente se volvió para mirar a su esposo. Estaba muy sonrojada, y realmente no sabía si el calor de sus mejillas se debía al hecho de que este era su primer encuentro desde su noche de intimidad, o a que ella había provocado toda aquella conmoción.

—¿Por qué le llaman Ivan el Terrible? —preguntó Sara—. ¿Porque tiene mal carácter?

Apenas la miró cuando le respondió.

—No les gusta su comida —le contestó. Le indicó a uno de los hombres que le vaciara a Ivan el contenido del balde en la cara. Inmediatamente el cocinero comenzó a escupir y a quejarse.

Nathan asintió con la cabeza, luego se volvió y se alejó del grupo.

Sara no podía creer que se hubiera ido sin decirle una palabra. Se sintió humillada. Se volvió hacia Ivan y esperó retorciéndose las manos para disculparse. Prometió en silencio que buscaría a Nathan y le daría otra lección de buenos modales.

Tan pronto como Ivan se sentó, Sara se arrodilló junto a él.

—Discúlpeme, señor, por provocarle este perjuicio. Lo que le hizo tropezar fue mi sombrilla, aunque si usted hubiera mirado por dónde iba, estoy segura de que la habría visto. Aun así, le pido disculpas.

Ivan se estaba frotando la nuca mientras miraba fijamente a la bella mujer que trataba de culparle por haber estado cerca de la muerte. La preocupación en la expresión de Sara mantuvo contenida su tempestuosa respuesta. Eso y el hecho de que era la mujer del capitán.

—No fue más que un golpe —susurró—. No lo hizo a propósito, ¿verdad?

Tenía un leve acento escocés. Sara pensó que sonaba bastante musical.

—No, por supuesto que no lo hice a propósito, señor. ¿Tiene fuerza para levantarse? Le ayudaré.

Por su expresión cautelosa era evidente que no quería su ayuda. Jimbo ayudó al cocinero para que se pusiera de pie, pero tan pronto como le soltó, Ivan comenzó a balancearse. Sara aún estaba arrodillada a su lado. Extendió la mano para tomar su sombrilla de entre sus pies, mientras otro marinero extendía las manos para estabilizar a su amigo. De pronto, el pobre Ivan se vio atrapado en una guerra de tira y afloja, ya que la esposa del capitán estaba empujando contra sus piernas. Terminó sentado sobre su trasero.

—Aléjense de mí, todos ustedes —gruñó. Su voz no sonó para nada musical—. Esta noche no tendrán mi sopa. Me duele la cabeza, y ahora también me duele el trasero. Maldita sea, me iré a la cama.

—Cuida tu lengua, Ivan —le ordenó Jimbo.

—Sí —le gritó otro hombre—. Hay una dama presente.

Jimbo levantó la sombrilla de Sara y se la entregó. Se volvió para irse, pero lo que dijo Sara le sorprendió tanto que no lo hizo.

—Yo voy a preparar la sopa para los hombres.

—No, no lo hará —le dijo Jimbo. Su tono de voz rudo no dio lugar a discusiones—. Usted es la mujer del capitán, y no hará un trabajo tan ordinario.

Esperó hasta que Jimbo se fuera porque no quería tener una desavenencia con él delante de los otros hombres. Luego les sonrió a los hombres que la estaban observando.

—Les voy a preparar una sopa deliciosa. ¿Ivan? ¿Se sentiría mejor si se tomara el resto del día para descansar? Es lo menos que puedo hacer para compensarle por este accidente.

Ivan se animó considerablemente.

—¿Ha preparado sopa alguna vez? —le preguntó con un leve mohín.

Como todos la estaban mirando, Sara decidió mentir. ¿Qué dificultad podía haber en preparar sopa?

—Oh, sí, muchas veces. Ayudé a nuestra cocinera a preparar maravillosas cenas.

—¿Por qué una dama tan elegante como usted haría un trabajo tan vulgar? —le preguntó Chester.

—Me aburría... en el campo. Por lo menos tenía algo que hacer.

Al parecer creyeron esa mentira.

—Si tiene fuerza para guiarme hasta la cocina, Ivan, me pondré a trabajar de inmediato. Una buena sopa necesita hervir durante muchas horas —agregó, esperando estar en lo correcto.

Ivan le permitió que le tomara del brazo. Continuó frotándose la nuca con la otra mano, mientras la guiaba hasta la zona de trabajo.

—Se llama galera, señorita, no cocina —le explicó—. Más despacio, muchacha —se quejó al ver que Sara se adelantaba—. Aún veo todo doble.

Recorrieron un corredor oscuro tras otro hasta que ella se desorientó completamente. Ivan conocía el camino, por supuesto, y la condujo directamente a su santuario.

Encendió dos velas, y luego se sentó en una banqueta contra la pared.

En el centro de la habitación había un horno gigante. Era el más grande que Sara había visto. Cuando le hizo ese comentario a Ivan, él negó con la cabeza.

—No es un horno. Es la cocina de la galera. Está abierta del otro lado. Allí cocino mi carne. De este lado puede ver las vasijas gigantes. Hay cuatro en total y las uso todas para preparar mi sopa de carne. Allí está la carne... una parte está en mal estado. Ya separé la podrida de la buena. La mayor parte está hirviendo en el agua que le añadí antes de ir a la cubierta para hablar con Chester. Aquí el aire es un poco sofocante, y necesitaba un poco de aire puro del mar.

Ivan señaló la carne en mal estado que había separado, pensando en explicarle que tan pronto como se sintiera un poco mejor tiraría la basura por la borda, pero olvidó toda explicación cuando comenzó a sentir puntadas en la cabeza otra vez.

—No hay mucho que hacer —le dijo mientras se ponía de pie—. Piqué esas verduras y agregué especias. Por supuesto, usted ya sabe todo eso. ¿Quiere que me quede hasta que conozca mi galera?

—No —le respondió Sara—. Estaré bien, Ivan. Vaya a ver a Matthew para que le mire ese golpe. Quizá él tenga algún remedio especial para aliviarle el dolor.

—Eso hará, muchacha —le contestó Ivan—. Me dará una buena copa para aliviar mis dolores o sabrá quién soy.

Tan pronto como se fue el cocinero, Sara se puso a trabajar. Prepararía la mejor sopa que los hombres jamás hubieran comido. Agregó el resto de la carne que encontró, un poco en cada vasija. Luego la roció con bastante cantidad de especias. Una de las botellas estaba llena con hojas marrones molidas. El aroma era bastante picante, así que le agregó solamente una pizca de eso.

Sara pasó el resto de la mañana y parte de la tarde en la galera. Pensó que era un poco extraño que nadie hubiera venido a verla. Ese pensamiento la condujo a Nathan, por supuesto.

—Los hombres no me saludaron adecuadamente —murmuró. Se secó la frente con una toalla que se había atado en la cintura y echó el cabello húmedo hacia atrás.

—¿Quién no te saludó adecuadamente?

La voz profunda provenía de la puerta. Sara reconoció el gruñido de Nathan.

Se volvió y frunció el entrecejo.

—Tú no me saludaste adecuadamente —le respondió.

—¿Qué estás haciendo aquí?

—Preparando sopa. ¿Qué estás haciendo aquí?

—Buscándote.

Hacía calor en la galera, y estaba segura de que esa era la razón por la cual se sintió aturdida. No podía ser una reacción por la forma en que él la estaba mirando.

—¿Has preparado sopa alguna vez?

Sara se acercó a él antes de responderle. Nathan se apoyó en la puerta y parecía tan relajado como una pantera a punto de saltar.

—No —le contestó—. No sabía cómo preparar sopa. Ahora lo sé. No es difícil.

—Sara...

—Los hombres me culpaban por la caída de Ivan. Tenía que hacer algo para ganar su lealtad. Además, quiero agradarle a mi personal.

—¿Tu personal?

Ella asintió con la cabeza.

—Tú no tienes casa ni sirvientes, bueno, pero sí tienes un barco, y tu tripulación también tiene que ser mi personal. Cuando prueben mi sopa les agradaré otra vez.

—¿Por qué te importa si les agradas o no?

Él se irguió y se acercó a ella. Se sentía atraído hacia ella como un borracho hacia la bebida, pensó. Era culpa suya por ser tan dulce y bonita.

Tenía el rostro sonrojado por el calor de la galera. Algunas hebras de su cabello rizado estaban húmedas. Extendió la mano y le apartó un rizo del rostro hacia atrás. Parecía más sorprendido por su acción espontánea que ella.

—Nathan, todo el mundo quiere agradar.

—Yo no.

Le miró disgustada por disentir. Él avanzó otro paso. Puso sus muslos junto a los de ella.

—¿Sara?

—¿Sí?

—¿Aún te duele lo de anoche?

Se sonrojó instantáneamente. Cuando le respondió no pudo mirarle a los ojos, así que le miró el cuello de la camisa.

—Anoche no dolió —susurró.

Le levantó el rostro con el pulgar.

—Eso no fue lo que te pregunté —le dijo con un suave susurro.

—¿No?

—No.

—¿Entonces qué es lo que quieres saber?

A Nathan le pareció que le faltaba el aliento. Decidió que necesitaba un poco de aire fresco. No quería que se volviera a desmayar.

—Quiero saber si ahora te duele, Sara.

—No —le contestó—. Ahora no me duele.

Se miraron en silencio durante un interminable minuto. Sara pensó que quizá quería besarla, pero no estaba segura.

—¿Nathan? Aún no me has saludado adecuadamente.

Le puso las manos en la perchera de la camisa, cerró los ojos y esperó.

—¿Cómo demonios es un saludo adecuado? —le preguntó Nathan. Sabía exactamente lo que quería de él, pero quería ver qué haría ella después.

Sara abrió los ojos y le frunció el entrecejo.

—Se supone que debes besarme.

—¿Por qué? —le preguntó volviendo a fastidiarla.

Su exasperación era evidente.

—Solo hazlo —le ordenó.

Antes de que pudiera formularle alguna otra pregunta ofensiva, ella le tomó el rostro con las manos y le inclinó la cabeza hacia delante.

—Oh, no importa —susurró—. Lo haré yo misma.

Él no ofreció resistencia. Pero tampoco cumplió con su deber. Sara le dio un casto beso en la boca y luego se inclinó hacia atrás.

—Sería mucho mejor si tú cooperaras, Nathan. Se supone que tú también me debes besar.

Su voz era baja, sensual, tan suave como su cuerpo tibio. Nathan bajó la cabeza y frotó su boca contra la de ella. Ella suspiró cuando él abrió la boca y profundizó el beso.

Sara se estaba derritiendo en sus brazos. Otra vez Nathan estaba casi perdido por su fácil respuesta cuando la tocaba. Su lengua se entrelazó con la de ella y no pudo contener un gemido de placer.

Cuando por fin se separaron, Sara se arrojó contra él y Nathan no pudo evitar abrazarla fuerte. Olía a rosas y canela.

—¿Quién te enseñó a besar? —le preguntó con un duro susurro. Suponía que era una pregunta ilógica ya que cuando se acostó con ella era virgen, pero de cualquier manera se sintió obligado a preguntárselo.

—Tú me enseñaste —le respondió.

—¿Nunca besaste a nadie antes que a mí?

Ella negó con la cabeza. Su enojo se disipó de inmediato.

—Si no te gusta la forma en que beso... —comenzó a decirle.

—Me gusta.

Ella dejó de protestar.

De pronto se apartó, la tomó de la mano y la llevó hasta donde estaban las velas. Apagó las dos llamas y se encaminó hacia el pasillo.

—Nathan, no me puedo ir de la galera.

—Necesitas una siesta.

—¿Yo qué? Nunca duermo la siesta.

—Ahora lo harás.

—¿Y mi encantadora sopa?

—Maldición, Sara, no quiero que vuelvas a cocinar.

Ella frunció el entrecejo a su espalda. Era muy mandón.

—Ya te he explicado por qué me encargué de esto —gruñó.

—¿Crees que puedes ganar la lealtad de los hombres con un plato de agua sucia?

Sara pensó que si caminaba un poco más despacio podría patearle la parte trasera de las piernas.

—No es agua sucia —le gritó.

Él no discutió con ella. Continuó arrastrándola hacia el camarote. Sara se sorprendió un poco cuando vio que entraba con ella.

Nathan cerró con llave la puerta.

—Vuélvete, Sara.

Le miró con el entrecejo bien fruncido por ser tan dictatorial, y luego hizo lo que le ordenó. Le desabotonó el vestido mucho más rápido que la última vez.

—Realmente no quiero dormir la siesta —le volvió a decir.

Él no dejó de desvestirla hasta que el vestido cayó al suelo. Aún no se había dado cuenta de que él no quería obligarla a dormir. Le quitó hasta la camisa, pero cuando trató de quitarle esa prenda ella le alejó las manos.

Nathan la miró fijamente. Su cuerpo le parecía simplemente perfecto. Sus senos abundantes, su cintura delgada, sus piernas largas, bien formadas, exquisitas.

Su mirada ardiente y apasionada la hizo sentir incómoda. Sara tiró de los pliegues de la camisa para tratar de cubrirse un poco más los senos.

Dejó de sentirse incómoda cuando vio que él se desabotonaba la camisa.

—¿Tú también vas a dormir?

—Nunca duermo la siesta.

Arrojó la camisa a un lado, se apoyó en la puerta y comenzó a quitarse las botas. Sara retrocedió para darle espacio.

—No te estás cambiando la ropa, ¿verdad?

Le sonrió cariñosamente.

—No.

—¿No querrás...?

No la miró cuando le respondió.

—Oh, sí, quiero —le contestó lentamente.

—No.

La reacción de Nathan fue inmediata. Se irguió y se dirigió hacia ella. Tenía las manos en las caderas.

—¿No?

Ella negó con la cabeza.

—¿Por qué no?

—Es de día.

—Maldición, Sara, no tienes miedo, ¿verdad? Honestamente, creo que no podría pasar por esa prueba otra vez.

—¿Prueba? ¿Para ti hacer el amor conmigo es una prueba?

No iba a permitir que desviara la conversación respondiendo a su pregunta.

—¿Tienes miedo? —le preguntó.

Parecía temeroso de su respuesta. De pronto, Sara comprendió que tenía una forma de escapar si lo deseaba, pero descartó de inmediato la idea. No le mentiría.

—Anoche no tenía miedo —le anunció. Cruzó los brazos sobre su pecho y agregó—: Tú tenías miedo.

Ese comentario no merecía una contestación.

—Has dicho que ya no te dolía —le recordó mientras avanzaba otro paso hacia ella.

—Ahora no estoy dulce y cariñosa, pero ambos sabemos que lo estaré si insistes en hacerlo a tu manera, Nathan.

—¿Eso sería tan intolerable?

A Sara se le estaba formando un nudo en el estómago. Todo lo que tenía que hacer el hombre era mirarla de la manera especial en que él lo hacía y ella se rendiría.

—¿Vas a querer... moverte otra vez?

Él no se rió. Parecía tan preocupada y Nathan no quería que creyera que se estaba burlando de sus sentimientos. Él tampoco le mentiría.

—Sí —le contestó mientras extendía las manos para abrazarla—. Voy a querer moverme otra vez.

—Entonces solo dormiremos una siesta.

La mujercita realmente tenía que comprender quién era el esposo y quién la esposa, pensó Nathan. Decidió que más tarde le hablaría sobre su deber de obedecerle. Todo lo que quería hacer era besarla. La tomó de los hombros, la llevó hasta el escotillón y no la soltó cuando cerró la puerta de madera.

El camarote estaba a oscuras. Nathan se detuvo para besar a Sara. Fue un beso ardiente, húmedo, prolongado, que le indicó que él obtendría lo que quería.

Luego se volvió para encender las velas. Sara le detuvo con la mano.

—No —susurró.

—Quiero ver cuando...

Detuvo la explicación cuando sintió que le colocaba las manos en la cintura. A Sara le temblaban las manos, pero le desabrochó los botones del pantalón en un momento. Los dedos le rozaron el abdomen. Su inspiración le indicó que le gustaba. Fue más atrevida. Le apoyó la mejilla sobre el pecho y luego le bajó lentamente el pantalón.

—¿Quieres verme cuando yo qué, Nathan? —susurró.

Tuvo que esforzarse para concentrarse en lo que ella le estaba diciendo. Sus dedos se deslizaban lentamente hacia su pene. Él cerró los ojos en una dulce agonía.

—Cuando acabes —le contestó con un gemido—. Por Dios, Sara, tócame.

Nathan tenía el cuerpo rígido. Sara sonrió. No tenía idea de que tocándole podía excitarle así. Le bajó un poco más la ropa.

—Te estoy tocando, Nathan.

Él ya no podía soportar más ese tormento. Le tomó la mano y se la colocó donde necesitaba que le tocara.

Ella quiso golpearle. Él no la dejaría. Su gruñido fue profundo, gutural.

—No —le ordenó—. Solo acaríciame, apriétame, pero no... Oh, Dios mío, detente, Sara.

Parecía que estaba dolorido. Ella alejó la mano.

—¿Te estoy haciendo daño? —susurró.

Él la volvió a besar. Sara le rodeó el cuello con las manos y lo acercó más a ella. Cuando él se movió hacia su cuello y comenzó a darle besos húmedos bajo el lóbulo de la oreja ella trató de tocarle otra vez el pene.

Nathan le tomó la mano y se la colocó en la cintura.

—Es demasiado pronto para que pierda el control —susurró—. No puedo controlarlo.

Ella le besó el cuello.

—Entonces no te tocaré allí si prometes no moverte tanto cuando me hagas el amor.

Nathan se rió.

—Tú querrás que me mueva —le dijo.

La apoyó sobre su pecho.

—¿Sabes algo, Sara? —le preguntó entre ardientes besos.

—¿Qué?

—He decidido que tendrás que suplicar.

Y cumplió con su palabra. Cuando estaban en la cama y se colocó entre sus muslos ella comenzó a suplicarle que terminara con ese dulce tormento.

El fuego de su pasión estaba completamente fuera

de control. Nathan le hizo daño cuando finalmente la penetró. Ella estaba tan ardiente y tensa que para él fue una feliz agonía calmarse un poco. Trató de ser un amante gentil, sabiendo lo delicada que era ella, y no se movió hasta que Sara empezó a retorcerse debajo de él.

Ella acabó antes que él y sus temblores provocaron el orgasmo de Nathan. Él no dijo una palabra durante todo el rato. Ella no dejó de hablar pronunciando tiernas palabras de amor. Algunas con sentido. Otras no.

Cuando por fin cayó sobre ella, cuando por fin recuperó su capacidad para pensar, advirtió que ella estaba llorando.

—Dios mío, Sara, ¿te lastimé otra vez?

—Solo un poco —susurró tímidamente.

Se levantó un poco para mirarla a los ojos.

—Entonces, ¿por qué estás llorando?

—No lo sé —le respondió—. Fue tan... asombroso, y yo estaba tan...

Nathan interrumpió sus palabras besándola otra vez. Cuando la volvió a mirar a los ojos sonrió. Ella parecía completamente confundida otra vez.

El sonido del silbato del contramaestre anunciando el cambio de guardia fue como una campana de advertencia que repiqueteó en la mente de Nathan. Era peligroso sentirse tan atraído por su esposa, tonto... irresponsable. Eso le hacía vulnerable. Si algo había aprendido como consecuencia de sus aventuras era a cuidarse a sí mismo a cualquier precio.

Amarla podía destruirle.

—Nathan, ¿por qué frunces el entrecejo?

Él no le respondió. Se levantó de la cama, se vistió dándole la espalda y salió del camarote. Cerró suavemente la puerta.

Sara estaba demasiado aturdida por su comportamiento y tardó en reaccionar. Su esposo había desaparecido literalmente del camarote. Era como si le hubiera estado persiguiendo un demonio.

¿Tan poco significó hacer el amor con ella que no pudo esperar para dejarla? Sara comenzó a llorar. Quería, necesitaba sus palabras de amor. La había utilizado como si solo hubiera sido un receptáculo de su pasión. Hacerlo rápido, olvidarlo rápido. Por el modo como él la había tratado, ella pensó que trataban mejor a una prostituta. Por lo menos las mujeres de la noche ganaban una o dos monedas.

Ni siquiera había merecido un gruñido de despedida.

Cuando ya había agotado sus lágrimas, desahogó la frustración con la cama. Golpeó con un puño la almohada de Nathan, sintiéndose satisfecha al fingir que era la cabeza de su esposo. Luego abrazó con fuerza la almohada. La funda tenía el olor de Nathan. La de ella también.

No tardó en advertir lo compasiva que estaba siendo. Dejó la almohada y se concentró en arreglar el camarote.

Permaneció en la habitación el resto de la tarde. Se puso el mismo vestido azul, y cuando terminó de limpiar el camarote se sentó en una de las sillas y comenzó a hacer un bosquejo del barco con sus hojas y sus lápices.

El dibujo la hizo dejar de pensar en Nathan. Matthew la interrumpió cuando golpeó la puerta para preguntarle si quería cenar en el primer o segundo turno. Sara le dijo que esperaría y compartiría la comida con su tía.

Sara estaba ansiosa por saber qué pensaban los hombres de su sopa. El aroma había sido bastante agradable cuando terminó de agregarle las especias. Debía de tener un sabor gustoso, pensó, ya que había estado hirviendo durante largas horas.

Era solo una cuestión de tiempo que los hombres

vinieran a darle las gracias. Se cepilló el cabello y se cambió el vestido para prepararse para sus visitantes.

Muy pronto ellos le serían completamente leales. Haber preparado la sopa había sido un gran paso para lograrlo. Para el anochecer todos pensarían que ella era muy, muy valiosa.

7

Para el anochecer todos pensaban que estaba tratando de matarlos.

Esa tarde, la guardia cambió a las seis. Unos minutos después el primer grupo formó una fila para recoger su sopa. Los hombres habían tenido un arduo día de trabajo. Fregaron las cubiertas, arreglaron las redes y volvieron a limpiar la mitad de los cañones. La mayoría de ellos comió dos platos llenos de la muy condimentada sopa para apaciguarse.

Comenzaron a sentirse descompuestos cuando había terminado el segundo grupo.

Sara no tenía idea de que los hombres estaban descompuestos. Estaba impaciente porque ninguno había venido a comentarle el magnífico trabajo que había realizado.

Cuando alguien golpeó con fuerza la puerta, corrió a abrirla. Jimbo estaba en la entrada con el entrecejo fruncido. Ella dejó de sonreír.

—Buenas tardes, Jimbo —comenzó diciéndole—. ¿Sucede algo malo? Parece muy desdichado.

—Todavía no se ha tomado la sopa, ¿verdad, lady Sara? —le preguntó.

Su preocupación no tenía sentido para ella. Sara negó con la cabeza.

—Estaba esperando para compartir mi comida con Nora —le explicó—. Jimbo, ¿qué es ese horrible sonido que oigo?

Miró hacia fuera de la puerta para ver si podía localizar el sonido.

—Los hombres.

—¿Los hombres?

Nathan apareció repentinamente junto a Jimbo. La mirada de su esposo la hizo contener el aliento. Parecía furioso. Ella retrocedió instintivamente.

—¿Qué sucede, Nathan? —le preguntó alarmada—. ¿Sucede algo malo? ¿Es Nora? ¿Ella está bien?

—Nora está bien —le contestó Jimbo.

Nathan le indicó a Jimbo que le dejara paso y luego entró en el camarote. Sara continuó apartándose. Advirtió que tenía apretada la mandíbula. Eso era una mala señal.

—¿Estás disgustado por algo? —le preguntó ·con un susurro.

Él asintió con la cabeza.

Ella decidió ser más específica.

—¿Estás disgustado conmigo?

Él volvió a asentir con la cabeza. Luego dio una patada a la puerta para cerrarla.

—¿Por qué? —le preguntó Sara, tratando desesperadamente de que no advirtiera su miedo.

—La sopa. —La voz de Nathan era baja, controlada, furiosa.

Estaba más confundida que asustada por su respuesta.

—¿A los hombres no les gustó mi sopa?

—¿Fue deliberado?

Como no tenía idea de qué quería decirle con esa pregunta, no le contestó. Él vio la confusión en sus ojos. Nathan cerró los suyos y contó hasta diez.

—¿Entonces no has tratado de matarlos deliberadamente?

—Por supuesto que no he tratado de matarlos. ¿Cómo pudiste pensar una cosa tan ruin? Ahora los hombres forman parte de mi personal, y no trataría de hacerles daño. Si no les ha gustado la sopa, lo lamento. No tenía idea de que fueran tan delicados.

—¿Delicados? —repitió sus palabras con un gruñido—. Veinte de mis hombres están colgando por la borda de mi barco. Están vomitando la sopa que les preparaste. Otros diez están agonizando en sus literas. Todavía no están muertos, pero seguramente desean estarlo.

Sara estaba consternada por lo que Nathan le estaba diciendo.

—No comprendo —exclamó—. ¿Estás sugiriendo que mi sopa no estaba buena? ¿Los hombres están descompuestos por mi culpa? Oh, Dios, debo ir a animarlos.

La tomó de los hombros cuando trató de pasar junto a él.

—¿Animarlos? Sara, algunos de ellos podrían arrojarte por la borda.

—No me arrojarían por la borda. Soy su señora.

Sintió ganas de gritarle. Luego advirtió que ya lo estaba haciendo.

—Por supuesto que te arrojarían por la borda —susurró Nathan.

La llevó hasta la cama y la colocó sobre el edredón.

—Ahora, esposa, me vas a decir cómo preparaste esa maldita sopa.

Sara empezó a llorar. Nathan tardó veinte minutos en averiguar la causa, y no fue Sara la que finalmente le brindó suficiente información. Su explicación incoherente no tenía pies ni cabeza. Ivan recordó la carne podrida que había dejado en la galera. También recordó que no le había dicho a Sara que estaba podrida.

Nathan encerró a Sara en el camarote para que no provocara más daños. Ella estaba furiosa con él porque no la había dejado ir a disculparse con los hombres.

Esa noche, él no fue a la cama, ya que tuvo que hacer la guardia junto con los otros hombres que no estaban mareados. Sara no comprendió ese deber y creyó que todavía estaba tan enojado que no quería dormir junto a ella.

No sabía si podría volver a enfrentarse a su personal. ¿Cómo podría convencerlos de que no había tratado de matarlos deliberadamente? En poco tiempo, esa preocupación se convirtió en enojo. ¿Cómo podían creer los hombres una cosa tan perversa de su señora? Manchaban su reputación creyendo que podía lastimarlos. Sara decidió que cuando volviera a ganar la confianza de los hombres, los sentaría a todos y hablaría seriamente con ellos sobre su tendencia de sacar conclusiones apresuradas.

Nathan también tardó en perdonar su error. Regresó al camarote a la mañana siguiente. La miró, pero no le dijo una palabra. Se quedó dormido sobre las mantas y durmió toda la mañana.

Sara ya no podía soportar más el encierro. Tampoco podía soportar los ronquidos de Nathan. A las doce y media del mediodía salió de la habitación. Subió a la cubierta, abrió su sombrilla y comenzó a dar un paseo.

Fue una experiencia humillante. Cada hombre al que se acercaba le daba la espalda. La mayoría aún mostraba un color grisáceo en el rostro. Todos ellos tenían el entrecejo fruncido. Cuando llegó a la angosta escalera que conducía a la cubierta de arriba estaba llorando.

No sabía adónde quería ir, solo quería alejarse lo

más posible de esos ceños, aunque fuera solo por unos minutos.

El nivel más alto estaba lleno de sogas y mástiles. Apenas había lugar para caminar. Sara encontró un lugar cerca de la vela mayor, se sentó y abrió su sombrilla entre dos sogas gruesas.

No sabía cuánto tiempo estuvo allí sentada tratando de pensar en un plan para volver a agradar a los hombres. Muy pronto, se le enrojecieron los brazos y el rostro por el sol. No era de buen tono que una dama estuviera bronceada. Sara decidió regresar para ir a ver a su tía Nora.

Sería agradable ir a visitar a alguien que se preocupaba por ella. Nora no la culparía. Sí, lo que necesitaba era una agradable visita.

Se puso de pie y tiró de la sombrilla, pero advirtió que las delicadas varillas habían quedado atrapadas en las sogas. Tardó más de cinco minutos en desatar los nudos de las sogas para sacar parcialmente la sombrilla.

El viento era intenso otra vez y dificultaba más la tarea. El sonido de las velas golpeando contra los mástiles era tan fuerte que sofocaba sus frustrados gruñidos. Dejó la tarea cuando se rompió la tela de la sombrilla. Entonces decidió pedir ayuda a Matthew o a Jimbo.

Dejó la sombrilla colgando en las sogas y volvió a bajar por la escalera.

Cuando se produjo el choque cayó hacia un costado del barco. Chester la atajó justo a tiempo. Ambos se volvieron hacia el ruido en la cubierta superior y vieron cómo uno de los mástiles golpeaba contra otro más grande.

Chester se alejó corriendo y pidiendo ayuda mientras subía por la escalera. Sara decidió que era mejor que saliera del caos que se había producido a su alrededor. Esperó hasta que varios hombres pasaran junto a ella y luego bajó para ir al camarote de Nora. Matthew estaba saliendo de la habitación cuando ella pasó junto a él.

—Buenos días, Matthew —le saludó. Se detuvo para hacer una reverencia y luego agregó—: Solo estaré unos minutos. Quiero ver cómo está mi tía hoy. Prometo que no la cansaré.

Matthew hizo un mohín.

—La creo —le respondió—. Aun así regresaré dentro de media hora para controlar a Nora.

Entonces el estruendo sacudió el barco. Sara se agarró a la puerta para no caerse de rodillas.

—Cielo santo, el viento está muy violento hoy, ¿verdad, Matthew?

El marinero ya estaba corriendo hacia la escalera.

—Eso no ha sido el viento —le gritó sobre su hombro.

Sara cerró la puerta del camarote de Nora justo cuando Nathan salía del suyo.

Su tía estaba recostada sobre almohadas otra vez. Sara pensó que estaba un poco más descansada y se lo comentó.

—Te ha vuelto el color a las mejillas, Nora, y tus moretones ya se están poniendo amarillos. Dentro de poco andarás paseando conmigo por las cubiertas.

—Sí, realmente me siento mejor —le anunció Nora—. ¿Y tú cómo estás?

—Oh, yo estoy bien —le contestó Sara.

Se sentó en el borde de la cama y le tomó la mano a su tía.

Nora le frunció el entrecejo.

—Oí lo de la sopa, niña. Sé que no lo estás haciendo muy bien.

—Yo no comí sopa —respondió Sara—. Pero me siento muy mal por los hombres. No lo hice a propósito.

—Sé que no lo hiciste a propósito —la tranquilizó Nora—. Se lo dije a Matthew. Salí en tu defensa y le dije que no tenías ningún pensamiento malicioso en tu cabeza. Nunca harías una cosa tan terrible a propósito.

Sara frunció el entrecejo.

—Creo que es terriblemente descortés de parte de mi personal tener esos pensamientos malignos sobre su señora. Son tan adversos como su capitán, Nora.

—¿Y Nathan? —le preguntó Nora—. ¿Él también te culpa?

Sara se encogió de hombros.

—Está un poco disgustado por la sopa, por supuesto, pero no creo que piense que envené a los hombres a propósito. Probablemente es un poco más comprensivo porque no comió. De cualquier manera, decidí que no me importa qué piensa sobre mí. Yo estoy más disgustada con él que él conmigo. Sí, lo estoy —agregó cuando Nora comenzó a sonreír—. No me está tratando muy bien.

No le dio tiempo a su tía para que respondiera a esa dramática afirmación.

—Oh, no tendría que haber dicho eso. Nathan es mi esposo, y debo ser siempre fiel a él. Estoy avergonzada por...

—¿Te ha hecho daño? —la interrumpió Nora.

—No, por supuesto que no. Es solo que...

Pasó un interminable minuto mientras Nora trataba de adivinar qué estaba sucediendo y Sara trataba de encontrar una forma de explicárselo.

Cuando Sara empezó a sonrojarse, Nora supuso que el problema tenía que ver con un aspecto íntimo de su matrimonio.

—¿No fue gentil cuando se acostó contigo?

Sara se miró la falda antes de responder.

—Fue muy gentil.

—¿Entonces?

—Pero después él no... es decir, la segunda vez... bueno, después... se fue. No me dijo ni una palabra de amor, Nora. En realidad, no dijo nada de nada. A una prostituta se la trata con mayor consideración.

Nora se sentía demasiado aliviada porque Nathan hubiera sido gentil con Sara para pensar en su falta de consideración.

—¿Tú le dijiste palabras de amor?

—No.

—A mí me parece que Nathan no sabe qué es lo que quieres. Quizá no sepa que necesitas su elogio.

—No necesito su elogio —replicó Sara con tono disgustado—. Me hubiera gustado un poco de consideración. Oh, que el cielo me ayude, esa no es la verdad. Sí necesito su elogio. No sé por qué, pero lo necesito. ¿Nora? ¿Ves cómo el barco está inclinado hacia un lado? Me preguntó por qué Nathan no lo endereza.

Su tía tardó unos momentos en cambiar de tema.

—Sí, está escorado, ¿verdad? —le respondió—. Pero tú dijiste que hoy el viento era muy intenso.

—Tampoco parece que estemos avanzando —acotó Sara—. Espero que no volquemos —agregó con un suspiro—. Nunca aprendí a nadar. Aunque eso no es importante. Nathan no dejaría que me ahogara.

Nora sonrió.

—¿Por qué no?

Sara parecía sorprendida por esa pregunta.

—Porque soy su esposa. Él prometió protegerme, Nora.

—¿Y tú tienes fe en que lo hará?

—Por supuesto.

De pronto el barco se volvió a mover, inclinándolas más hacia la línea de flotación. Sara vio que Nora estaba muy asustada, pues se aferró a su mano. Le dio una palmada y le dijo:

—Nathan es el capitán de este barco, Nora, y no dejará que nos caigamos al mar. Él sabe lo que está haciendo. No te preocupes.

Un rugido llenó repentinamente el camarote. Alguien gritó su nombre. Sara hizo un mohín, pero luego se volvió y miró disgustada a Nora.

—¿Ves a qué me refiero, Nora? Cuando Nathan pronuncia mi nombre, lo grita. Me pregunto qué querrá ahora. Tiene tan mala disposición. No sé cómo le tolero.

—Ve a ver qué quiere —le sugirió Nora—. No dejes que te asuste con sus gritos. Recuerda que debes mirar más allá de la superficie.

—Lo sé —respondió Sara con un suspiro. Se puso de pie y acomodó los pliegues de su vestido—. Si miro debajo de la superficie, encontraré un hombre bueno —agregó repitiendo la sugerencia que le había hecho su tía el día anterior—. Lo intentaré.

Besó a su tía y salió corriendo al pasillo. Casi chocó con Jimbo. El hombre la sostuvo para que no se cayera.

—Venga conmigo —le ordenó.

Comenzó a guiarla hacia la escalera que conducía hacia el nivel inferior. Ella tiró hacia atrás.

—Nathan me está llamando, Jimbo. Debo ir con él. Está en la cubierta, ¿verdad?

—Ya sé dónde está —murmuró Jimbo—. Pero necesita unos minutos para calmarse, Sara. Debe esconderse aquí hasta que...

—No me voy a esconder de mi esposo —le interrumpió Sara.

—Por supuesto que no lo vas a hacer.

Sara dio un salto cuando oyó la voz de Nathan detrás de ella. Se volvió y trató de sonreír valientemente.

Después de todo, había un miembro de su personal junto a ella, y por esa razón los problemas personales debían ser dejados de lado. Sin embargo, el ceño de su esposo la hizo cambiar de idea. Ya no le importaba que Jimbo estuviera observando. Ella también le miró con el entrecejo fruncido.

—Por el amor de Dios, Nathan, ¿tienes que aparecer así? Me has dado un buen susto.

—Sara —comenzó a decirle Jimbo—, yo no sería...

Ella ignoró los murmullos del marinero.

—Y ya que hablamos de tus malos hábitos, debo señalarte que estoy cansada de que me grites todo el tiempo. Si tiene algo que decirme, tenga la amabilidad de hablarme con un tono civilizado, señor.

Jimbo se colocó a su lado. Matthew apareció repentinamente y se puso al otro lado. Sara pensó que ambos hombres estaban tratando de protegerla.

—Nathan no me haría daño —les anunció—. Quizá querría hacerlo, pero nunca me tocaría, no importa lo enojado que estuviera.

—Parece que quisiera matarla —replicó Jimbo lentamente. Hizo una mueca pues la iniciativa de Sara le pareció muy meritoria. Obstinada, pensó, pero meritoria.

Nathan estaba tratando de calmarse antes de volver a hablar. Miró fijamente a Sara y respiró profundamente varias veces.

—Siempre parece que quisiera matarme —susurró Sara. Se cruzó de brazos tratando de parecer disgustada y no preocupada.

Nathan aún no había dicho una palabra. Su mirada le quemaba la piel. En realidad, parecía que quería estrangularla.

Mira bajo la superficie, le había sugerido su tía. Sara no podía realizar esa proeza. Incluso no le podía sostener la mirada a Nathan durante más de uno o dos latidos del corazón.

—Muy bien —le dijo cuando ya no pudo sostenerle más la mirada—. ¿Alguien más tomó mi sopa? ¿Es por eso que estás en este estado, esposo?

A Nathan se le pusieron tensos los músculos de la mandíbula. Sara pensó que después de todo no tendría que haberle formulado esa pregunta. Solo le recordó la confusión que ella había provocado el día anterior. Entonces advirtió que él tenía su sombrilla.

A Nathan le tembló el párpado derecho. Dos veces. Estaba angustiado gracias a la travesura de su inocente esposa. Aún no confiaba en sí mismo lo suficiente para hablar con ella. La tomó de la mano y entró en el camarote. Cerró la puerta y se apoyó contra ella.

Sara se dirigió al escritorio, se volvió y se apoyó en él. Estaba tratando de parecer indiferente.

—Nathan, no pude evitar notar que otra vez estás disgustado conmigo por algo —comenzó—. ¿Me vas a decir qué te molesta, o vas a continuar ahí mirándome? Dios, me haces perder la paciencia.

—¿Yo te hago perder la paciencia?

No se atrevió a asentir con la cabeza para responderle. Le gruñó la pregunta, y Sara pensó que no deseaba una respuesta.

—¿Conoces esto? —le preguntó con dureza. Levantó la sombrilla, pero continuó mirándola fijamente.

Ella observó la sombrilla y advirtió que estaba partida en dos.

—¿Has roto mi adorable sombrilla? —le preguntó. Parecía irritada.

A Nathan le volvió a temblar el párpado.

—No, yo no la rompí. Cuando se soltó el primer mástil rompió tu maldita sombrilla. ¿Desataste las sogas?

—Deja de gritarme —protestó Sara—. No puedo pensar cuando me gritas.

—Contéstame.

—Quizá desaté algunas de las sogas más gruesas, Nathan, pero tenía una buena razón. Esa es una sombrilla muy cara —agregó señalándola con la mano—. Me quedé atrapada y estaba tratando de... Nathan, ¿qué fue exactamente lo que ocurrió cuando se desataron las sogas?

—Perdimos dos velas.

Ella no comprendió lo que le estaba diciendo.

—¿Que perdimos qué?

—Se destruyeron dos velas.

—¿Y es por eso que estás tan disgustado? Esposo, tienes por lo menos otras seis en este bote. Seguramente...

—Barco —gruñó—. Es un barco, no un bote.

Sara decidió tratar de calmarle.

—Quise decir un barco.

—¿Tienes más de estas cosas?

—Se llaman sombrillas —le contestó—. Y sí, tengo tres más.

—Dámelas. Ahora.

—¿Qué vas a hacer con ellas?

Al ver que avanzaba amenazadoramente hacia ella, corrió hacia su baúl.

—No sé para qué necesitas mis sombrillas.

—Las voy a arrojar al océano. Con un poco de suerte mutilarán a un par de tiburones.

—No puedes arrojar mis sombrillas al océano. Hacen juego con mis vestidos, Nathan. Fueron hechas especialmente... sería un pecado de mal gusto... no puedes —terminó sus palabras con un lamento.

—Por supuesto que puedo.

Ya no gritaba. Ella tendría que haber estado feliz

por esa pequeña bendición, pero no lo estaba. Aún era muy rudo con ella.

—Explícame por qué quieres destruir mis sombrillas —le preguntó—. Entonces te las daré.

Encontró la tercera sombrilla en el fondo del baúl, pero cuando se irguió para mirarle otra vez, apretó las tres contra su pecho.

—Las sombrillas son una amenaza, por eso.

Sara no lo podía creer.

—¿Cómo pueden ser una amenaza?

Le miró como si pensara que él había perdido la razón. Nathan negó con la cabeza.

—La primera sombrilla lastimó a mis hombres, Sara.

—Solo lastimó a Ivan —le corrigió.

—Y por eso preparaste la maldita sopa que enfermó al resto de mi tripulación —replicó Nathan.

Sara tenía que admitir que tenía razón, pero pensó que era terriblemente hiriente de su parte volver a mencionar el tema de la sopa.

—La segunda sombrilla dañó mi barco —continuó Nathan—. ¿No has notado que no nos estamos deslizando por el agua? Tuvimos que arrojar el ancla para realizar los arreglos. Somos presa fácil para cualquiera que pase. Es por eso que arrojaré tus otras malditas sombrillas al océano.

—Nathan, no quise provocar estos contratiempos. Estás actuando como si hubiera hecho todo a propósito.

—¿Lo hiciste?

Sara reaccionó como si le hubiera golpeado el trasero.

—No —exclamó—. Dios, eres insultante.

Él quería que razonara. Ella comenzó a llorar.

—Deja de sollozar —le pidió.

No solamente continuó llorando, sino que se arrojó a sus brazos. La había hecho llorar, pensó, y ella tenía que estar un poco disgustada con él.

Nathan no sabía qué hacer con ella. Las sombrillas estaban tiradas alrededor de sus pies, y ella estaba abrazada a él, mojándole toda la camisa con sus lágrimas. La abrazó mientras se preguntaba por qué quería consolarla.

Esa mujer casi había destrozado su barco.

La besó.

Ella apoyó el rostro junto a su cuello y dejó de llorar.

—¿Los hombres saben que yo he roto el barco?

—No lo has roto —susurró Nathan. Parecía consternada.

—Pero los hombres creen...

—Sara, podemos arreglar el daño en un par de días —le dijo. Era una mentira, ya que tardarían casi una semana en terminar las reparaciones, pero él suavizó la verdad para aliviar un poco su preocupación.

Entonces pensó que había perdido la cabeza. Su esposa solo había provocado caos desde el momento en que subió a bordo de su barco. Le besó la cabeza y comenzó a acariciarle la espalda.

Ella se apoyó en él.

—¿Nathan?

—¿Sí?

—¿Mi personal sabe que yo he provocado los daños?

Nathan miró hacia el cielo. Su personal.

—Sí, lo saben.

—¿Tú se lo has dicho?

Él cerró los ojos. Le había censurado con su voz. Supuso que pensaba que había sido desleal con ella.

—No, yo no se lo dije. Ellos vieron la sombrilla, Sara.

—Quiero que me respeten.

—Oh, ellos te respetan —le anunció. Su voz ya tenía un tono de enojo.

Sara sintió un poco de esperanza hasta que él agregó:

—Están esperando que traigas la próxima peste.

Sara pensó que estaba bromeando.

—Ellos no creen esa tontería —le respondió.

—Oh, sí. Están haciendo apuestas, Sara. Algunos creen que primero habrá una ebullición y luego la peste. Otros creen que...

Ella se alejó de él.

—No hablas en serio, ¿verdad?

Él asintió con la cabeza.

—Creen que tienes una maldición, esposa.

—¿Cómo puedes sonreír cuando dices cosas tan horribles?

Él se encogió de hombros.

—Los hombres son supersticiosos, Sara.

—¿Es porque soy una mujer? —le preguntó Sara—. He oído que los marineros creen que es mala suerte tener una mujer a bordo, pero no comparto esa tontería.

—No, no es porque eres una mujer —le contestó—. Están acostumbrados a tener una mujer a bordo. Mi hermana Jade solía ser la señora de este barco.

—¿Entonces por qué...?

—Tú no eres como Jade —le dijo—. Lo advirtieron rápidamente.

No pudo lograr que le diera más detalles. Un pensamiento repentino cambió su dirección.

—Nathan, ayudaré con los arreglos —le dijo—. Sí, eso es. Los hombres advertirán que no fue deliberado...

—Dios nos libre a todos —la interrumpió.

—¿Entonces cómo voy a volver a ganar su confianza?

—No comprendo esta obsesión por ganarte a los hombres —replicó Nathan—. No tiene sentido.

—Soy su señora. Si voy a dirigirlos, deben respetarme.

Suspiró profundamente y luego negó con la cabeza.

—Vete a la cama, esposa, y quédate allí hasta que yo regrese.

—¿Por qué?

—No me preguntes. Solo quédate en el camarote.

Ella asintió con la cabeza.

—Solo saldré del camarote para visitar a Nora, ¿está bien?

—Yo no dije...

—Por favor. Será una tarde muy larga, Nathan. Estarás muy ocupado y regresarás tarde a casa. Anoche no regresaste a la cama. Traté de esperarte despierta, pero estaba demasiado cansada.

Él sonrió porque ella había llamado casa a su camarote. Luego asintió con la cabeza.

—Esta noche me esperarás despierta —le ordenó—. No importa hasta qué hora.

—¿Me vas a gritar otra vez?

—No.

—Está bien —le prometió—. Entonces te esperaré despierta.

—Maldición, Sara —replicó Nathan—. No te estaba preguntando, te estaba informando.

Nathan le apretó los hombros. Era más que una caricia. Ella le alejó las manos y le abrazó la cintura.

—¿Nathan?

Su voz era temblorosa. Él dejó caer las manos a los lados del cuerpo. Pensó que podría tener miedo de que la lastimara. Estaba a punto de explicarle que no importaba cuánto le provocara, nunca le levantaría una mano. Pero de pronto, Sara se puso de puntillas y le besó. Él estaba tan sorprendido por la demostración de cariño que no supo cómo responder.

—Estaba muy disgustada contigo cuando te fuiste tan rápidamente del camarote después de que... estuvimos juntos.

—¿Te refieres a después de que hicimos el amor? —le preguntó sonriendo.

—Sí —contestó Sara—. Estaba muy disgustada.

—¿Por qué?

—Porque a una esposa le gusta escuchar que...

—¿Satisfizo a su esposo?

—No —replicó ella—. No te burles de mí, Nathan. No hagas que lo que pasó entre nosotros parezca tan frío y calculado. Fue demasiado hermoso.

Estaba conmovido por sus fervientes palabras y sabía que lo decía de todo corazón. Se sintió muy complacido con ella.

—Sí, fue hermoso. No me estaba burlando. Solo estaba tratando de comprender qué quieres de mí.

—Quiero escuchar que tú...

No pudo continuar.

—¿Que eres una buena mujer?

Ella asintió con la cabeza.

—Yo también estoy en falta —admitió Sara—. Yo también tendría que haberte dicho algunas palabras de elogio.

—¿Por qué?

Parecía realmente perplejo. Eso la irritaba.

—Porque un esposo también necesita escuchar esas palabras.

—Yo no.

—Sí, tú también.

Nathan decidió que ya había conversado suficiente con su esposa y se arrodilló para recoger las sombrillas.

—¿Podrías devolvérmelas, por favor? —le preguntó—. Yo las destruiré. No quiero que mi personal te vea arrojarlas por la borda. Sería muy humillante.

Accedió de mala gana, porque estaba seguro de que no podría hacer ningún daño con esas cosas inútiles mientras permaneciera en el camarote. Aun así, y para asegurarse, hizo que se lo prometiera.

—¿Las sombrillas no saldrán del camarote?

—No.

—¿Las destruirás?

—Lo haré.

Finalmente, estaba satisfecho. Ya se sentía un poco más tranquilo. Cuando salió del camarote estaba convencido de que su esposa no podría provocar más daños.

Además, pensó, ¿qué más podía hacer ella?

8

Ella incendió su barco.

Les volvió a dar una sensación de seguridad. Pasaron ocho días y ocho noches sin que sucediera ningún otro accidente. Los hombres aún eran cautelosos con Sara, pero ya no la miraban tan a menudo con el entrecejo fruncido. Algunos hasta silbaban de vez en cuando mientras cumplían con sus tareas diarias. Chester, el más supersticioso de la tripulación, era el único que continuaba santiguándose cada vez que Sara pasaba por delante de él.

Lady Sara simulaba no advertirlo.

Cuando terminaron de arreglar las velas, recuperaron el tiempo perdido. Estaban a una semana de la isla de Nora. El clima había sido bueno, aunque el calor era casi intolerable durante las tardes. Sin embargo, las noches seguían siendo frías y necesitaban mantas gruesas para no temblar.

Las cosas parecían tranquilas.

Nathan tendría que haber advertido que no podía durar. El viernes por la noche había terminado de dar las instrucciones para la guardia. Interrumpió la conversación de Jimbo con Matthew para darles órdenes para los ejercicios y disparos de los cañones que se realizarían al día siguiente.

Los tres estaban de pie directamente frente al escotillón que conducía al camarote de Nathan. Por esa razón, Jimbo bajó la voz cuando comentó:

—Los hombres ya están olvidando eso de que tu esposa tiene una maldición, muchacho. —Se detuvo para mirar atrás, como si eso le asegurara que Sara no podía oírlos, y luego agregó—: Chester aún les dice a todos que no hay dos sin tres. Será mejor que sigamos vigilando a Sara hasta que...

—Jimbo, nadie se atrevería a tocar a la esposa del capitán —susurró Matthew.

—No estaba sugiriendo que alguien lo fuera a hacer —replicó Jimbo—. Solo estoy diciendo que ellos aún podrían herir sus sentimientos. Ella es un poco tierna de corazón.

—¿Sabías que nos considera parte de su personal? —señaló Matthew. Hizo un mohín y luego se detuvo—. Obviamente, lady Sara te tiene en la palma de su mano si estás tan preocupado por sus sentimientos. —Iba a continuar con el mismo tema cuando el olor a humo le llamó la atención—. ¿Huele a humo? —preguntó.

Nathan vio la columna de humo gris saliendo por los bordes del escotillón antes de que lo hicieran los otros dos hombres. Debería haber gritado fuego para alertar a los otros del peligro. No lo hizo. En lugar de ello gritó el nombre de Sara. La angustia de su voz era conmovedora.

—¡Fuego! —gritó Matthew.

Jimbo fue corriendo a buscar cubos, gritando y pidiendo agua, mientras Matthew trataba de detener a Nathan para que no bajara por el escotillón.

—No sabes cuánto fuego hay —le gritó—. Usa la escalera, muchacho, usa...

Matthew abandonó su petición cuando Nathan se

deslizó a través de la abertura y luego se volvió para bajar corriendo por la escalera.

Nathan casi no podía ver dentro del camarote, ya que el humo era tan espeso que le entorpecía la visión. Fue tanteando el camino hasta la cama para buscar a Sara.

Ella no estaba allí. Cuando terminó de revisar el camarote le ardían los pulmones. Retrocedió hasta el escotillón y usó los cubos con agua de mar que Jimbo le alcanzó para apagar el incendio.

El peligro había terminado. La pérdida que casi habían sufrido hizo temblar a los hombres. Nathan no podía controlar los latidos de su corazón. El miedo por la seguridad de su esposa le había abrumado. Sin embargo, ella ni siquiera estaba en el camarote. No había sido alcanzada por las llamas. No estaba muerta.

Aún.

Matthew y Jimbo flanquearon a Nathan. Los tres hombres observaron el lugar para evaluar los daños.

Varios de los tablones que se encontraban bajo la cocina habían caído a través del suelo al nivel inferior. Había un agujero brillante en las tablas del suelo. Dos de las paredes estaban negras hasta el techo.

Sin embargo, los daños del camarote no era lo que más le llamaba la atención a Nathan. Su atención estaba fija en los restos de las sombrillas de Sara. Las varillas aún brillaban dentro de las dos partes de metal de la cocina.

—¿Creyó que esto era una chimenea? —le susurró Matthew a Jimbo. Se frotó el mentón mientras consideraba esa posibilidad.

—Creo que sí —le respondió Jimbo.

—Si hubiera estado dormida, el humo la habría matado —comentó Nathan.

—Ya, muchacho —le dijo Jimbo, viendo que Nathan estaba preocupado—. Sara está bien, y eso es lo que importa. Tus palabras suenan tan sombrías como el tizne de estas paredes. Tú no tienes la culpa —agregó asintiendo con la cabeza.

Nathan le miró como para matarle. Jimbo no se intimidó.

—Oí que Sara llamaba chimenea a este escotillón. Y también me reí de ese comentario. Creí que le habías dicho la verdad.

—Creo que no lo hizo —acotó Matthew.

Nathan no se tranquilizó con el argumento de Jimbo. Parecía que estaba a punto de llorar cuando gritó:

—Le prendió fuego a mi barco.

—No lo hizo a propósito —la defendió Matthew.

Nathan no estaba escuchando.

—Le prendió fuego a mi barco —repitió con un gruñido.

—Te hemos oído bien la primera vez, muchacho —intercedió Jimbo—. Ahora cálmate y trata de razonar este pequeño accidente.

—Creo que va a tardar unos minutos más en poder pensar —dijo Matthew—. El muchacho siempre fue muy exaltado, Jimbo. Y Sara sí provocó el incendio. Eso es verdad.

Los dos hombres se volvieron para salir del camarote. Ambos creían que Nathan necesitaba estar solo para descansar un rato. El grito de Nathan los detuvo.

—Tráiganmela. Ahora.

Jimbo le indicó a Matthew que permaneciera donde estaba y salió corriendo. Cuando encontró a Sara en el camarote de Nora no le hizo ninguna advertencia sobre el problema sino que le dijo que a su esposo le gustaría hablar con ella.

Sara regresó de inmediato a su camarote. Cuando vio el agua en todo el suelo abrió grandes los ojos. Emitió un sonido entrecortado al ver el agujero en el rincón.

—Dios mío, ¿qué ha pasado aquí?

Nathan se volvió para mirarla antes de responderle.

—Fuego.

Comprendió todo de inmediato.

—¿Fuego? —repitió ella con un susurro—. ¿Te refieres al fuego de la chimenea, Nathan?

No le respondió durante un interminable minuto. Luego se acercó lentamente hasta ella. Sus manos estaban tan cerca que podía cogerla del cuello.

Resistió esa vergonzosa tentación entrelazando las manos a la espalda.

Ella no le miraba. Eso ayudaba. Su mirada estaba dirigida a los daños del camarote. Se mordió el labio inferior y cuando comenzó a temblar Nathan pensó que había comprendido exactamente lo que había hecho.

Estaba equivocado.

—Nunca debí haber dejado la chimenea sin atender —susurró—. ¿Una chispa...?

Nathan negó con la cabeza.

Entonces le miró a los ojos. Su miedo era evidente.

De inmediato, la rabia de Nathan disminuyó. No importaba si estaba preocupada por él. Era un pensamiento ilógico, dadas las circunstancias, sin embargo, allí estaba ella regañándole para que dejara de fruncir el entrecejo.

—¿Sara? —Su voz parecía bastante suave.

A ella le parecía que estaba furioso. Se esforzó para permanecer donde estaba, aunque sentía deseos de alejarse de él.

—Sí, Nathan —le contestó mirando al suelo.

—Mírame.

Ella le miró. Nathan vio las lágrimas en sus ojos. Esto alejó el resto de la furia.

Él suspiró larga y profundamente.

—¿Querías decirme algo? —le preguntó al ver que continuaba mirándola fijamente.

—No es una chimenea.

Nathan se fue del camarote. Sara le miró durante un momento antes de volverse para mirar a Matthew y a Jimbo.

—¿Dijo que la chimenea no es una chimenea?

Los dos hombres asintieron con la cabeza al unísono.

—Parece una chimenea.

—Bueno, no lo es —le anunció Matthew. Tocó con el codo a Jimbo —. Explícaselo tú.

Jimbo asintió con la cabeza y luego le dijo a Sara que las partes de metal que estaban en un rincón del camarote habían sido traídas en el último viaje de Nathan. Eran para arreglar la vieja cocina de las oficinas de la Emerald Shipping Company. Cuando llegaron al puerto, Nathan se había olvidado de bajarlas, continuó Jimbo, aunque estaba seguro de que la próxima vez el capitán no lo olvidaría.

Matthew concluyó la explicación diciéndole a Sara que el escotillón era nada más que un conducto de aire, no una chimenea.

Cuando los dos hombres terminaron con la explicación, el rostro de lady Sara estaba tan rojo como el fuego. Luego les agradeció su paciencia. Se sintió como una tonta ignorante.

—Los podía haber matado a todos —susurró.

—Sí —coincidió Matthew.

Ella se puso a llorar. Los dos hombres estaban casi deshechos por la demostración de sus sentimientos. Jimbo miró a Matthew.

De pronto, Matthew se sintió como un padre tratando de consolar a su hija. Abrazó a Sara y le palmeó la espalda.

—Está bien, Sara, no es tan grave —le dijo Jimbo tratando de tranquilizarla—. No podía saber que no era una chimenea.

—Una idiota lo hubiera sabido —exclamó Sara.

Los dos hombres asintieron con la cabeza sobre la cabeza de Sara.

—Yo podría haber creído que era una chimenea si... —Matthew no pudo continuar porque no se le ocurrió una mentira razonable.

Jimbo le ayudó.

—Cualquiera que no navegara mucho podría haber pensado que era una chimenea.

Nathan apareció en la puerta. No podía creer lo que estaba viendo. Jimbo y Matthew, los dos piratas más sangrientos con los que había tenido el honor de trabajar, se estaban comportando como niñeras.

—Matthew, cuando termines de hacerle moretones en la espalda a mi esposa, quizá quieras traer algunos hombres para que limpien todo esto.

Luego Nathan se volvió hacia Jimbo.

—Los tablones cayeron al nivel inferior. Ocúpate de que los arreglen, Jimbo. Matthew, si no le quitas las manos de encima a mi esposa...

No tuvo que terminar esa amenaza. Matthew ya estaba casi fuera cuando Nathan llegó hasta Sara.

—Si alguien tiene que consolar a mi esposa, ese soy yo.

Tomó a Sara entre sus brazos y le apretó el rostro contra su pecho. Jimbo no se sonrió hasta que salió de la habitación. Después de cerrar la puerta se rió con ganas.

Nathan continuó abrazando a Sara durante varios minutos. Entonces se volvió a irritar.

—Dios mío, esposa, ¿todavía no has dejado de llorar?

Ella se secó las lágrimas con su camisa y luego se separó un poco de él.

—Trato de no llorar, pero a veces no lo logro.

—Lo he notado —le señaló.

La llevó hasta la cama, la dejó allí y luego se sintió lo suficientemente calmado para reprenderla acerca del temor que albergaban todos y cada uno de los hombres de mar. El fuego. Se paseó por la habitación, con las manos en la espalda, mientras le hablaba. Fue tranquilo, cabal, lógico.

Cuando terminó le estaba gritando. Sin embargo, ella no se atrevió a mencionárselo. Le latía la vena de la frente, y pensó que su esposo todavía no había superado su enojo.

Le observó caminar, gritar y regañar, y durante aquellos minutos en los que él se mostró como era, advirtió lo mucho que le amaba. Estaba tratando de ser amable con ella. No lo sabía, pero allí estaba culpándose y culpando a Jimbo y a Matthew, y hasta a Dios porque nadie se había molestado en explicarle la vida en un barco.

Ella quería arrojarse a sus brazos y decirle que, aunque siempre le había amado, el sentimiento era mucho más... vívido, mucho más verdadero. Sentía una paz, una satisfacción. Era como si durante todos esos años hubiera estado de viaje esperándole y ahora hubiera llegado a casa.

Nathan desvió su atención pidiéndole que le respondiera. Tuvo que repetirle la pregunta, por supuesto, ya que ella estaba soñando despierta y no tenía idea de qué le había preguntado. Solo parecía un poco irritado por su falta de atención, y Sara pensó que finalmente se estaba acostumbrando a ella. Solo Dios sabía que ella se estaba acostumbrando a sus defectos. El hombre era un completo fanfarrón. Oh, su ceño aún podía amedrentarla, pero después de todo, Nora tenía razón. Realmente había un hombre bueno y amable detrás de la máscara.

Finalmente, Nathan terminó con su sermón. Cuando le preguntó, ella le prometió de inmediato que no tocaría nada más del barco hasta que llegaran a puerto.

Nathan estaba satisfecho. Después que se fue del camarote, Sara pasó varias horas limpiando. Cuando cambió las sábanas y se bañó estaba agotada, pero estaba decidida a esperar despierta a su esposo. Quería dormirse en sus brazos.

Sara sacó sus papeles del baúl, se sentó e hizo un dibujo de su esposo. El papel parecía no ser suficiente para su tamaño. Sonrió al advertirlo. Él era un hombre. Su hombre. El parecido era notable, pensó, aunque se negó a dibujarle el ceño en el rostro. También capturó su postura vikinga, con las piernas musculosas separadas y las manos en las caderas. El cabello le caía detrás del cuello, y deseaba haber tenido sus colores para poder mostrar la magnificencia de su cabello castaño rojizo y sus hermosos ojos verdes. Quizá cuando llegaran a la casa de Nora podría comprar nuevos materiales y así podría hacer un dibujo adecuado de su esposo.

Nathan regresó al camarote pasada la medianoche. Sara estaba completamente dormida. Estaba enroscada en la silla como un gatito. Su largo cabello rizado le tapaba casi todo el rostro.

No sabía cuánto tiempo había estado allí observándola. Era agradable tenerla cerca. No podía comprender por qué sentía esa satisfacción, ya que, aunque fuera una reacción peligrosa, no permitiría que ninguna mujer significara más para él que un equipaje.

Ella era simplemente un medio para conseguir un fin, se dijo a sí mismo. Y eso era todo.

Nathan se desnudó, se lavó y luego fue hasta la mesa. Vio las hojas con los bosquejos y se las quitó suavemente de la mano. Le picó la curiosidad y ojeó lentamente el trabajo que ella había realizado. Había diez o doce dibujos completos. Todos eran bosquejos de él.

No supo cómo reaccionar. Los dibujos estaban sorprendentemente bien hechos. Ella había capturado su fuerza, su tamaño. Pero había dejado volar su imaginación, ya que Nathan estaba sonriendo en todos los dibujos.

Sara era una romántica incurable. La tía Nora le había dicho que Sara estaba en las nubes la mayor parte del tiempo. Ahora sabía que el comentario no era una exageración.

Sí, su esposa era una tonta soñadora. Y sin embargo, permaneció allí mirando un dibujo en particular durante un largo, largo rato. Estaba todo equivocado, por supuesto, pero le tenía hipnotizado.

El dibujo le mostraba de espaldas, en la cubierta, cerca del timón, mirando la puesta de sol. Era como si ella se hubiera escabullido detrás de él para encontrarle de improviso. Sus manos estaban aferradas al timón. Estaba descalzo y sin camisa. Solo se veía una pequeña parte de su perfil, lo suficiente para apreciar que estaba sonriendo.

No tenía ninguna cicatriz en la espalda.

¿Las había olvidado, o había decidido que no quería incluir las cicatrices en su trabajo? Nathan decidió que el asunto no era lo suficientemente importante para continuar pensando en él. Él tenía cicatrices, y sería mejor que ella las aceptara. Sacudió la cabeza ante esa ridícula reacción, luego levantó en sus brazos a Sara y la llevó a la cama.

Nathan dejó el escotillón abierto para que saliera el humo que quedaba en el camarote, y se acostó junto a ella.

Ella se acurrucó contra él de inmediato.

—¿Nathan?

—¿Qué?

Le respondió con un tono duro para que supiera que no quería hablar con ella.

Su mensaje no le llegó. Se acercó más a él y le puso una mano en el pecho. Sus dedos jugaron con el grueso vello hasta que él le colocó una mano encima de la de ella.

—Ya basta —le ordenó.

Sara le apoyó la cabeza en el hombro.

—¿Por qué crees que tengo tantas dificultades para adaptarme a la vida del barco? —le preguntó con un susurro.

Él le contestó encogiéndose de hombros, y ella habría salido volando contra la pared si no hubiera estado abrazándole.

—¿Crees que es porque no estoy acostumbrada a conducir un barco?

Él miró hacia el cielo.

—Se supone que no debes conducir mi barco —le contestó—. Yo debo hacerlo.

—Pero como tu esposa debería...

—Duérmete.

—Ayuda —dijo ella al mismo tiempo.

Sara le besó el cuello.

—Lo haré mucho mejor cuando estemos en tierra, Nathan. Puedo manejar una propiedad grande, y...

—Por el amor de Dios, Sara, no tienes que enumerar la lista de logros otra vez.

Se puso tensa junto a él, pero luego se relajó. Finalmente, habría decidido obedecerle, pensó. La mujer se dormiría.

—¿Nathan?

Tendría que haberlo sabido. No se acostaría hasta que estuviera lista.

—¿Qué sucede?

—Te olvidaste de darme un beso de buenas noches.

Ella era irritante. Nathan suspiró cansado. Sabía que no se dormiría hasta que se lo diera. Su esposa podía ser bastante ingenua y sincera. Era muy fastidiosa, pensó. Por el momento no podía pensar en otras cualidades atenuantes que pudiera poseer. Era tan obstinada como una mula, tan mandona como una suegra, y esos eran solo dos de los numerosos defectos que había advertido.

La besó rápidamente para que dejara de molestarle. Le gustó. Tenía que besarla otra vez. Usó su lengua. Ella también. El beso fue mucho más profundo, intenso.

Ella se apretó contra él. No podía resistir tanta provocación. Era tan suave y femenina. Tenía que hacer el amor con ella. Aún se resistía un poco. Cuando le ordenó que se quitara el camisón y encendiera la vela, Sara le pidió que se quedaran a oscuras. Nathan le contestó que no, que quería observarla, y ella se sonrojó antes de tratar de ocultar su cuerpo tapándose hasta el mentón.

Él alejó las mantas y comenzó con la tarea de vencer su timidez. Enseguida, Sara comenzó a actuar con bastante descaro. Quería tocarle por todas partes con sus manos y su boca. Él dejó que lo hiciera, por supuesto, hasta que estuvo tan excitado que comenzó a temblar.

Era la mujer más increíble que jamás había tocado. Sus reacciones eran siempre tan honestas, tan verdaderas. Eso le preocupaba. Esa dulce tentadora no se guardaba nada, y cuando finalmente se colocó entre sus muslos sedosos, estaba mojada, ardiente y suplicante.

Él quería hacerlo lenta y suavemente, que cada penetración durara para siempre, pero ella le hizo olvidar sus buenas intenciones apretándole con fuerza dentro de ella. Los arañazos de sus uñas le enloquecieron y los gemidos eróticos le hicieron perder el control.

Ambos acabaron juntos. Él la abrazó fuerte y sus temblores se fundieron.

Él trató de alejarse de ella. Sara no le dejó. Le tenía abrazado con fuerza de la cintura. La restricción era pequeña, pero decidió permanecer allí unos minutos más, hasta que ella se calmara un poco. Los latidos de su corazón parecían toques de tambor, al igual que los de él.

Sintió humedad en su hombro. Sabía que había vuelto a llorar. Eso le parecía divertido. Ella siempre terminaba llorando cuando acababa. También siempre gritaba el nombre de Nathan. Se disculpó diciéndole que eran lágrimas de alegría porque nunca había experimentado una felicidad tan grande.

Él tampoco, pensó. Se sintió preocupado por segunda vez en esa noche.

—Te amo, Nathan.

Eso le asustó. Reaccionó como si le hubieran dado un latigazo. En un segundo, su cuerpo tibio se puso frío como el acero. Ella le soltó. Él se colocó junto a ella. De pronto, Sara le estaba mirando la espalda.

Esperó que reconociera sus palabras de amor. Pasaron varios minutos antes de que aceptara el hecho de que él no le iba a decir nada. Sus ronquidos la ayudaron a llegar a esa conclusión.

Sintió deseos de llorar. Sin embargo, no lo hizo, y advirtió una pequeña victoria en esa nueva fuerza. Luego se concentró en encontrar algo más que la complaciera.

Por lo menos no se había ido del camarote después de haber hecho el amor, pensó Sara. Supuso que debía estar agradecida por eso. Pero a decir verdad, no estaba demasiado agradecida.

Estaba temblando. Sara se alejó del calor de Nathan y tomó las mantas. Cuando por fin se tapó, ella y Nathan estaban espalda con espalda.

Se sentía sola, vulnerable. Y todo era culpa de Nathan, pensó. Él era el que la hacía sentirse tan miserable. Decidió que su deber no era solo amarle, también debería odiarle. Era tan insensible. También obstinado. Sabía lo mucho que necesitaba escuchar sus palabras de amor, y sin embargo se negaba a decírselas.

Él la amaba, ¿verdad? Sara pensó en esa preocupación durante un largo rato. Entonces Nathan se volvió y la volvió a abrazar. Se quejó en sueños mientras la apretaba contra su pecho. Le frotó el mentón contra la parte superior de la cabeza en lo que ella consideró un gesto de cariño, y ya no le importó que hubiera olvidado decirle que la amaba.

Sara cerró los ojos y trató de dormirse. Nathan la amaba, pensó. Su mente tenía un poco de dificultad en aceptar lo que su corazón ya sabía... siempre había sabido, se corrigió, desde el momento en que los habían casado.

Su esposo lo comprendería con el tiempo. Era tan testarudo que tardaba más en aceptarlo que la mayoría de los esposos.

—Te amo, Nathan —susurró contra su cuello.

Cuando le respondió, Nathan tenía la voz ronca por el sueño, pero tierna.

—Lo sé, lo sé.

Estaba roncando otra vez antes de que pudiera preguntarle si estaba complacido por su ferviente declaración.

Sara aún no podía dormirse. Pasó otra hora tratando de pensar en algo para que Nathan advirtiera su buena suerte al tenerla por esposa.

El camino hacia el corazón de Nathan no era su estómago, decidió. Él no comería nada que ella le preparara. El hombre era desconfiado por naturaleza, y su sopa le había indispuesto contra sus habilidades culinarias.

Finalmente, concibió un buen plan. Llegaría a su esposo a través de su personal. Si podía probar su valor ante la tripulación, ¿él no comenzaría a ver lo maravillosa que realmente era? No sería difícil convencer a los hombres de lo buena y sincera que era su señora. Sin embargo, eran supersticiosos, aunque después de todo, los hombres eran solo hombres, y las palabras amables y las buenas acciones seguramente obtendrían su lealtad.

Si se lo proponía, podría encontrar un método para ganar la lealtad de los hombres en menos de una semana.

9

Hacia el fin de semana, todos llevaban dientes de ajo alrededor de sus cuellos para alejar el daño de lady Sara. Ella se pasó los siete días tratando de ganar su confianza. Cuando averiguó por qué llevaban esos olorientos collares estaba tan disgustada que ya no trató de ganárselos.

También dejó de correr a su camarote cada vez que la miraban fijamente. Fingía que no lo notaba. No permitiría que ninguno advirtiera lo mucho que la disgustaba su comportamiento. Mantuvo su compostura y controló sus lágrimas.

Solamente Nathan y Nora sabían cómo se sentía realmente. Sara los mantenía informados sobre sus sentimientos heridos. Nathan hacía lo posible para ignorar la situación. Nora hacía lo posible para tranquilizar a su sobrina.

El problema era que cualquier pequeño accidente, sin importar qué lo había provocado, se adjudicaba a la sola presencia de Sara. Creían que la mujer estaba maldita. Cuando Chester advirtió que tenía una verruga en la mano culpó a Sara. Él recordó que su mano había rozado la de ella cuando se cruzaron en la cubierta.

¿Cómo podía razonar contra esas idioteces? Sara le formulaba esa pregunta a Nathan por lo menos dos veces por día. Sin embargo, sus respuestas no tenían sentido. Gruñía con irritación o se encogía de hombros con indiferencia. Era tan solidario como un chivo, y cada vez que terminaba de darle su evasiva opinión ella le besaba para llevarle la contraria.

Al lunes siguiente, Sara pensó que su vida ya no podía ser peor. Pero no había tenido en cuenta a los piratas. Atacaron el barco el martes por la mañana.

Era un día soleado y tranquilo. Matthew había llevado a Nora a caminar por la cubierta. Matthew la llevaba del brazo y los dos se turnaban para susurrar y reírse como dos niños. La pareja había estrechado mucho su relación durante las últimas semanas. Sara pensaba que Matthew estaba tan enamorado como Nora parecía estarlo. Sonreía mucho y Nora se sonrojaba muy a menudo.

Cuando Sara comenzó su paseo, Jimbo se colocó a su lado. Nunca le permitían estar sola. Ella creía que era porque su personal se había vuelto muy belicoso con ella. Sin embargo, cuando le hizo ese comentario a Jimbo, este lo negó con la cabeza.

—Eso podría ser una pequeña parte —le dijo—, pero la verdad es que el capitán no quiere que se rompa nada más, Sara. Es por eso que tiene un guardia siguiéndola día y noche.

—Oh, es vergonzoso —exclamó Sara.

A Jimbo le costó ocultar una mueca. Sara tenía tendencia al drama. No quería que pensara que se estaba riendo de ella.

—Bueno, bueno, no es tan terrible —le señaló—. No tiene que sentirse tan desdichada.

Sara se reanimaba rápidamente. Tenía el rostro sonrojado y le mostró su irritación.

—Así que así debe ser, ¿verdad? —le preguntó—. Unos pequeños accidentes y ahora estoy condenada por mi personal como una bruja y condenada por mi propio esposo como destructora de su propiedad. Jimbo, debo recordarte que desde el incendio no ha sucedido nada fuera de lo normal, y eso fue hace más de siete días. Seguramente, los hombres recobrarán a tiempo sus sentidos.

—¿Nada fuera de lo normal? —repitió Jimbo—. No puede estar hablando en serio, Sara. ¿Entonces ha olvidado el pequeño accidente de Dutton?

Tenía que mencionar el desafortunado accidente.

Sara le miró disgustada.

—Él no se ahogó, Jimbo.

Jimbo levantó la mirada hacia el cielo.

—No, él no se ahogó, pero estuvo muy cerca.

—Y me disculpé con el hombre.

—Sí, lo hizo —asintió Jimbo—. ¿Y Kently y Taylor?

—¿Quiénes son? —le preguntó Sara, pretendiendo ignorarlo deliberadamente.

—A los que dejó tontos hace dos días cuando se cayeron sobre la grasa de los cañones que usted tiró —le recordó.

—No puedes cargar toda la culpa sobre mis hombros por eso.

—¿No? —le preguntó. Estaba ansioso por escuchar cómo explicaba esos daños—. Usted tiró la grasa, ¿verdad?

—Sí —admitió ella—. Pero había ido a buscar un trapo para limpiarla cuando esos hombres pasaron junto a mí corriendo. Si no hubieran estado tan apurados para alejarse de mí, se habrían detenido y les podría haber advertido sobre la cubierta resbaladiza. Así que, como ves, Jimbo, la culpa es de sus supersticiosos hombres.

El grito advirtiendo la presencia de un barco a distancia detuvo la conversación. En un instante, la cubierta estaba llena de hombres que ocupaban sus puestos.

Sara no comprendió a qué se debía tanta conmoción. Nathan gritó su nombre antes de que Jimbo le pudiera dar una explicación apropiada.

—Nathan, yo no lo hice —exclamó cuando vio que se dirigía hacia ella—. Sea lo que sea, te juro que no tuve nada que ver.

Las palabras vehementes de Sara detuvieron a Nathan. Le sonrió antes de tomarla de la mano y llevarla hacia el camarote.

—Sé que no eres responsable —le dijo—, aunque probablemente los hombres te culparán igual.

—¿Por qué me van a culpar esta vez? —preguntó.

—Estamos a punto de recibir unos invitados no deseados, Sara.

—¿No deseados? —susurró ella.

Llegaron al camarote. Nathan la hizo entrar, pero dejó la puerta abierta. Era obvio que no pensaba quedarse mucho.

—Piratas —le explicó.

Sara se puso pálida de inmediato.

—No te atrevas a desmayarte —le ordenó, aunque se acercó para sostenerla por si decidía no obedecerle.

Ella le alejó las manos.

—No me voy a desmayar —le anunció—. Estoy furiosa, Nathan, no asustada. No quiero que mi personal piense que también atraje a los piratas. Aléjalos, Nathan. No podría tolerar otro disgusto.

Nathan sabía que estaban a punto de enfrentar una buena batalla, pero no iba a compartir esa información con su esposa. En realidad, estaba preocupado porque sabía que tendría que haber usado un barco más rápido para su viaje. No podrían evitar que se les acercaran. El *Seahawk* era demasiado voluminoso y pesado para lograr esa hazaña.

—Prométeme que te cuidarás —le pidió Sara.

Nathan ignoró esa orden.

—Matthew llevó a Nora abajo. Quédate aquí hasta que él te venga a buscar.

Después de darle esa orden, se volvió y salió del camarote. Sara corrió tras él. Tuvo que detenerse cuando ella le tomó de la cintura. Lo hacía o la arrastraba por la escalera con él. Nathan se volvió, alejándole las manos mientras lo hacía.

—Por el amor de Dios, mujer, ahora no es el momento de un maldito beso de despedida —gruñó.

Ella iba a decirle que no, que esa no era la razón por la que le detuvo, pero él impidió su intento dándole un rápido beso.

Cuando se alejó ella le sonrió.

—Nathan, ahora no es el momento de ser... romántico. Tienes una guerra en tus manos. Ve a ocuparte de ella.

—¿Entonces por qué me has detenido? —le preguntó.

—Quería que me prometieras que te vas a cuidar.

—Estás tratando de que me vuelva loco, ¿verdad, Sara? Es todo un plan para que pierda la cabeza, ¿verdad?

Ella no le respondió a esa ridícula pregunta.

—Prométemelo, Nathan. No te voy a soltar la camisa hasta que lo hagas. Te amo y estaré preocupada a menos que me des tu palabra.

—Está bien —replicó Nathan—. Me cuidaré. ¿Contenta?

—Sí, gracias.

Ella se volvió y regresó rápidamente al camarote para prepararse para la batalla. Corrió hasta los cajones del escritorio para buscar cuantas armas fuera posible. Si los piratas abordaban el barco, Sara estaba decidida a ayudar a su esposo como pudiera.

Encontró dos pistolas cargadas en el cajón de abajo y un puñal en una ranura del medio. Sara escondió el cuchillo en la manga de su vestido y puso las pistolas en una bolsa azul. Se ajustó las tiras del bolso en la muñeca justo cuando Matthew estaba entrando en el camarote. Se oyó una explosión a distancia.

—¿Fue uno de nuestros cañones o uno de ellos? —preguntó Sara con voz temblorosa.

Matthew sacudió la cabeza.

—Fue uno de ellos —le respondió—. Fallaron. Aún no están lo suficientemente cerca. Es por eso que no estamos disparando con nuestros cañones, Sara. Ahora venga conmigo. Tengo a Nora segura bajo el nivel del agua. Usted puede esperar allí con ella.

Sara no discutió, pues sabía que Nathan había dado la orden, pero se sentía muy cobarde. A ella no le parecía honorable esconderse.

Estaba oscuro como boca de lobo. Matthew bajó primero por los destartalados escalones. La levantó sobre el primer peldaño, explicándole que la madera estaba podrida y que la reemplazaría tan pronto tuviera tiempo para la tarea.

Cuando llegaron abajo, la suave luz de una vela los condujo hasta donde Nora esperaba pacientemente.

La tía de Sara estaba sentada sobre una caja de madera. Tenía su mantón rojo sobre los hombros. No parecía preocupada.

—Vamos a tener una aventura —le anunció a su sobrina—. Matthew, querido, ten cuidado.

Matthew asintió con la cabeza.

—Sería una aventura si no tuviéramos a bordo tan preciosa carga —comentó Matthew.

—¿Qué preciosa carga? —preguntó Sara.

—Creo que se refiere a ti y a mí, querida —le explicó Nora.

—Sí —asintió Matthew. Se alejó hacia los crujientes escalones—. Ahora será mejor que nos defendamos. Será la primera vez para la tripulación.

Sara no sabía de qué estaba hablando. Sin embargo, era evidente que Nora sí había comprendido. Su sonrisa dijo mucho.

—¿Qué supones que quiso decir Matthew con ese comentario, tía? —le preguntó Sara.

Nora pensó en decírselo a Sara, pero descartó rápidamente esa idea. Decidió que su sobrina era demasiado inocente para comprender. Sara aún consideraba todo bueno o malo. En su mente idealista no había sombras de gris. Con el tiempo comprendería que la vida no era tan simple. Entonces podría aceptar el hecho de que Nathan hubiera llevado una vida bastante colorida. Nora esperaba estar allí cuando le dijeran a Sara que estaba casada con Pagan. Sonrió pensando en la reacción de su sobrina ante la noticia.

—Creo que la tripulación lucharía más vigorosamente si no tuviera que mantenernos a salvo —comentó Nora.

—Eso no tiene sentido —replicó Sara.

Nora estaba de acuerdo, pero en lugar de discutir cambió de tema.

—¿Aquí es donde están las municiones?

—Creo que sí —le contestó Sara—. ¿Crees que esos barriles están llenos de pólvora?

—Debe estarlo —respondió Nora—. Debemos cuidar la llama de la vela. Si se produce un incendio aquí... bueno, no tengo que decirte qué podría pasar. No permitas que me olvide de apagar la llama cuando Matthew venga a buscarnos.

De pronto se sintió como si el barco hubiera dejado salir un eructo gigante. Tembló de proa a popa.

—¿Crees que nos dieron con ese disparo? —preguntó Sara.

—Se ha sentido como si lo hubieran hecho —respondió Nora.

—Será mejor que Nathan termine rápidamente con esto. Mis nervios ya no dan para más. Nora, tú y Matthew os habéis hecho muy amigos, ¿verdad?

—Qué momento has elegido para preguntarme eso —le dijo Nora con una leve risita.

—Solo quería que nos distrajéramos de esta preocupación —le contestó Sara.

—Sí, es una buena idea. Y tienes razón, Matthew y yo somos muy amigos. Es un hombre muy gentil y comprensivo. Había olvidado lo reconfortante que es poder confiarle mis pensamientos y preocupaciones a alguien a quien le importo.

—A mí me importas, tía.

—Sí, querida. Lo sé, pero no es lo mismo. Comprenderás lo que estoy diciendo cuando tú y Nathan hayáis intimado un poco más.

—Temo que ese día nunca llegará —replicó Sara—. ¿Matthew también confía en ti?

—Oh, sí.

—¿Te ha hablado sobre Nathan?

—Varias veces —admitió Nora—. Algunas cosas me las dijo en secreto y no puedo hablar de ellas...

—Por supuesto que puedes —la interrumpió Sara—. Después de todo, soy tu sobrina, y cualquier cosa que me digas no saldrá de mí. Confías en mí, ¿verdad, Nora?

Sara continuó insistiendo durante otros diez minutos o más, hasta que finalmente Nora cedió.

—Matthew me contó todo sobre el padre de Nathan. ¿Conociste al conde de Wakersfield?

Sara negó con la cabeza.

—Se dice que murió cuando Nathan era un niño, Nora. Yo era un bebé. Sin embargo, oí que fue condecorado.

—Sí, fue condecorado. Fue todo una farsa. Mathew me contó que el conde traicionó a su país mientras estaba en servicio. Sí, eso es verdad, Sara —agregó cuando su sobrina hizo un mohín—. Es una historia horrible, niña. El padre de Nathan estaba confabulado con otros dos infieles, y los tres pensaron que podían derrocar al gobierno. Se llamaban a sí mismos el Tribunal, y según me contó Matthew casi llevan a cabo su plan de traición. Sin embargo, el padre de Nathan lo pensó mejor. Su conciencia le mató antes de que se supiera la verdad.

Sara estaba horrorizada por lo que acababa de escuchar.

—Pobre Nathan. La vergüenza debe de haber sido intolerable.

—No, para nada —replicó Nora—. Nadie sabe toda la verdad. Aún se cree que el conde murió en un accidente de carruaje. No hubo ningún escándalo. Te advierto que si tu familia se entera de esto, usarán la información para que el príncipe rompa tu contrato matrimonial.

—Oh, es demasiado tarde para eso —le respondió Sara.

—Eres inocente si crees que es demasiado tarde, Sara. Las circunstancias eran tan insólitas... el rey no estaba bien.

—Él estaba chiflado.

—Tú tenías solo cuatro años —susurró su tía.

—Aun así, ahora vivimos como marido y mujer. No creo que el príncipe regente se atreva a...

—Él puede atreverse a todo —discutió Nora.

—No debes preocuparte. No le contaré a nadie nada sobre el padre de Nathan, así que mis padres nunca podrán averiguarlo. Ni siquiera le diré a Nathan que lo sé. ¿Está bien? Primero tendrá que confiar en mí.

Nora se tranquilizó.

—¿Sabes que también he averiguado cómo se lastimó la espalda Nathan?

—Creo que alguien le golpeó con un látigo —respondió Sara.

—No, no fue un látigo —replicó Nora—. Su espalda fue marcada por el fuego, no por un látigo. Solo tienes que mirar para darte cuenta, niña.

Sara se sintió descompuesta.

—Oh, Dios, ¿fue deliberado? ¿Alguien le quemó a propósito?

—Creo que sí, pero no estoy del todo segura. Sé que hubo una mujer involucrada. Su nombre era Ariah. Nathan la conoció cuando estaba visitando un puerto extranjero en el este.

—¿Cómo conoció a esa mujer?

—No me dio detalles —admitió Nora—. Sé que esta Ariah tiene una moral relajada. Ella se estuvo entreteniendo con Nathan.

—¿Quieres decir que Nathan intimó con esa ramera?

Nora extendió la mano y dio una palmada sobre la de Sara.

—Nathan solo tenía aventuras antes de establecerse. No hay necesidad de que te preocupes.

—¿Crees que la amaba?

—No, por supuesto que no la amaba. Ya estaba comprometido contigo, Sara. Me parece que Nathan es un hombre terriblemente sensible. No se hubiera permitido enamorarse de esa mujer. Y te apostaría mi herencia que, cuando Ariah terminó con él, probablemente la odiaba. Matthew me contó que ella usó a Nathan para manipular a su otro amante. Sí, es verdad —agregó al ver la expresión de incredulidad en el rostro de Sara—. De acuerdo con Matthew, Ariah era una maestra en su juego. Por esa razón creo que Nathan fue torturado por orden de ella. Gracias al cielo él pudo escapar. Fue durante una pequeña revolución, y los partidarios de los anarquistas le ayudaron cuando liberaron a los otros prisioneros. Luego Jimbo y Matthew se encargaron de Nathan.

—Nathan lo pasó muy mal —susurró Sara. Le tembló la voz de emoción—. Debía de ser muy joven cuando esa mujer le traicionó. Creo que él la amaba, Nora.

—Yo creo que no —replicó Nora.

Sara suspiró.

—Sería hermoso si hubiera sido solo un coqueteo. Y si compartieron la misma cama, bueno, realmente no me estaba siendo infiel porque aún no habíamos comenzado nuestra vida matrimonial juntos. ¿Sabes?, ahora todo comienza a tener sentido para mí.

—¿Qué es lo que comienza a tener sentido?

—No te confié esto antes, pero he notado que Nathan se preocupa por proteger sus sentimientos. Ahora creo que entiendo por qué. No confía en las mujeres. No le puedo culpar. Si te quemas los dedos, no pondrías las manos cerca del fuego otra vez, ¿verdad?

—Fue hace mucho tiempo —respondió Nora—. Ahora Nathan es un hombre, Sara, y seguramente habrá superado todo eso.

Sara negó con la cabeza.

—¿Cómo explicas su actitud? A Nathan no le gusta cuando le digo que le amo. Se pone tenso y frío conmigo. Y nunca me ha dicho que yo le importaba. Podría odiar a todas las mujeres... excepto a mí, por supuesto.

Nora sonrió.

—¿Excepto a ti?

—Creo que él me quiere, Nora. Solo tiene dificultad para reconocerlo.

—Dale tiempo, querida. Los hombres tardan más en resolver las cosas. Es porque son unas bestias obstinadas.

Sara estaba completamente de acuerdo con ese comentario.

—Si alguna vez me encuentro con esa Ariah...

—Tienes una buena oportunidad de encontrarte con ella —le aclaró Nora—. Vive en Londres desde hace un año. Matthew dice que está buscando un nuevo padrino.

—¿Nathan sabe que ella está en Inglaterra?

—Me imagino que sí —respondió Nora.

El ruido era demasiado intenso para que pudieran continuar la conversación. Mientras Nora se inquietaba por la batalla, Sara se preocupaba por la información que su tía acababa de compartir con ella.

Pasaron otros veinte o treinta minutos. Luego un silencio helado inundó el barco.

—Si pudiera ver lo que está sucediendo, no estaría tan preocupada —susurró Nora.

Sara pensó que era una buena idea.

—Iré hasta el nivel del camarote para ver si todo está bien.

Nora se opuso con vehemencia a esa sugerencia. La escotilla se abrió en medio de la discusión y las dos mujeres se quedaron en silencio. Ambas comenzaron a rezar para que fuera Matthew que venía a buscarlas. Sin embargo, cuando nadie las llamó llegaron a la terrible conclusión de que el enemigo se había hecho cargo del barco. Sara le indicó a Nora que se escondiera detrás de un barril grande que había en un rincón, y luego se volvió y apagó la vela. Se colocó junto a la escalera para sorprender a los villanos.

Estaba muy asustada. Sin embargo, eso no la detuvo. Lo primero en lo que pensó fue en Nathan. Si el enemigo realmente estaba a bordo, ¿su esposo estaría vivo o muerto? Se lo imaginó tirado en un charco de sangre, pero luego se esforzó para bloquear ese horrible pensamiento. No sería de ninguna ayuda para su esposo si dejaba volar su imaginación.

Cuando la escotilla se abrió completamente entró un poco de luz. No era mucha, pero sí la suficiente para que Sara pudiera ver a dos hombres con pañuelos de colores en las cabezas que estaban bajando por la escalera. El primer pirata no pisó el escalón flojo. El segundo sí. Blasfemó cuando se cayó por la pequeña abertura. El hombre terminó enganchado entre las tablillas. Le colgaban los pies y tenía los brazos apretados a los lados del cuerpo.

—¿Qué demonios pasa? —susurró el primer hombre cuando se volvió—. Te has quedado atrapado, ¿verdad? —agregó con una risita. Estaba extendiendo los brazos para ayudarle cuando se detuvo al sentir una rápida brisa en el rostro.

El enemigo se estaba volviendo otra vez cuando Sara le golpeó el cráneo con la culata de la pistola. Cuando cayó al suelo ella se estaba disculpando.

Él no gritó. Ella sí. Luego advirtió que aún respiraba y se calmó de inmediato al ver que no estaba muerto.

Sara se levantó el vestido y pasó sobre el hombre caído. Subió por la escalera para enfrentarse con su segunda víctima. El perverso hombre la miraba sorprendido. Si no la hubiera estado mirando fijamente, podría haberle golpeado también. Sin embargo, no tenía corazón para esa traición, ya que el villano ya estaba atrapado y a su merced, así que terminó rompiendo un trozo de tela de su enagua y colocándoselo en la boca para que no pudiera gritar pidiendo ayuda. Nora se acercó y la ayudó a atarlo desde los brazos hasta los pies.

Al parecer, su tía estaba tomando la situación bastante bien, y Sara pensó que Nora no comprendía la gravedad de las circunstancias. Si estos hombres habían llegado hasta las municiones, entonces también había otros a bordo.

—Mira, querida, he encontrado algunas sogas. ¿Quieres que ate al otro caballero?

Sara asintió con la cabeza.

—Sí, sería una espléndida idea. Podría despertar en cualquier momento. También ponle un trapo en la boca. Toma, usa mi enagua. Ahora ya está rota.

Sacó otra tira larga y se la dio a su tía.

—No queremos que grite pidiendo ayuda, ¿verdad, Nora?

—Por supuesto que no —respondió su tía.

Sara trató de dar a su tía una de las pistolas, pero ella rechazó el arma.

—Podrías necesitar las dos cuando salves a Matthew y a Nathan, querida.

—Sin duda has puesto una pesada carga sobre mis hombros —susurró Sara—. No estoy segura de poder salvar a nadie.

—Vete ya —le ordenó Nora—. Tienes el elemento sorpresa de tu lado, Sara. Esperaré hasta que termines tu tarea.

Sara habría abrazado a su tía para despedirse, pero no lo hizo, pues temía que una de las pistolas pudiera dispararse.

Rezó durante todo el camino hacia el nivel del camarote. El cuarto de los oficiales estaba desierto. Sara iba a mirar dentro de su camarote cuando oyó ruidos de hombres que bajaban por la escalera. Se escondió en el rincón triangular que quedaba detrás del biombo plegado y esperó.

Jimbo fue el primero que bajó tropezando por la escalera. Sara miró bien a su amigo a través de las juntas del biombo. Jimbo tenía un corte en la frente. Le caía sangre por un lado del rostro. No podía secársela porque tenía las manos atadas a la espalda y estaba rodeado por tres piratas.

Cuando vio la herida, Sara se olvidó de que estaba asustada. Estaba furiosa.

Sara vio que Jimbo miraba hacia los escalones. Oyó más pisadas, y luego apareció Nathan. Al igual que Jimbo, Nathan tenía las manos atadas a la espalda. Sara estaba tan agradecida de que estuviera vivo que comenzó a temblar. La expresión del rostro de su esposo también la hizo sonreír. Parecía completamente fastidiado.

Observó que Nathan asintía con la cabeza en dirección a Jimbo. Fue tan rápido que no lo habría visto si no le hubiera estado observando tan atentamente. Luego Jimbo volvió un poco la cabeza hacia el biombo.

Ella pensó que Nathan sabía que estaba escondida allí. Miró hacia abajo, vio que la parte de abajo de su vestido sobresalía un poco y la escondió rápidamente.

—Llévenlos dentro del camarote —ordenó una voz con desconsideración. Volvieron a empujar a Nathan hacia delante. Tropezó, giró para no caer y terminó contra el biombo.

—Aquí viene Banger con la bebida —gritó otro hombre—. Podemos brindar mientras esperamos la matanza. Perry, ¿dejarás que su capitán muera el primero o el último?

Mientras el hombre formulaba esa pregunta, Sara le colocó a Nathan una de las pistolas en las manos. Al ver que no la tomaba de inmediato, le dio un ligero golpe.

Él no mostró ninguna reacción. Sara esperó otro minuto, y cuando él no disparó recordó que tenía las manos atadas.

También recordó el puñal que tenía en la manga del vestido, y de inmediato se puso a cortar las gruesas sogas. Le tocó accidentalmente dos veces la piel. Entonces, Nathan tomó el puñal con los dedos y continuó con la tarea.

Parecía que había pasado una eternidad, aunque ella sabía que en realidad no había transcurrido más de un minuto.

—¿Dónde diablos está el capitán? —gritó otra voz—. Quiero mi trago.

Así que estaban esperando a su líder para comenzar con sus festejos sanguinarios, concluyó Sara.

¿Por qué Nathan estaba esperando? Tenía las manos libres, pero actuaba como si no las tuviera. Sostenía el cuchillo por la hoja, probablemente para estar listo para lanzarlo cuando llegara el momento. Tenía la pistola en la otra mano, apuntando hacia el suelo.

Estaba listo para la lucha, pero aun así esperaba. La estaba apretando contra la pared. Sara estaba sorprendida de que las bisagras del biombo no se hubieran desprendido con el peso de Nathan.

Obviamente, Nathan le estaba dando el mensaje silencioso de que se quedara quieta.

Como si tuviera ganas de ir a alguna parte, pensó. Se estaba preocupando otra vez. ¿Por qué su esposo no aprovechaba la ventaja ahora? ¿Estaba esperando que los piratas le superaran diez a cinco para actuar? Entonces Sara decidió darle un pequeño mensaje. Sacó una mano por un lado del biombo y le pellizcó el trasero.

Él no reaccionó. Le volvió a pellizcar. Escondió la mano cuando oyó que otro hombre estaba bajando por la escalera. Obviamente, era el líder de los piratas, ya que uno de sus hombres le dijo que ya era el momento de que todos bebieran algo antes de continuar con su trabajo.

Otro de los villanos corrió y abrió la puerta del camarote. Entró y salió apurado uno o dos segundos después. El infiel tenía uno de sus vestidos en las manos. Era su vestido azul claro, su preferido, y el sucio lo tenía en sus manos.

Juró que nunca se volvería a poner ese vestido.

—Tenemos una mujer a bordo, capitán —anunció el puerco.

El líder estaba de espaldas a Sara así que no podía verle el rostro. Se sentía un poco agradecida por eso, ya que su tamaño era lo suficientemente atemorizante. El hombre estaba hombro con hombro junto a Nathan.

El hombre se rió tontamente, y Sara sintió que se le erizaba la piel.

—Encuentren a la ramera —ordenó—. Cuando termine con ella, ustedes podrán turnarse.

Sara se tapó la boca con la mano para no dar una arcada.

—Ah, capitán —exclamó otro hombre—, ella estará muerta antes de que tengamos nuestra oportunidad.

Todos se rieron ante ese comentario. Sara tenía ganas de llorar. Ya había escuchado todo lo que deseaba escuchar sobre sus sucios planes. Pellizcó otra vez a Nathan. Más fuerte. También le dio un golpecito.

Finalmente, él cedió ante su insistencia. Se movió como un relámpago. Se convirtió en algo borroso cuando corrió hacia los dos hombres que estaban en la puerta del camarote. Sin embargo, mientras se movía seguía sosteniendo el cuchillo. El puñal encontró su destino entre los ojos de un villano que se encontraba en la escalera. Un disparo de su pistola derribó a otro infiel.

Nathan golpeó con sus hombros a los dos hombres que bloqueaban la puerta. La fuerza del golpe los tiró dentro del camarote. Nathan los siguió. Los venció enseguida golpeándoles las cabezas una contra la otra.

Jimbo usó su cabeza para golpear al líder de los piratas. Aún tenía las manos atadas en la espalda y el golpe solo hizo perder el equilibrio al capitán. Se recuperó rápidamente. Tomó a Jimbo del cuello y le arrojó al suelo. El capitán le dio una patada para alejarle de su camino. Sin embargo, no fue una patada terrible ya que el líder realmente no estaba observando lo que hacía. Su atención estaba concentrada en sacar la pistola de su bolsillo.

Nathan salía cuando el líder levantó la pistola.

—Vas a morir lenta y dolorosamente —le dijo con voz rencorosa.

Sara estaba demasiado enfadada para estar atemorizada. Salió de atrás del biombo y se colocó silenciosamente a la espalda del villano. Luego presionó la punta de la pistola contra su nuca.

—Morirás rápida y fácilmente —susurró.

Cuando el líder sintió el frío acero se puso rígido como un cadáver. Sara estaba complacida por su reacción. Y advirtió que Nathan también lo estaba. Le sonrió. Sara también le sonrió. Las cosas no estaban tan mal, pensó. Aun así, no sabía si podría matar al hombre. Era un examen que no quería rechazar. Después de todo, la vida de su esposo dependía de su valor.

—¿Nathan? —exclamó—. ¿Esta vez te gustaría que disparara entre las orejas o en el cuello?

El alarde de valor funcionó bien.

—¿Esta vez? —preguntó su víctima.

Sin embargo, aún no era suficiente, ya que continuaba apuntándole con su pistola a Nathan.

—Sí, esta vez, estúpido —le contestó. Trató de que su tono pareciera lo más rudo posible, y pensó que lo había conseguido.

—¿Qué prefieres? —exclamó Nathan. Se apoyó deliberadamente contra el marco de la puerta, dando la sensación de que estaba completamente relajado.

—El cuello —respondió Sara—. ¿No recuerdas cómo hubo que limpiar después del último? Las manchas duraron una semana. Aunque este infiel parece tener un cerebro más pequeño. Oh, decide tú. Siempre soy obediente.

El líder bajó la mano y la pistola cayó al suelo. Sara pensó que la victoria era segura, sin embargo, antes de que Nathan pudiera llegar hasta el hombre, este se volvió repentinamente. Le golpeó la mejilla izquierda con la mano, con un movimiento torpe para quitarle la pistola.

Sara oyó el rugido de Nathan. Retrocedió y tropezó con el pie de Jimbo, y disparó la pistola. Un aullido de dolor siguió a ese sonido y su enemigo se tocó el rostro.

Tardó un interminable minuto en caer al suelo. Todo sucedió lentamente, y su último pensamiento antes de desmayarse fue horrible. Le había disparado al villano en el rostro.

Sara despertó diez minutos más tarde. Estaba en la cama, con Matthew y Jimbo junto a ella. Matthew le sostenía un paño frío en un lado del rostro. Jimbo la abanicaba con uno de los mapas del escritorio de Nathan.

Su esposo no estaba allí. Cuando Sara se dio cuenta de eso, alejó el edredón y trató de ponerse de pie. Jimbo la volvió a acostar.

—Quieta, Sara. Recibió un buen golpe. Todavía tiene hinchada la cara.

Ella ignoró sus instrucciones.

—¿Dónde está Nathan? —preguntó—. Quiero que esté aquí conmigo.

Antes de que Jimbo pudiera responderle, se encontró sentado en la cama. Sara tomó el paño que sostenía Matthew y comenzó a limpiarle la herida de la frente a Jimbo.

—La mujer es pequeña, pero poderosa cuando se enoja, ¿verdad, Matthew? —susurró Jimbo—. Quíteme eso —refunfuñó.

Ella no prestó atención a ese mandato.

—Matthew, ¿crees que está bien? El corte no me parece muy profundo, pero quizá...

—Está bien —respondió Matthew.

Sara asintió con la cabeza. Luego volvió a tocar el tema que le preocupaba.

—Un esposo debería consolar a su esposa cuando

ha sido golpeada. Cualquiera con un poco de sentido común lo sabría. Matthew, ve a buscar a Nathan. Me consolará o yo me encargaré de él.

—Vamos, Sara —le dijo Matthew con un tono tranquilizador—, su esposo es el capitán de este barco, y ahora debe ocuparse de algunos detalles importantes. Además, ahora no querría estar en su compañía. El muchacho está furioso.

—¿Porque los piratas abordaron su barco?

—Porque los malditos la golpearon, Sara —rezongó Jimbo—. Después del golpe estaba dormida así que no pudo ver la cara de su esposo. Era una cara que jamás olvidaré. Nunca le vi tan furioso.

—Es agradable saberlo —contestó Sara.

Los dos marineros intercambiaron una mirada de exasperación. Sara los ignoró, pues recordó el pecado mortal que había cometido.

—Oh, Dios, le disparé a su líder en el rostro —exclamó—. Ahora estoy condenada al infierno, ¿verdad?

—Estaba salvando a su esposo —le dijo Jimbo—. No se irá al infierno, Sara.

—Estará... horrible durante el resto de sus días —susurró Sara.

—No, Sara, él ya es horrible —replicó Matthew.

—Ojalá le hubiera matado —acotó Jimbo—. Solo le disparó en la nariz...

—Dios mío, le disparé en...

—La estás preocupando, Jimbo —refunfuñó Matthew.

—¿Le he volado la nariz a ese pobre hombre?

—¿Pobre hombre? —se burló Jimbo—. Es el mismo demonio. ¿Sabe qué habría pasado si...?

—El maldito aún tiene la nariz —aclaró Matthew. Miró a su amigo con el entrecejo fruncido—. Deja de preocuparla, Jimbo —le ordenó antes de volverse hacia

Sara—. Solo le hizo un pequeño agujero en la nariz, eso es todo.

—Ha salvado el día, Sara —le dijo Jimbo.

El comentario la alegró considerablemente.

—He salvado el día, ¿verdad?

Ambos hombres asintieron con la cabeza.

—¿Mi personal sabe...? —Interrumpió su pregunta cuando ambos volvieron a asentir con la cabeza—. Bueno, ahora ya no pueden pensar que estoy maldita, ¿verdad?

Antes de que pudieran responderle esa pregunta, ella les formuló otra.

—¿De qué detalles debe ocuparse Nathan?

—Represalia —le anunció Jimbo—. Será ojo por ojo, Sara. Ellos nos iban a matar...

No terminó su explicación. Lady Sara salió corriendo del camarote. Jimbo y Matthew la siguieron.

Nathan se encontraba junto al timón. Los piratas que habían tratado de apoderarse de su barco estaban alineados en la cubierta, rodeados por los hombres de Nathan.

Sara corrió junto a su esposo. Le tocó el brazo para que la atendiera. Él no la miró y siguió observando al líder de los piratas que se encontraba a unos pasos.

Cuando Sara miró al hombre retrocedió instintivamente. El villano estaba sosteniendo un trapo contra su nariz. Ella quería decirle que lamentaba haberle lastimado. También quería recordarle que todo era culpa de él, ya que si no la hubiera golpeado, la pistola no se habría disparado.

Nathan presintió su intención. La tomó de un brazo y la acercó a él.

—Regresa abajo —le ordenó con un tono suave, pero que indicaba que no se atreviera a discutir.

—No hasta que me digas qué vas a hacer con ellos —le respondió.

Nathan podría haber suavizado la verdad si no hubiera mirado a su esposa. Tan pronto como vio la hinchazón en su rostro se volvió a enfurecer.

—Los vamos a matar.

Se volvió hacia su tripulación y volvió a ordenarle:

—Regresa a nuestro camarote, Sara. Terminaremos en unos minutos.

Ella no iría a ninguna parte. Se cruzó de brazos y endureció su postura.

—No los matarás.

Sara gritó esa orden y llamó la atención de su esposo. Y su ira. Parecía que quería matarla.

—Por supuesto que lo haré —replicó Nathan con un gruñido.

Sara oyó varios gruñidos de aprobación de los hombres de Nathan. Estaba a punto de repetir su desaprobación, pero de pronto Nathan le tocó suavemente el rostro. Se inclinó un poco y susurró:

—Te ha hecho daño, Sara. Tengo que matarle.

Para él tenía sentido, y pensó que había sido perfectamente razonable al explicarle su determinación. Sin embargo, ella no comprendió. Lo indicaba la expresión de incredulidad de su rostro.

—¿Quieres decir que matarías a todos los que me han golpeado? —le preguntó.

A Nathan no le importó la censura de su voz.

—Así es.

—Entonces tendrás que matar a la mitad de mi familia —le contestó.

Realmente no tendría que haber dicho eso. Él se volvió a enfurecer. Sin embargo, su tono fue sorprendentemente suave cuando le respondió.

—Dime los nombres, Sara, y yo me vengaré. Te lo prometo. Nadie toca lo que me pertenece.

—Sí, mi señora —gritó Chester—. Vamos a matar

hasta el último de estos malditos. Es nuestro derecho —agregó.

—Chester, si usas otra blasfemia en mi presencia, te lavaré la boca con vinagre.

Miró fijamente al marinero hasta que este asintió con la cabeza, y luego se volvió y vio que Nathan estaba haciendo una mueca.

—Nathan, tú eres el capitán. Solo tú puedes tomar esta importante decisión. Como yo soy tu esposa tendría que poder influir en ti, ¿verdad?

—No.

Era un obstinado, pensó Sara.

—No lo permitiré —gritó. Tenía ganas de pisarle un pie—. Si los matáis, no seréis mejores que ellos. Seréis villanos como ellos, Nathan, y como yo soy tu esposa, también seré una villana.

—Pero mi señora, somos villanos —le aclaró Ivan el Terrible.

—No somos villanos —replicó Sara—. Nosotros cumplimos con la ley, somos ciudadanos leales a nuestra corona.

Finalmente, la angustia de Sara penetró la furia de Nathan. La tomó de los hombros.

—Bueno, Sara...

—No uses ese tono condescendiente conmigo. No me vas a tranquilizar para que permita un asesinato.

Nathan no estaba de humor para tranquilizar ni para discutir, pero sabía que tenía que enviarla abajo antes de que diera rienda suelta a su furia. Pensó en ordenarle a Jimbo que la bajara, pero luego cambió de idea y ejecutó un plan de acción alternativo.

—La democracia prevalecerá en esta circunstancia —anunció—. Dejaré que los hombres voten, Sara. ¿Eso te tranquilizará?

Estaba preparado para una discusión antes de que

ella cediera, y se sorprendió cuando ella asintió de inmediato.

—Sí, eso me tranquilizaría.

—Bien —le respondió y se volvió hacia su tripulación—. Todos los que estén a favor...

Las manos ya estaban levantadas cuando Sara interrumpió.

—Un minuto, por favor.

—¿Y ahora qué? —gruñó Nathan.

—Tengo algo que decirle a mi personal antes de que voten.

—Maldición.

—Nathan, ¿he salvado o no el día?

Esa pregunta le encontró desprevenido. Sara aprovechó la ventaja.

—Jimbo ha dicho que yo salvé el día. Ahora me gustaría escuchar que tú también lo admites.

—Yo tenía un plan —comenzó Nathan—. Pero... maldición, Sara, sí —agregó con un suspiro—. Has salvado el día. ¿Ya eres feliz?

Ella asintió con la cabeza.

—Entonces vete abajo —le volvió a ordenar.

—Aún no —le respondió. Se volvió y le sonrió a la tripulación. No pudo evitar darse cuenta de lo impacientes que estaban los hombres. Sin embargo, no la disuadirían—. Todos ustedes saben que yo fui quien desató a Nathan —gritó. Comprendió que esa afirmación era un poco petulante y también hacía parecer un poco incapaz a su esposo—. Aunque, por supuesto, él se habría desatado solo si yo no le hubiera ayudado, y tenía un plan...

—Sara —dijo Nathan con un tono de advertencia.

Ella dejó de divagar, irguió los hombros y dijo:

—Y le disparé a su líder, aunque debo admitir que no quería herirle. Ahora tendrá una cicatriz durante el resto de sus días, y eso sería suficiente castigo para cualquiera.

—Fue un golpe suave —gritó uno de los hombres—. El disparo salió limpio por su nariz.

—Tendría que haberle volado la cabeza —gritó otro.

—Sí, por lo menos tendría que haberle dejado ciego —gritó otro.

Eran unos sanguinarios, pensó Sara. Respiró profundamente y lo volvió a intentar. Agitó la mano en dirección al líder de los piratas y dijo:

—Este hombre ya ha sufrido suficiente.

—Sí, Sara —afirmó Matthew con una mueca—. Se acordará de ti cada vez que quiera limpiarse la nariz.

Todos los hombres se rieron. Luego Chester avanzó un paso amenazadoramente. Tenía las manos en las caderas cuando gritó:

—Ya no pensará más en nada. Ninguno de ellos. Serán carnada para los peces si la votación sale como yo pienso.

La vehemencia de su tono desalentó a Sara. Retrocedió instintivamente hasta que quedó literalmente apoyada contra el pecho de su esposo.

Nathan no podía verle el rostro, pero sabía que tenía miedo. Sin pensar en por qué lo estaba haciendo la tomó de los hombros. Ella apoyó el mentón en su muñeca.

Su abrazo alejó el miedo. Miró a Chester y le dijo:

—¿Nació con una disposición tan huraña, señor?

El marinero no tenía una respuesta preparada para esa pregunta, así que se encogió de hombros.

—Está bien —gritó Sara—. Voten. —Alejó el brazo de Nathan y dio un paso hacia delante—. Solo recuerden —agregó rápidamente cuando las manos ya estaban levantadas— que me sentiré muy decepcionada si alguno de ustedes vota en favor de la muerte. Muy decepcionada —agregó con un tono dramático—. Por otra parte, si votan arrojar al villano al agua y que regrese nadando a su barco, me sentiré muy complacida. ¿Han comprendido mi posición?

Observó a su auditorio hasta que cada hombre asintió con la cabeza.

—¿Eso es todo? —preguntó Nathan con incredulidad—. ¿Eso es todo lo tienes que decir para convencer a los hombres?

Le sonrió. Ella también.

—Sí, Nathan. Ahora pueden votar. Aunque creo que tú no deberías votar.

—¿Por qué no? —le preguntó.

—Porque no estás pensando equitativamente.

La expresión de su rostro indicaba que no había comprendido.

—¿Sabes?, Nathan, aún estás muy enojado porque... lastimaron a tu querida esposa.

—¿Mi querida esposa?

Le miró disgustada.

—Yo.

Dios Santo, ella era exasperante.

—Ya sé quién es mi esposa —se quejó.

—Deja que lo decida tu tripulación —insistió.

Accedió para que se retirara. Sara sonrió cuando se levantó la falda y se dirigió hacia la escalera.

—Sara, quédese en el camarote hasta que esto haya terminado —le ordenó Matthew.

Sintió la mirada de todos los hombres. Sabía que estaban esperando que se fuera para continuar con sus vergonzosas intenciones. Incluso advirtió que Jimbo había cerrado la escotilla de su camarote, probablemente para que no oyera el horrible sonido.

No se sintió culpable por lo que estaba a punto de hacer. Sus motivos eran tan puros como la nieve. No podía dejar que su personal asesinara a los piratas, no importaba lo cobardes que hubieran sido, y una vez que hubieran olvidado su furia le agradecerían que ella hubiera intervenido.

Sara se detuvo cuando llegó a la escalera. No se volvió.

—¿Nathan? —le gritó con un tono agradable—. No voy a esperar en el camarote, pero envía a alguien para que me informe del resultado de la votación. Quiero saber si me decepcionaré o no.

Nathan frunció el entrecejo ante esa petición. Sabía que ella estaba pensando en algo, pero no podía imaginar qué haría para convencer a los hombres.

—¿Dónde estará esperando, señora? —gritó Jimbo.

Se volvió para poder ver sus expresiones cuando les respondiera.

—Estaré esperando en la galera.

La mayoría de los hombres comprendió su intención de inmediato. Estaban horrorizados. Nathan le estaba haciendo una mueca.

—No quería recurrir a estas tácticas, pero no dan alternativa. Será mejor que la votación no me decepcione.

Algunos de los hombres menos astutos aún no comprendían la amenaza encubierta. Chester era uno de ellos.

—¿Qué hará en la galera, señora?

Su respuesta fue inmediata.

—Prepararé sopa.

10

La votación fue unánime. Nadie quería que Sara se sintiera decepcionada. Los piratas fueron arrojados por la borda para que regresaran nadando a su barco.

Sin embargo, Nathan tuvo la última palabra. Ordenó que prepararan dos cañones y sintió una gran satisfacción al hacer un gran agujero en el barco de los piratas. Cuando Sara preguntó qué había sido ese ruido le dijeron que estaban descargando los cañones.

El *Seahawk* también había resultado dañado. La mayoría de los arreglos que había que hacer estaban sobre la línea de flotación. Las mismas velas que Sara casi había destruido con su sombrilla habían sido partidas por la mitad por uno de los disparos de los cañones de los enemigos.

La tripulación comenzó a arreglar todos los daños posibles. Sonreían mientras trabajaban, y todos se habían quitado el collar de ajos. Volvieron a sentirse seguros, pues creían que la maldición había desaparecido.

Su señora les había salvado el pellejo. Hasta Chester la elogiaba.

Sara fue con Matthew a buscar a Nora, y cuando abrieron la escotilla recordó a los cautivos que estaban abajo. Nathan esperó hasta que Sara se hubiera ido de la cubierta, y luego les dio un puñetazo en el abdomen a cada hombre. Los quejidos le llamaron la atención, y cuando se volvió y le preguntó a su esposo qué habían sido esos ruidos horribles, él simplemente se encogió de hombros y ayudó a los cautivos para que saltaran por la borda.

Sara se sintió muy complacida cuando le contó los acontecimientos a Nora. Ella la elogió por su astucia y su valor.

—No creas que fui completamente valiente —le confesó Sara. Estaban en medio del cuarto de oficiales. Le mostró a Nora dónde se había escondido detrás del biombo—. Estaba aterrorizada —agregó asintiendo con la cabeza.

—Eso no importa —replicó Nora—. Has ayudado a tu esposo. Significa mucho más porque estabas asustada y no le fallaste.

—¿Sabes que Nathan no me ha dicho una palabra de elogio? No me había dado cuenta hasta este instante. Parecería...

—Yo diría que no tuvo tiempo de agradecértelo, Sara, y dudo que lo haga cuando lo tenga. Él es un poco...

—¿Obstinado?

Nora sonrió.

—No, querida, obstinado no, orgulloso.

Sara decidió que era un poco de ambas cosas. Ya todo había terminado, pero a Sara comenzaron a temblarle las manos. También se sintió descompuesta del estómago y le dolía el golpe del rostro.

Sin embargo, no iba a preocupar a Nora, así que se guardó los dolores para ella.

—Sé que has oído los comentarios comparándote con la hermana de Nathan —le dijo Nora.

Ella no había oído ningún comentario, pero fingió haberlo hecho para que su tía continuara. Sara asintió con la cabeza y respondió:

—Jade fue la señora de este barco durante mucho tiempo, y los hombres eran muy leales a ella.

—Sé que sus comentarios deben de haber herido tus sentimientos, niña.

—¿A qué comentarios te refieres? —le preguntó Sara—. He oído tantos.

—Oh, que tú lloras todo el tiempo —le contestó Nora—. Jade nunca lloraba. Mantenía sus emociones bajo llave, es lo que le gusta decir a Matthew. También era extremadamente valiente. Escuché maravillosas historias sobre las hazañas que lograron ella y sus hombres. Pero ya sabes todo eso. —Nora continuó haciendo un movimiento con la mano—. No menciono este tema para que pienses que los hombres aún creen que eres inferior, Sara. No, todo lo contrario. Te has ganado sus corazones y su lealtad. Apostaría a que en el futuro no harán más comparaciones. Han visto que eres tan valiente como su Jade.

Sara se volvió para entrar en el camarote.

—Creo que descansaré un poco, tía —susurró—. Estoy agotada.

—Estás pálida, Sara. Es una bella mañana, ¿verdad? Iré a buscar a Matthew y si no está muy ocupado pasaré unos minutos con él. Luego yo también iré a descansar un poco.

El vestido azul claro de paseo de Sara estaba tirado en el suelo. Cuando cerró la puerta lo vio y recordó cómo el infiel lo había tocado con sus manos. También recordó todas las palabras sucias que había dicho.

Finalmente, todo había terminado. La comprensión de lo que podría haber sucedido le descompuso el estómago. No debo pensar en todas las posibilidades, se dijo a sí misma.

Podrían haber matado a Nathan.

Sara se desabotonó el vestido y se lo quitó. Luego se

quitó la enagua, los zapatos y las medias. Estaba muy concentrada en la tarea. Sin embargo, su mirada regresaba al vestido que estaba en el suelo, y no podía bloquear los recuerdos.

Realmente iban a matar a su esposo.

Sara decidió que necesitaba ocupar su mente en algo para alejar su miedo. Limpió el camarote. Luego se bañó. Cuando terminó ya no temblaba tanto.

Luego vio el moretón azul en un lado de su rostro.

Volvió a sentir terror. ¿Cómo podría vivir sin Nathan? ¿Y si no hubiera llevado las pistolas a la bodega? ¿Y si se hubiera quedado abajo con Nora y no...?

—Oh, Dios —susurró—. Todo es una burla. Soy una cobarde.

Se apoyó sobre el lavabo y se miró en el espejo.

—Una horrible cobarde.

—¿Qué has dicho?

Nathan formuló esa pregunta. Entró en la habitación sin hacer ningún ruido. Sara se sobresaltó y luego se volvió para mirarle. Trató de ocultar el lado derecho de su rostro colocándose el cabello hacia delante.

Advirtió que estaba llorando. No quería que Nathan se diera cuenta. Bajó la cabeza y se dirigió hacia la cama.

—Creo que dormiré una siesta —susurró—. Estoy muy cansada.

Nathan le cortó el paso.

—Déjame ver tu cara —le ordenó.

Él le apoyó las manos en las caderas. Sara todavía tenía la cabeza baja y solo podía verle la parte superior. Sintió que estaba temblando.

—¿Te duele, Sara? —le preguntó preocupado.

Sara negó con la cabeza. Aún no le miraba. Nathan trató de levantarle el mentón. Ella le alejó la mano.

—No me duele nada —le mintió.

—¿Entonces por qué estás llorando?

La ternura de su voz aumentó sus temblores.

—No estoy llorando —susurró.

Nathan se estaba preocupando. Le abrazó la cintura y la acercó a él. ¿Qué era lo que tenía dentro de su mente ahora?, se preguntó. Sara siempre había sido tan transparente para él. Nunca tuvo que preocuparse por lo que estaba pensando. Siempre se lo decía. Cuando tenía un problema o una preocupación él lo sabía inmediatamente. Y tan pronto como le decía lo que tenía en la mente le pedía que se lo solucionara.

Nathan sonrió. Y siempre se lo resolvía, pensó.

—Ahora me gustaría descansar, Nathan —le volvió a decir Sara.

—Primero tendrás que decirme qué te está molestando —le ordenó.

Comenzó a llorar más fuerte.

—¿Aún estás llorando? —le preguntó exasperado.

Ella asintió con la cabeza contra su pecho.

—Jade nunca llora.

—¿Qué has dicho?

No lo repetiría. Trató de alejarse de él, pero Nathan no se lo permitió. Él tenía más fuerza, más determinación. La sostuvo con un brazo y le levantó el mentón. Le apartó gentilmente el cabello del rostro.

Cuando vio el moretón oscuro en su mejilla su expresión se convirtió en sanguinaria.

—Tendría que haber matado a ese maldito.

—Soy una cobarde.

Después de realizar esa confesión, asintió con la cabeza ante la expresión de incredulidad de Nathan.

—Es verdad, Nathan. No me di cuenta hasta hoy, pero ahora sé la verdad sobre mí misma. No me parezco en nada a Jade. Los hombres tienen razón. No estoy a su altura.

Estaba tan sorprendido por sus fervientes palabras que no advirtió que la había soltado hasta que ella se volvió y corrió hasta la cama. Se sentó en el borde y se miró la falda.

—Ahora voy a dormir una siesta —volvió a repetir.

Él nunca la comprendería. Nathan negó con la cabeza y trató de no sonreír. Lastimaría los sentimientos de su esposa si creía que se estaba burlando de ella. Sara se estaba colocando el cabello sobre el lado derecho del rostro. Era obvio que se sentía incómoda por el moretón.

—No solo soy una cobarde, Nathan. Soy fea. Jade tiene ojos verdes, ¿verdad? Los hombres dicen que tiene el cabello rojo como el fuego. Jimbo dijo que es hermosa.

—¿Por qué demonios estamos hablando de mi hermana? —le preguntó Nathan. Se arrepintió de su tono rudo inmediatamente. Quería aliviar la incomodidad de Sara, no aumentarla. Le dijo con un tono más suave—: No eres una cobarde.

Le miró para que pudiera ver su ceño.

—Entonces ¿por qué me tiemblan las manos y siento que me voy a desmayar? Estoy tan asustada, y todo lo que puedo pensar es lo que podría haberte pasado.

—¿Qué podría haberme pasado? —Estaba pasmado por su admisión—. Sara, tú también estabas en peligro.

Ella actuó como si no lo hubiera escuchado.

—Podrían haberte matado.

—No lo hicieron.

Empezó a llorar otra vez. Él suspiró. Esto iba a llevar su tiempo, decidió Nathan. Sara necesitaba algo más que una rápida negativa. Necesitaba que la tocara.

Y él también necesitaba tocarla. Nathan se quitó toda su ropa menos el pantalón. Se lo desabotonó y estaba a punto de quitárselo, pero luego decidió que aún no quería que Sara supiera cuál era su intención. Solo le llamaría la atención y primero quería resolver el problema.

Sara se puso de pie cuando Nathan se sentó. Observó cómo se ponía cómodo. Nathan se apoyó contra el respaldo de madera. Tenía una pierna extendida y la otra doblada. La colocó frente a él, y luego entre sus piernas. Apoyó la espalda contra su pecho y la cabeza sobre su hombro. Nathan la había tomado de la cintura. Movió la espalda hasta que se sintió cómoda. El movimiento le hizo rechinar los dientes a Nathan. Su esposa aún no tenía idea de lo provocativa que podía ser. No advertía lo rápido que podía lograr que la deseara.

—No tienes que ocultar tu rostro de mí —le susurró. Le apartó gentilmente el cabello y le besó el cuello. Sara cerró los ojos e inclinó un poco más la cabeza para que pudiera tener un mejor acceso.

—¿Nathan? ¿Viste lo rápido que me dominó ese hombre? Si la pistola no se hubiera disparado, no podría haberme defendido. No tengo fuerza, soy diminuta.

—No tienes que tener fuerza para defenderte —le respondió.

Ese comentario no tenía ningún sentido para ella.

—Golpeé a Duggan, pero después me dolió la mano durante un largo rato. También fue un golpe miserable. Sí, uno tiene que tener si va a...

—¿Quién es Duggan?

—El hombre que estaba con el tío Henry en la taberna la noche en que nos conocimos —le explicó Sara.

Nathan recordó. Sonrió cuando pensó en el guante blanco que salió por la ventanilla.

—Tenías el elemento sorpresa de tu parte, pero no le diste el puñetazo correcto.

Le tomó la mano y le mostró cómo.

—No coloques el pulgar debajo de los otros dedos. Si lo haces te lo romperás. Ponlo aquí, fuera, debajo de los nudillos. Ahora aprieta fuerte —le ordenó—. Deja que la fuerza del golpe venga de aquí —agregó mientras le frotaba los nudillos—. Pon todo tu cuerpo en movimiento.

Sara asintió con la cabeza.

—Si tú lo dices, Nathan.

—Tienes que saber cómo cuidarte. Presta atención, Sara. Te estoy enseñando.

No se había dado cuenta de que se sentía tan insegura con Nathan hasta ese momento.

—¿No quieres ocuparte de cuidarme? —le preguntó.

Su suspiro le voló el cabello.

—Habrá ocasiones en las que yo no estaré contigo. —Trató de ser paciente con ella—. Ahora, dónde golpeas es tan importante como lo haces.

—¿Lo es?

Ella trató de volverse para mirarle. Nathan le volvió a apoyar la cabeza sobre su hombro.

—Así es. La zona más vulnerable del cuerpo de un hombre es la ingle.

—Nathan, no creerás que yo...

Nathan miró hacia el cielo exasperado.

—Es ridículo que te sientas incómoda. Soy tu esposo y deberíamos poder discutir sobre cualquier tema.

—Creo que no podría golpear a un hombre... ahí.

—Por supuesto que sí —replicó Nathan—. Maldición, Sara. Te defenderás porque yo te lo ordeno. No quiero que te suceda nada.

Si no hubiera estado tan irritado, ella se habría sentido complacida con esa afirmación. Sin embargo, Nathan no había expresado con felicidad que no quería que nada le sucediera. Era un hombre muy complejo. Le pedía que hiciera cosas que no sabía si podría hacer.

—¿Y si no puedo golpear a un hombre ahí? Los cobardes no se defienden —le anunció—. Y ya admití ese pecado.

Dios, era digna de compasión. Nathan trató de no reírse.

—Explícame por qué te consideras una cobarde —le ordenó.

—Ya te lo he explicado —exclamó Sara—. Aún me tiemblan las manos, y cada vez que pienso en lo que podría haber sucedido me aterrorizo. Ni siquiera puedo mirar el vestido sin sentirme descompuesta.

—¿Qué vestido? —le preguntó Nathan.

Ella le señaló el vestido azul que estaba en el suelo.

—Ese vestido —le dijo—. Uno de esos villanos lo tenía en las manos. Quiero que lo arrojes por la borda —agregó—. No volveré a usarlo.

—Está bien, Sara —la tranquilizó—. Me ocuparé de eso. Ahora cierra los ojos y no tendrás que mirarlo.

—Crees que soy una tonta, ¿verdad?

Él comenzó a frotarle la nariz contra el cuello.

—Creo que estás experimentando las consecuencias. Es una reacción natural, eso es todo. No significa que seas una cobarde.

Ella trató de concentrarse en lo que le estaba diciendo, pero él se lo hacía muy difícil. Le tocaba la oreja con la lengua, y su aliento tibio la entibiaba. Ya no temblaba, y comenzó a sentirse soñolienta.

—¿Siempre sufres las... consecuencias? —le preguntó con un débil susurro.

Él le estaba acariciando la parte inferior del busto. El sonido de la seda contra la piel era excitante.

—Sí —le respondió.

—¿Y qué haces?

—Busco una forma de descargar mi frustración —le explicó. Tiró de la cinta de la camisa y luego le bajó los tirantes.

Sara se sentía relajada. La voz de Nathan en su oído la tranquilizaba. Suspiró complacida y volvió a cerrar los ojos.

Él apoyó la mano en su muslo. Cuando comenzó a acariciarla entre las piernas, ella se movió contra él impaciente.

Deslizó sus dedos bajo la camisa y lentamente comenzó a encender el fuego en su interior. Sabía cuánta presión podía ejercer y dónde tocar para excitarla. Ella gimió cuando sus dedos la penetraron.

—Tranquila, nena, no forcejees.

La sostuvo con fuerza contra él y continuó con su dulce tortura. Sus dedos eran mágicos, exigentes. A Sara ya no le importaba nada, solo acabar.

—Me encanta la forma en que me respondes. Te excitas... te mojas. Es todo para mí, ¿verdad, Sara?

Ella no podía responderle. Él era más exigente con sus demandas y ella no podía detenerse. Sucedió antes de que ella se diera cuenta de que estaba sucediendo. Le tomó la mano y se la apretó con fuerza.

Fue un orgasmo explosivo. Sara quedó completamente floja y maravillada. Se recostó sobre el pecho de su esposo llena de dicha.

Tan pronto como se aquietaron los latidos de su corazón y pudo pensar, se sintió incómoda. Tenía la camisa en la cintura, y Nathan le estaba acariciando los senos.

—No sabía que podía... es decir, sin que tú estuvieras dentro de mí, no creí que fuera posible... —No podía continuar.

—Estaba dentro de ti —le susurró—. Mis dedos lo estaban, ¿recuerdas?

La volvió hasta que la colocó de rodillas frente a él. Dios santo, él era muy excitante. Se le quedó el aliento en la garganta, y advirtió que le deseaba otra vez. Le miró mientras se bajaba la camisa hasta los muslos.

Se reclinó hacia delante hasta que le apoyó los senos contra el pecho. Él ya se estaba quitando el pantalón. Era extraño, pero en unos segundos ambos arrojaron sus ropas a un lado. Una vez más, Sara estaba arrodillada entre las piernas de su esposo. Le siguió mirando mientras le tocaba. Su gemido le indicó que le agradaba esa osadía.

Luego él la tomó con las manos del cabello y la trajo hacia sí.

—Así es como te liberas de las consecuencias, Sara —le susurró. La besó y no la dejó responder. A Sara no le importó. Después de todo, él la estaba instruyendo, y ella era su aplicada estudiante.

Pasaron otra hora juntos antes de que Nathan regresara a dirigir las reparaciones. Mientras se vestía, Sara suspiró mucho. Recogió sus lápices y sus bosquejos y fue hasta la cubierta a sentarse al sol.

En poco tiempo, el trabajo había terminado, y se vio rodeada de hombres que querían que los dibujara. Sara se sintió feliz de poder complacerlos. Ellos elogiaron su trabajo y parecían sinceramente desilusionados cuando usó el último papel y tuvo que dejar de dibujar.

Nathan estaba en el mástil de la cubierta, ayudando a reforzar una de las velas más pequeñas que se había soltado con uno de los disparos de los cañones. Terminó esa tarea y se volvió para regresar al timón.

Se detuvo cuando vio a su esposa. Estaba sentada en el borde de madera, justo debajo de él. Tenía por lo menos quince hombres sentados a sus pies. Parecían estar extremadamente interesados en lo que les estaba diciendo.

Nathan se acercó. Escuchó la voz de Chester.

—¿Quiere decir que solo tenía cuatro años cuando se casó con el capitán?

—Ya nos lo explicó todo, Chester —murmuró Kently—. Fue por orden del chiflado del rey, ¿verdad, lady Sara?

—¿Se preguntó por qué el rey quería terminar con la enemistad entre las familias? —preguntó Ivan.

—Quería paz —respondió Sara.

—¿Qué fue lo que provocó las desavenencias? —preguntó otro.

—Nadie lo recuerda —acotó Chester.

—Oh, yo sé lo que provocó el desacuerdo —dijo Sara—. Lo que comenzó la enemistad fue la cruz de oro.

Nathan se apoyó contra un poste. Sonrió mientras sacudía la cabeza. Así que ella creía en esa tontería, ¿verdad? Por supuesto que sí, pensó. Era una historia fantástica, y Sara ciertamente la creía.

—Háblenos de la cruz de oro —le pidió Chester.

—Bueno, comenzó cuando el barón de Winchester y un barón St. James fueron juntos a una cruzada. Los dos hombres eran buenos amigos. Esto sucedió en la Edad Media, y todo el mundo estaba fuera tratando de salvar al mundo de los infieles. Las posesiones de los dos barones estaban una junto a la otra, y la historia cuenta que crecieron juntos en la corte del rey John. Sin embargo, no sé si eso es verdad o no. De cualquier modo —agregó encogiéndose de hombros—, los dos amigos fueron a un puerto extranjero. Allí uno de ellos salvó la vida del soberano y como recompensa le dieron una cruz gigante de oro. Sí —agregó al ver que los hombres parecían muy impresionados—, también tenía grandes piedras incrustadas. Algunas eran diamantes, otras rubíes, y se dice que era magnífica.

—¿Cómo era de grande? —exclamó Matthew.

—Como un hombre corpulento —respondió Sara.

—¿Y entonces qué sucedió? —preguntó Chester. Estaba ansioso por escuchar el resto de la historia y no le agradaban las interrupciones.

—Los dos barones regresaron a Inglaterra. Luego la cruz desapareció repentinamente. El barón de Winchester le dijo a quien quisiera escucharlo que le habían dado la cruz y que el barón de St. James se la había robado. El barón de St. James contó la misma historia.

—¿Nunca la encontraron, mi señora? —preguntó Kently.

Sara negó con la cabeza.

—Se desató la guerra entre los dos poderosos barones. Algunos dicen que nunca hubo una cruz, y que solo fue una excusa para ganar la tierra del otro. Yo creo que la cruz existe.

—¿Por qué? —preguntó Chester.

—Porque se dice que cuando el barón de St. James estaba muriendo susurró: «Mira a los cielos por tu tesoro».

Ella asintió con la cabeza después de hacer esa afirmación.

—Un hombre no miente cuando está a punto de conocer a su creador —afirmó Sara—. Después de pronunciar esas palabras se apretó el pecho y murió.

Sara se apoyó la mano en el pecho y bajó la cabeza. Algunos de los hombres comenzaron a aplaudir y luego se detuvieron.

—Usted no cree en esta historia, ¿verdad, lady Sara?

—Oh, sí —contestó Sara—. Algún día Nathan encontrará esa cruz para mí.

Nathan pensó que su esposa era una soñadora incurable. Sin embargo, sonrió pues pensó que le agradaba ese defecto en ella.

—Al parecer, el capitán tendrá que ir al cielo a buscarla —comentó Chester.

—Oh, no —replicó Sara—. Lo que el barón estaba haciendo era dando una pequeña pista al decir: «Mira al cielo». Estaba siendo muy astuto.

La conversación continuó durante algunos minutos más. Sin embargo, se estaba aproximando una tormenta y el viento era demasiado intenso para ignorarlo. Sara regresó a su camarote para dejar sus lápices. Pasó el resto del día con su tía Nora, pero al atardecer Nora bostezaba como una niña, y Sara se fue para que pudiera descansar. Era obvio que los acontecimientos de ese largo día la habían agotado.

En realidad, Sara también estaba agotada. Comenzó a dolerle la espalda cuando se preparó para acostarse. El dolor era una clara indicación de que estaba a punto de tener su menstruación.

Una hora más tarde, los calambres eran muy intensos, peores que los acostumbrados. Estaba demasiado dolorida para preocuparse porque Nathan pudiera encontrarla en esas condiciones. También tenía mucho frío, provocado por el dolor, a pesar de que el camarote estaba cálido y húmedo.

Se puso su pijama blanco de algodón, se acurrucó en la cama y se tapó con tres mantas.

No se sentía cómoda en ninguna postura. Parecía que se había quebrado en dos la parte inferior de la espalda y la agonía le hizo comenzar a sollozar.

Nathan no regresó al camarote hasta el cambio de guardia. Generalmente, Sara le dejaba una vela encendida, pero la habitación estaba completamente a oscuras.

Oyó su quejido. Encendió dos velas de inmediato y corrió hasta la cama.

Aún no podía verla. Estaba sumergida bajo una montaña de mantas.

—¿Sara?

El tono de su voz reflejaba su alarma. Al ver que ella no le respondía de inmediato, le quitó las mantas de la cara.

El miedo le produjo un sudor frío. Tenía el rostro tan blanco como las sábanas. Ella se volvió a tapar hasta la cabeza.

—Sara, por el amor de Dios, ¿qué sucede?

—Vete, Nathan —le pidió. Su voz estaba apagada por las mantas, pero él le entendió—. No me siento bien.

Parecía que estaba a punto de morirse. Nathan se preocupó más.

—¿Qué te sucede? —le preguntó con rudeza—. ¿Te duele la cara? Maldición, sabía que tenía que matar a ese bastardo.

—No es mi cara —exclamó.

—¿Entonces es fiebre? —Volvió a correr las mantas. Oh, Dios, ella no le podía explicar su condición. Era demasiado humillante. Volvió a quejarse y se alejó de él. Colocó las rodillas contra el abdomen y comenzó a mecerse hacia delante y hacia atrás para aliviar el dolor de su espalda.

—No quiero hablar de esto. No me siento bien. Por favor, vete.

Él no haría nada de eso. Le apoyó una mano en la frente. Estaba fría y húmeda.

—No es fiebre —le anunció—. Por Dios, Sara, no te he lastimado esta tarde, ¿verdad? Sé que fui un poco... fogoso, pero...

—No me lastimaste.

Nathan aún no estaba convencido.

—¿Estás segura?

Estaba complacida por su obvia preocupación.

—Estoy segura. Tú no has provocado esta enfermedad —agregó—. Solo necesito estar sola.

Sintió otro calambre y agregó con un quejido:

—Déjame morir en paz.

—No lo haré —le respondió. Tuvo otro pensamiento nefasto—. No has hecho ninguna otra cosa cuando estuviste en la galera, ¿verdad? ¿No has preparado ni comido nada?

—No. No es nada de estómago.

—¿Entonces qué demonios es?

—No estoy... limpia.

No supo qué había querido decirle.

—¿Estás enferma porque no estás limpia? Sara, esa es la enfermedad más ilógica de la que jamás he oído hablar. ¿Te sentirías mejor si ordeno que te preparen un baño?

Sintió deseos de gritarle, aunque sabía que el esfuerzo le provocaría más dolor.

—Nathan, es una condición de la mujer —susurró.

—¿Una qué?

La obligaría a decírselo.

—¡Estoy indispuesta! —le gritó—. Oh, me duele —agregó con un sollozo—. Algunos meses es peor que otros.

—Estás indispuesta...

—No estoy embarazada —exclamó al mismo tiempo que él—. Por favor, vete. Si Dios es misericordioso, moriré en unos minutos... si no es por el dolor, será por la vergüenza de haber tenido que explicarte mi condición.

Se sintió tan aliviado de que no estuviera sufriendo alguna dolencia grave que suspiró profundamente.

Luego extendió la mano para darle una palmada en el hombro. Sin embargo, ella retrocedió antes de que pudiera tocarla. Nathan se sintió incómodo, inútil.

—¿Puedo hacer algo para aliviar tu dolor? —le preguntó—. ¿Quieres algo?

—Quiero a mi madre —susurró Sara—. Pero no puedo tenerla, ¿verdad? Oh, vete, Nathan. No hay nada que puedas hacer.

Se volvió a tapar hasta la cabeza y exclamó otro doloroso lamento. Nathan decidió hacer lo que le había pedido, pensó Sara cuando oyó que cerraba la puerta. Entonces se puso a llorar. ¿Cómo se atrevía a dejarla en esa agonía? Mintió cuando le dijo que quería a su madre. Quería que Nathan la abrazara, y el obstinado tendría que haberle leído la mente y comprendido lo que ella necesitaba.

Nathan fue de inmediato al camarote de Nora. No se molestó en llamar a la puerta. Cuando la abrió, una voz profunda preguntó:

—¿Quién está ahí?

Nathan sonrió. Reconoció la voz de Matthew. Obviamente, el marinero estaba compartiendo la cama de Nora.

—Tengo que hablar con Nora —les anunció.

La tía de Sara se despertó sobresaltada. Emitió un sonido entrecortado y se tapó hasta el mentón. Se sonrojó.

Nathan se acercó un lado de la cama y se quedó allí con las manos a la espalda, mirando el suelo.

—Sara está descompuesta —le explicó antes de que Nora pudiera decir una palabra. Ante ese anuncio la incomodidad de Nora por haber sido encontrada en una posición tan comprometida se desvaneció.

—Debo ir con ella —susurró. Forcejeó para sentarse—. ¿Sabes qué le pasa?

—¿Quieres que vaya a verla? —preguntó Matthew, que ya estaba apartando las mantas hacia atrás.

Nathan negó con la cabeza.

—Es... esa cosa de las mujeres.

—¿Qué cosa de las mujeres? —preguntó Matthew, auténticamente perplejo.

Nora comprendió. Le dio una palmada en la mano a Matthew, pero siguió mirando a Nathan.

—¿Le duele mucho?

Nathan asintió con la cabeza.

—Le duele terriblemente, señora. Ahora, dígame qué puedo hacer para ayudar.

Nora pensó que parecía un comandante militar, por el tono enérgico de su voz.

—Un poco de coñac a veces ayuda —le sugirió Nora—. Una palabra amable tampoco haría ningún daño, Nathan. Recuerdo que me ponía muy sentimental cuando me indisponía.

—¿Hay algo más que pueda hacer por ella? —reiteró Nathan—. Está sufriendo, Nora. No lo lograré.

Nora hizo un esfuerzo muy grande para contener una sonrisa. Nathan parecía que quería matar a alguien.

—¿Le has preguntado qué podría ayudarla?

—Quería a su madre.

—¿Cómo podría ayudarla eso? —preguntó Matthew.

Nora le respondió.

—Ella necesita a su esposo, querido. Nathan, ella quiere alguien que la consuele. Prueba a frotarle la espalda.

Nora tuvo que levantar la voz para darle esa última sugerencia, ya que Nathan ya estaba saliendo del camarote.

Tan pronto como cerró la puerta, Nora se volvió hacia Matthew.

—¿Crees que le contará a Sara que tú y yo...?

—No, mi amor, él no dirá una palabra —le respondió Matthew.

—Odio engañar a Sara, pero ella lo ve todo blanco o negro. Creo que no comprendería.

—Tranquilízate. —Matthew besó a Nora y la tomó entre sus brazos—. La edad la hará madurar.

Nora asintió con la cabeza. Luego cambió de tema y comentó:

—Nathan está empezando a preocuparse por Sara, ¿verdad? No tardará mucho en darse cuenta de que la ama.

—Quizá la ame, Nora, pero nunca lo admitirá. El muchacho aprendió hace mucho tiempo a protegerse contra cualquier compromiso verdadero.

—Tonterías —replicó Nora—. Con una mujer común y corriente, quizá, pero seguramente habrás notado que mi Sara no es una mujer común y corriente. Ella es lo que Nathan necesita. Ella cree que su esposo la ama y no tardará mucho en convencerle de que así es. Espera y lo verás.

Sara no tenía idea de que ella era el tema de discusión. Estaba demasiado ocupada lamentándose.

No oyó que Nathan había regresado al camarote. Él le tocó el hombro.

—Sara, bebe esto. Te sentirás mejor.

Ella vio la copa en su mano e inmediatamente negó con la cabeza.

—Es coñac —le explicó. —No lo quiero.

—Bébelo.

—Lo vomitaré.

Nathan colocó la copa en el escritorio y luego se acostó junto a ella.

Ella trató de alejarle. Él ignoró sus forcejeos y sus demandas. Se volvió y se puso mirando hacia la pared. Ya no podía tolerar más el dolor. Entonces Nathan la tomó de la cintura, la acercó un poco más hacia él, y comenzó a frotarle la parte inferior de la espalda. Esos suaves masajes eran maravillosos. El dolor comenzó a ceder de inmediato. Sara cerró los ojos y se acercó a su esposo para robarle un poco más de calor.

Ella apenas advirtió que el barco se mecía y se inclinaba. Nathan sí lo notó. Su estómago era un tormento, y deseaba no haber comido nada. Se pondría verde en cuestión de minutos.

Continuó frotándole la espalda durante quince minutos sin decirle una palabra. Trató de concentrarse en la mujer que estaba acurrucada contra él, pero cada vez que el barco se movía, a él se le revolvía el estómago.

—Ya puedes detenerte —susurró Sara—. Me siento mejor, gracias.

Nathan hizo lo que le pidió y se dispuso a levantarse de la cama. Ella le detuvo con una nueva petición.

—¿Podrías abrazarme, Nathan? Tengo mucho frío. Es una noche helada, ¿verdad?

Para él era caliente como una fogata. Tenía el rostro sudado. Sin embargo, hizo lo que le pidió. Tenía las manos heladas, pero en unos minutos él se las volvió a calentar.

Pensó que finalmente se había dormido y se dispuso a levantarse otra vez, cuando ella le susurró:

—¿Nathan? ¿Y si soy estéril?

—Entonces eres estéril.

—¿Es todo lo que puedes decir? Si soy estéril no podemos tener hijos.

Nathan levantó la mirada hacia el cielo. Dios, parecía que iba a llorar otra vez.

—No puedes saber si eres estéril o no —le dijo—. Es muy pronto para llegar a esa conclusión.

—¿Pero si lo soy? —insistió Sara.

—Sara, ¿qué quieres que te diga? —le preguntó. Su frustración era casi visible. Se le volvió a dar la vuelta el estómago. Las respiraciones profundas no le ayudaban. Apartó las mantas y trató de levantarse otra vez.

—¿Aún querrías estar casado conmigo? —le preguntó—. No obtendremos la tierra que prometió el rey si no tenemos un hijo...

—Conozco las condiciones del contrato —replicó Nathan—. Si no obtenemos la tierra, entonces reconstruiremos en la tierra que me dejó mi padre. Ahora olvida las preguntas y duérmete. Regresaré en un momento.

—Aún no me has contestado. ¿Querrías seguir casado con una mujer estéril?

—Oh, por el amor de Dios...

—¿Querrías o no?

Él gruñó. Ella tomó ese gruñido como una afirmación. Se acercó y le besó la espalda. Él había dejado las velas encendidas, y cuando le miró el rostro vio que su tez estaba grisácea.

Comprendió de inmediato lo que estaba sucediendo. El barco estaba saltando como una pelota en el agua. La copa de coñac cayó al suelo. Nathan cerró los ojos e hizo una mueca.

Estaba mareado. Sara sentía lástima por su pobre esposo, pero la emoción se sofocó rápidamente cuando él susurró:

—No estaría casado con nadie si no fuera por los malditos contratos. Ahora duérmete.

Después de decirle eso, bajó las piernas de la cama.

Sara estaba furiosa otra vez. ¿Cómo se atrevía a usar ese tono de voz con ella? Ella estaba tan descompuesta como él, quizá más. Olvidó la forma gentil en la que la había tratado y decidió darle una lección al hombre que no olvidaría.

—Lamento retenerte de tus ocupaciones —comenzó diciéndole—. Mi espalda está mucho mejor ahora, Nathan. Gracias. Mi estómago tampoco me molesta. Supongo que no debí cenar ese pescado. Sin embargo, estaba delicioso, especialmente cuando le puse un poco de chocolate encima. ¿Alguna vez has probado pescado endulzado de esa manera? ¿No? —le preguntó al ver que no le respondía.

Él parecía muy apurado por volver a ponerse el pantalón. Sara siguió sonriendo.

—Generalmente le pongo azúcar, pero esta noche quise experimentar. A propósito, el cocinero prometió servirnos ostras cuando lleguemos a puerto. A mí me encantan las ostras, ¿y a ti? La forma en que se deslizan por la garganta... Nathan, ¿es que no me vas a dar un beso?

La puerta se cerró antes de que ella finalizara su pregunta. Sara sonrió. Se sintió tremendamente satisfecha por sus malas acciones. Ya era el momento de que su esposo se diera cuenta de la suerte que tenía de que fuera su esposa.

—Se lo merece por ser tan obstinado —susurró. Se tapó hasta los hombros y cerró los ojos. A los pocos minutos estaba profundamente dormida.

Nathan se pasó casi toda la noche colgando del costado del barco. Fue hasta la zona que generalmente estaba desierta y nadie le prestó atención.

El sol estaba apareciendo en el cielo cuando Nathan regresó al camarote. Se sentía como una vela mojada. Se desplomó literalmente en la cama. Sara saltó, rodó y se acurrucó contra el costado de su esposo.

Él comenzó a roncar, así que ella no pudo comenzar a hablar otra vez. Sara se inclinó y le besó en la mejilla. Bajo la tenue luz de la vela pudo ver lo pálido que estaba. También necesitaba un afeitado. Parecía feroz con esa sombra oscura en el maxilar. Sara extendió la mano para tocarle la mejilla con la punta de sus dedos. «Te amo», le susurró. «Aun con todos tus defectos, Nathan, aun así te amo. Lamento haberte hecho descomponer deliberadamente. Lamento que sufras de esa indisposición.»

Satisfecha con su confesión, especialmente porque sabía que él no había oído una palabra de lo que le había dicho, se alejó de él. Suspiró profundamente. «Creo que debes pensar en otro tipo de trabajo, esposo. Parece que el mar no te sienta muy bien.»

Abrió lentamente los ojos y luego se volvió para mirarla. Ella fingió estar dormida otra vez. Parecía tan pacífica, angelical.

Quería estrangularla. Su esposa había averiguado su enfermedad y había usado deliberadamente ese conocimiento para aprovecharse de él. Ella se había ofendido porque le dijo que si no hubiera sido por los contratos no estaría casado.

Su enojo se disipó enseguida, y sonrió. Después de todo, la pequeña Sara no era tan inocente. Había hecho exactamente lo que él habría hecho si hubiera tenido un arma a su disposición y no hubiera tenido suficiente fuerza física para desquitarse.

Cuando él estaba enojado le gustaba usar sus puños. Ella usó la cabeza y eso le complacía. Pero ya era el momento de que ella comprendiera quién estaba a cargo del matrimonio. Se suponía que no debía usar su astucia con él.

Estaba encantadora. De pronto, sintió deseos de hacer el amor con ella. No podía, por supuesto, debido a su condición delicada, y casi la sacudió para preguntarle cuánto duraba esa cosa de las mujeres.

Finalmente, el agotamiento le derrotó. Cuando ya se estaba durmiendo sintió que Sara le tomaba la mano. No la alejó. Su último pensamiento antes de dormirse fue un poco exaltado.

Necesitaba que le abrazara.

Faltaban dos días para llegar a la casa de Nora, y Nathan comenzó a pensar otra vez que el resto del viaje iba a transcurrir sin novedades.

Se equivocó.

Era el atardecer del día veintiuno del mes. Arriba había más estrellas que cielo, y la brisa era bastante agradable. El viento era apacible, aunque constante. Iban a una buena velocidad. El poderoso barco atravesaba el océano sin mecerse ni sacudirse de un lado a otro. Un hombre podía poner una copa sobre la baranda sin temor a perderla, ya que el mar estaba muy calmado y no había ninguna preocupación que pudiera perturbar los sueños de un marinero.

Nathan estaba cerca de Jimbo, junto al timón. Los dos hombres estaban discutiendo los planes de expansión de la Emerald Shipping Company. Jimbo estaba a favor de añadir más circuitos a su flota, mientras que Nathan quería barcos más fuertes y duraderos.

Sara interrumpió la conversación cuando apareció corriendo por la cubierta. Tenía puesto solo el camisón y la bata. Jimbo advirtió eso de inmediato. Sin embargo, Nathan estaba de espaldas a su esposa, y como ella estaba descalza no la oyó aproximarse.

—Nathan, debo hablar contigo de inmediato —exclamó—. Tenemos un problema terrible y debes ocuparte de él ahora mismo.

Cuando se volvió, Nathan tenía una expresión de resignación en el rostro, pero esa expresión desapareció cuando vio la pistola en la mano de su esposa. El arma estaba apuntando a su ingle.

Sara estaba histérica por algo. Tenía un aspecto extraño, el cabello desarreglado sobre los hombros y las mejillas brillantes.

Luego advirtió su vestimenta.

—¿Por qué estás contoneándote por la cubierta con ropa de cama? —le preguntó.

Sara abrió grandes los ojos ante su reproche.

—No me estaba contoneando —comenzó a decirle,

pero se detuvo y sacudió la cabeza—. Este no es el momento de regañarme por mi vestimenta. Tenemos un serio problema, esposo.

Se volvió hacia Jimbo. Su cortesía parecía extraña con la pistola en la mano.

—Por favor disculpa mi aspecto poco femenino, Jimbo, pero tuve un disgusto y no tuve tiempo de cambiarme.

Jimbo asintió con la cabeza mientras miraba la pistola que ella movía hacia atrás y adelante entre él y Nathan. Ella parecía no darse cuenta de que la tenía.

—¿Tuvo un disgusto? —le preguntó Jimbo.

—¿Qué estás haciendo con esa pistola? —le preguntó Nathan al mismo tiempo.

—Podría necesitarla —le explicó Sara.

—Lady Sara —le dijo Jimbo al ver que Nathan parecía haberse quedado sin palabras—, cálmese y díganos qué la disgustó. Muchacho —agregó con un gruñido—, quítale esa pistola antes de que se lastime.

Nathan extendió la mano para quitarle la pistola. Sara retrocedió y la ocultó en su espalda.

—Fui a ver a Nora. Quería desearle buenas noches.

—¿Y? —le preguntó Nathan al ver que no continuaba.

Miró a Jimbo durante un momento antes de decidir si lo incluiría en su explicación, luego miró sobre su hombro para asegurarse de que nadie más los estaba escuchando.

—No estaba sola.

Susurró el comentario y esperó la reacción de su esposo. Él se encogió de hombros.

Sara tenía ganas de patearle.

—Matthew estaba con ella —asintió con vehemencia después de contarles la novedad.

—¿Y? —insistió Nathan.

—Estaban juntos en la cama.

Volvió a agitar la pistola.

—Nathan, tienes que hacer algo.

—¿Qué te gustaría que hiciera?

Parecía muy complaciente, pero estaba haciendo una mueca. El hombre no estaba sorprendido por la noticia que ella acababa de darle. Sara tendría que haber sabido que reaccionaría de esa manera. Nada parecía disgustarle... excepto ella. Ella siempre le disgustaba, admitió.

—Ella quiere que le pidas a Matthew que se vaya —intervino Jimbo—. ¿No es así, Sara?

Ella negó con la cabeza.

—Es un poco tarde para cerrar la puerta del granero, Jimbo. La vaca ya se escapó.

—No entiendo —replicó Jimbo—. ¿Qué tienen que ver las vacas con su tía?

—Él la ha deshonrado —le explicó.

—Sara, si no quieres que Matthew deje en paz a Nora, ¿qué quieres que haga? —le preguntó Nathan.

—Tienes que casarlos —respondió Sara—. Ven conmigo, esposo. Tenemos que hacerlo ahora. Jimbo, tú puedes servir como testigo.

—No puedes estar hablando en serio.

—Deja de sonreír, esposo. Hablo muy en serio. Tú eres el capitán de este barco, así que los puedes casar legalmente.

—No.

—Lady Sara, usted propone las sugerencias más sorprendentes —acotó Jimbo.

Era obvio que ninguno de los dos hombres la tomaba en serio.

—Soy responsable de mi tía —dijo Sara—. Matthew ha manchado su honor y debe casarse con ella. ¿Sabes, Nathan? Esto realmente resolverá otra preocupación. Mi tío Henry ya no perseguirá a Nora por su herencia una vez que ella se haya vuelto a casar. Sí, esto tendrá un final feliz.

—No —respondió Nathan enfáticamente.

—Sara, ¿Matthew se quiere casar con Nora?

Se volvió y le frunció el entrecejo al marinero.

—No importa si él quiere o no.

—Sí, importa —replicó Jimbo.

Sara comenzó a mover otra vez la pistola.

—Bueno, veo que no obtendré ninguna ayuda de vosotros.

Antes de que los hombres pudieran asentir, Sara se volvió y se dirigió hacia la escalera.

—Me agrada Matthew —murmuró—. Es una vergüenza.

—¿Qué piensa hacer, lady Sara? —exclamó Jimbo.

Ella no se volvió cuando le gritó su respuesta.

—Él se va a casar con Nora.

—¿Y si no lo hace? —le preguntó Jimbo sonriendo.

—Entonces le dispararé. No me gustaría, Jimbo, pero tendré que dispararle.

Nathan la siguió. La tomó de la cintura, la levantó y le quitó la pistola.

—No vas a disparar a nadie —le dijo con un gruñido.

Entregó la pistola a Jimbo y luego arrastró a Sara hasta el camarote. Cerró la puerta y continuó hasta la cama.

—Suéltame, Nathanial.

—No vuelvas a llamarme Nathanial —le ordenó.

—¿Por qué no puedo llamarte por tu nombre?

—No me gusta, por eso —le explicó.

—Esa es una razón estúpida —replicó Sara. Se puso las manos en las caderas y le miró con el entrecejo fruncido. Se le abrió la bata y Nathan vio sus senos apretados contra el camisón.

—Sara, ¿cuándo termina esta condición tuya? —le preguntó.

Ella no le respondió, y volvió sobre el tema de su nombre.

—Dime, ¿por qué no te gusta que te llamen Nathanial?

Avanzó un paso de manera amenazadora.

—Cuando lo escucho me pongo rojo, Sara. Me dan ganas de pelear.

Esa no era una explicación satisfactoria, pero no se lo diría.

—¿Cuándo no tienes ganas de pelear, esposo?

—No me provoques.

—No me grites.

Él respiró profundamente. Eso no le calmó.

Ella sonrió.

—Está bien —susurró tratando de apaciguarle—. No volveré a llamarte Nathanial... a menos que quiera que te enfades. ¿De acuerdo?

Él pensó que esos comentarios eran demasiado ignorantes para responderlos. La colocó en el borde de la cama.

—Ahora es tu turno de responderme, Sara. ¿Cuándo termina esta maldita cosa de las mujeres?

Ella se quitó lentamente la bata. Se tomó su tiempo para doblarla.

—No vas a hacer nada sobre Matthew y Nora, ¿verdad? —le preguntó.

—No —le contestó—. Y tú tampoco. Déjalos tranquilos. ¿Me entiendes?

Ella asintió con la cabeza.

—Voy a tener que pensar mucho en esto, esposo.

Antes de que pudiera hacerle algún comentario punzante sobre su habilidad para pensar, Sara se quitó el camisón y lo tiró sobre la cama.

—Ya he terminado con esta maldita cosa de mujeres —susurró tímidamente.

Estaba tratando de ser atrevida, pero el rubor arruinó el efecto. Nathan la hacía sentir extraña por la forma en que la miraba. Sara suspiró y se acercó a él.

Nathan hizo que ella le besara primero. Ella se sentía complaciente. Le abrazó y le cogió del cabello para acercar su boca a la de ella.

Y cómo le besó. Su boca estaba ardiente; su lengua, impetuosa, y no tardó en obtener la respuesta que deseaba.

Entonces, Nathan se encargó de todo. Sostuvo a su cautiva del cabello y volvió a bajar lentamente la cabeza. Abrió la boca y fundió su lengua con la de ella. Sus senos estaban apretados contra el pecho desnudo de Nathan y le tenía abrazado fuerte de la cintura.

Gimió cuando ella le succionó la lengua, así que lo volvió a hacer. El sonido que emitió fue tan excitante para ella como su beso, y parecía que ya no podía estar más cerca de él.

Él trató de alejarse para quitarse la ropa, pero se detuvo cuando ella le besó el cuello. Comenzó a temblar. Le apretó los hombros. Volvió a advertir lo frágil que era al sentir su piel sedosa contra sus palmas rugosas.

—Eres tan delicada —le susurró—. Y yo...

No pudo expresar su pensamiento pues ella le hacía olvidar todo, solo le hacía sentir. Le besó cada centímetro del pecho. Le tocó las tetillas con la punta de la lengua. Cuando le ordenó que dejara de atormentarle, ella duplicó sus esfuerzos para enloquecerle.

Tuvo que detenerse cuando él le tiró del cabello y le apoyó el rostro contra el pecho. Nathan respiró profundamente. Ella le acarició el ombligo. Él dejó de respirar. Ella sonrió.

—Me haces sentir tan viva, tan fuerte. Quiero mostrarte lo mucho que te amo, Nathan. ¿Me dejarás?

Él comprendió su intención cuando ella comenzó a desabotonarle el pantalón. Le temblaban las manos. Luego se arrodilló lentamente. Después de eso, Nathan no recordó nada más. Su pequeña y delicada esposa se había convertido en una llamarada de sensualidad. Era como el sol, abrazándole con su suave boca, su lengua húmeda, su caricia excitante.

Nathan ya no soportaba la dulce agonía. No fue muy gentil cuando la levantó, le colocó las piernas alrededor de su cintura y le dio un beso profundo, embriagador.

—Dios mío, Sara, espero que estés preparada para mí —susurró—. Ya no puedo esperar más. Tengo que estar dentro de ti. Ahora. Luego podré hacerlo más despacio, te lo prometo.

Trató de cambiar de posición, pero ella le tiró del cabello.

—Nathan, dime que me amas —le pidió.

Le respondió besándola otra vez. Sara pronto olvidó todo sobre la declaración de amor que quería escuchar. Hundió sus uñas en los omóplatos de Nathan, y solo podía pensar en acabar.

La tomó de las caderas y comenzó a penetrarla lentamente.

Ella reclinó la cabeza hacia atrás y gimió.

—Por favor, Nathan, apúrate.

—Primero quiero volverte loca. Como tú...

Ella le mordió el cuello. Él la penetró más. Nathan estaba temblando tanto como ella. Sara le apretó con fuerza. Él gimió con placer.

Amortiguó la caída sobre la cama con una rodilla, y luego la cubrió completamente. Le tomó el rostro, se apoyó sobre los codos, y le besó suavemente la frente, la nariz, sus dulces labios.

—Dios, eres tan bella... —Le mordisqueó el cuello, le lamió el lóbulo de la oreja y lo último que recordaba haberle dicho era que esta vez él marcaría el ritmo.

Pero entonces ella levantó las rodillas y le introdujo más en ella. Se arqueó contra él. Nathan no podía soportar una provocación tan grande. Se sintió envuelto por su calor, su fragancia embriagadora... su amor.

La cama chirriaba con cada movimiento. Nathan quería que durara para siempre. La fiebre de la pasión ardía entre ellos. De pronto, Sara se aferró a él con más fuerza. Gritó su nombre. La entrega fue mutua. Su gruñido gutural ahogó los violentos latidos de sus corazones.

Él se desplomó sobre ella, demasiado débil para moverse, demasiado complacido para querer alejarse de ella. Apoyó la cabeza en un lado de su cuello. Su respiración era profunda, temblorosa. La de ella también. Eso le hizo sonreír por dentro.

Tan pronto como ella se aflojó, él se puso de costado. La llevó consigo porque al parecer no podía soltarla.

Sara no podía dejar de llorar.

Era un alegre interludio, pero él sabía que pronto comenzaría a regañarle otra vez para que le dijera las palabras que quería escuchar.

Él no quería decepcionarla, pero no le mentiría. Y en un rincón de su mente se instaló el temor. ¿Y si no era capaz de darle lo que ella quería?

Nathan se consideraba un maestro cuando se trataba de herir a la gente. Tenía mucha experiencia en ese tema. Sin embargo, cuando se trataba de amar a alguien no tenía la menor idea. Solamente pensar en el problema le asustaba. No podía convertirse en alguien tan vulnerable, pensó. No podía.

Ella le sintió tenso. Sabía lo que iba a suceder después. Trataría de dejarla. Sin embargo, esta vez no le dejaría, y juró que si tenía que hacerlo, le seguiría afuera del camarote.

¿Cómo podía su esposo ser tan gentil, tan maravillosamente considerado cuando le hacía el amor, y luego convertirse en una estatua de hielo? ¿Qué le pasaba por la mente?

—¿Nathan?

Él no respondió. Ella esperaba esa rudeza.

—Te amo —le susurró Sara.

—Lo sé —le respondió cuando le tocó suavemente con el codo.

—¿Y? —insistió ella.

Nathan suspiró profundamente.

—Sara, no tienes que amarme. No es un requerimiento de este matrimonio.

Pensó que había sido muy lógico al hacer esa exposición de los hechos. En su forma de pensar había eludido bastante bien el verdadero asunto. Sara trató de echarle de la cama.

—Eres el hombre más obstinado que jamás he conocido. Escucha bien, Nathan. Tengo algo que decirte.

—¿Cómo podría no escuchar, Sara? Estás gritando otra vez como una arpía.

En eso tenía razón, pensó Sara. Se puso de espaldas, se tapó y miró al techo.

—Me has frustrado —susurró.

Nathan no aceptó esa observación.

—Por supuesto que no —le contestó. Apagó la llama de la vela, se puso de costado y la tomó entre sus brazos—. Te he satisfecho cada vez que te he tocado.

Eso no era lo que le había querido decir, pero estaba tan arrogantemente complacido consigo mismo que Sara decidió no discutir.

—Aún tengo algo importante que decirte, Nathan. ¿Me escucharás?

—¿Prometes que te dormirás inmediatamente después de haberlo dicho?

—Sí.

Él gruñó. Sara pensó que ese sonido significaba que realmente no le había creído. Estaba a punto de decirle lo que pensaba de su rudo comportamiento, cuando Nathan la acercó más a él y comenzó a frotarle suavemente la espalda. Le apoyó el mentón en la cabeza.

Se mostraba extremadamente cariñoso. Sara estaba asombrada. Se preguntaba si se daba cuenta de lo que hacía.

Decidió que no le importaba si lo sabía o no. La acción era tan notable que no podía contener la felicidad que llenaba su corazón.

Trató de alejarse solo para probarle. La abrazó con más fuerza.

—Está bien, Sara —le anunció—. Me gustaría dormir un poco esta noche. Dime qué tienes en mente y así podré descansar.

Ella no podía dejar de sonreír. Eso estaba bastante bien, pensó, ya que él no podía verle la expresión. Le apretó el rostro contra el cuello. Le apartó suavemente el cabello de la sien.

Estaba decidida a que le dijera que la amaba. Creía que una vez que se lo dijera, advertiría que ella tenía razón. Sin embargo, él aún no estaba preparado para admitir la verdad.

Finalmente, la revelación se había instalado en su mente. La desconcertó un poco. Nathan tenía miedo. No estaba segura de si tenía miedo de amar a alguien o de amarla a ella... pero tenía miedo.

Se enfurecería si le decía lo que estaba pensando. A los hombres no les gustaba oír que tenían miedo a algo.

—Maldición, Sara, apúrate a decírmelo y así podré dormir.

—¿A decir qué? —replicó mientras pensaba rápidamente en algún otro tema de conversación.

—Dios mío, me vuelves loco. Has dicho que tenías algo importante que decirme.

—Así es.

—¿Y?

—Nathan, no me aprietes tanto —susurró. Él aflojó su abrazo de inmediato—. Me parece que he olvidado lo que quería decirte.

Nathan le besó la frente.

—Entonces duérmete —le dijo.

Ella se apretó contra él.

—Eres un hombre bueno, Nathan —susurró esas palabras de elogio y bostezó con fuerza, de manera muy poco femenina—. Realmente me complaces la mayor parte del tiempo.

Su risita la reconfortó. Sin embargo, para ella no era suficiente.

—Ahora es tu turno.

—¿Mi turno de qué? —le preguntó Nathan fingiendo deliberadamente no entender para fastidiarla.

Sara estaba demasiado cansada para regañarle. Cerró los ojos y volvió a bostezar.

—Oh, no importa. Puedes tener tu turno mañana.

—Eres una mujer buena —le susurró—. Tú también me complaces.

Su suspiro de felicidad inundó la habitación.

—Lo sé —le respondió.

Se quedó dormida antes de que él pudiera sermonearla sobre los méritos de la humildad. Nathan cerró los ojos. Necesitaba descansar, pues solo Dios sabía qué podía suceder al día siguiente, con lady Sara tratando de manejar las cosas.

Si algo había aprendido durante las últimas semanas era a no esperar lo acostumbrado.

Creía que tendría que proteger a su esposa del mundo. Ahora sabía la verdad. Su deber era proteger al mundo de su esposa.

Era una revelación absurda, pero el marqués se durmió con una sonrisa en sus labios.

11

El día que fondearon en las profundas aguas caribeñas que rodeaban la casa de Nora, Sara descubrió que su esposo tenía más de dos títulos. No era solo el marqués de St. James y el conde de Wakersfield.

También era Pagan.

Estaba tan sorprendida por la novedad que literalmente se desplomó sobre la cama. No había escuchado escondida deliberadamente, pero la puerta del techo de su camarote estaba abierta y los dos marineros estaban hablando en voz alta. Sara comenzó a prestar atención sobre lo que estaban hablando solo cuando sus voces se convirtieron en un susurro.

Se negó a creer lo que había escuchado hasta que Matthew entró en la conversación y habló sobre el botín que habían repartido de su última correría.

Entonces tuvo que sentarse.

En realidad, estaba más asustada que horrorizada por la revelación. Su temor era por Nathan, y cada vez que pensaba en los riesgos que había corrido cuando había abordado otros barcos, le dolía el estómago. Tenía un pensamiento funesto tras otro. Se lo imaginó rumbo a la horca, pero no se permitiría imaginar esa posibilidad. Cuando se dio cuenta de que iba a vomitar el desayuno alejó esos funestos pensamientos de su mente.

Sara habría estado completamente desesperada si no hubiera sido por el último comentario que escuchó de Chester. El marinero admitió que estaba muy feliz de que sus días de piraterías hubieran quedado atrás. La mayoría de los hombres, agregó, estaban listos para emprender una vida familiar, y sus ahorros ilegales les darían un buen comienzo.

Se sintió tan aliviada que comenzó a llorar. Después de todo, no tendría que salvar a Nathan de sí mismo. Al parecer ya había comprendido el error de sus métodos. Rezó porque lo hubiera hecho. No podía tolerar pensar en perderle. Le amaba desde hacía tanto tiempo, y era demasiado devastador pensar en una vida sin que él le gritara, gruñera... y la amara.

Sara pasó la mayor parte de la mañana preocupándose por Nathan. Al parecer no podía liberarse de su miedo. ¿Y si uno de sus hombres traicionaba a su esposo? La recompensa por la cabeza de Pagan era enorme. No, no, no pienses en eso, se dijo. Los hombres eran muy leales. Sí, ya lo había notado. ¿Por qué buscarse problemas? Sucedería lo que tuviera que suceder, sin importar cuánto se impacientara de antemano.

No importaba lo que sucediera, ella permanecería junto a su esposo y le defendería como pudiera.

¿Matthew le habría confiado su oscuro pasado a Nora? Y si así era, ¿le habría dicho que Nathan era Pagan? Sara decidió que nunca se enteraría. No le diría a nadie lo que sabía, ni siquiera a su querida tía. Se llevaría el secreto a la tumba.

Cuando Nathan regresó al camarote a buscar a su esposa, la encontró sentada en el borde de la cama, con la mirada perdida. Dentro hacía mucho calor, pero Sara estaba temblando. Pensó que no se sentía bien. Estaba pálida sin embargo, el síntoma más notable era que apenas le dijo una palabra.

Su preocupación se intensificó cuando se sentó tranquilamente en el bote que los llevó hasta el muelle. Tenía las manos cruzadas sobre la falda, la mirada baja y no parecía interesada en lo que la rodeaba.

Nora se sentó junto a Sara y mantuvo una conversación fluida. Se secó la frente con un pañuelo y se abanicó para refrescarse.

—Pasarán uno o dos días hasta que nos acostumbremos al calor —comentó—. A propósito, Nathan, a medio kilómetro de mi casa hay una hermosa catarata. El agua baja de la montaña. Es pura como la sonrisa de un bebé. En la parte inferior hay un estanque, y solo tienes que buscar un poco de tiempo para llevar a Sara a nadar allí.

Se volvió para mirar a su sobrina.

—Sara, quizá ahora puedas aprender a nadar.

Sara no le respondió. Nora le dio un golpecito con el codo para que la escuchara.

—Lo lamento —dijo Sara—. ¿Qué has dicho?

—Sara, ¿en qué estás soñando despierta? —le preguntó Nora.

—No estaba soñando despierta. —Miró fijamente a Nathan cuando le contestó. También frunció el entrecejo.

Nathan no sabía qué pensar de eso.

—No se siente bien —le comentó a Nora.

—Me siento perfectamente bien —replicó Sara.

A Nora se le notaba la preocupación en el rostro.

—Has estado terriblemente preocupada —le señaló—. ¿Te molesta el calor?

—No —contestó Sara. Suspiró—. Solo estaba pensando en algunas cosas.

—¿Alguna cosa en especial? —insistió Nora.

Sara continuó mirando fijamente a Nathan. Él levantó una ceja al ver que no le respondía a su tía.

Nora rompió la lucha de miradas cuando volvió a formular su pregunta.

—Estaba sugiriendo que ahora sería una excelente oportunidad para aprender a nadar.

—Yo te enseñaré.

Nathan se ofreció para esa tarea.

Sara le sonrió.

—Gracias por tu ofrecimiento, pero creo que no quiero aprender. No hay necesidad.

—Por supuesto que sí —le respondió Nathan—. Aprenderás antes de que regresemos a Inglaterra.

—No quiero aprender —le volvió a decir—. No necesito saber.

—¿Qué quieres decir con que no necesitas? —le preguntó Nathan—. Por supuesto que lo necesitas.

—¿Por qué?

Ella estaba tan auténticamente perpleja que él perdió un poco de su irritación.

—Sara, si sabes nadar no tendrás que preocuparte por ahogarte.

—Ahora no me preocupa —replicó.

—Maldición, te preocupará.

Ella no podía comprender por qué se irritaba tanto.

—Nathan, no me ahogaré.

Esa afirmación le dio una pausa.

—¿Por qué no?

—Tú no lo permitirías. —Sara sonrió.

Nathan se tomó las rodillas y se inclinó hacia delante.

—Tienes razón —le respondió con un tono razonable—. No permitiría que te ahogaras.

Sara asintió con la cabeza. Se volvió hacia Nora.

—¿Ves, Nora? Realmente no hay necesidad de...

Nathan la interrumpió.

—Sin embargo —le anunció con un tono más alto—, ¿qué sucederá cuando no esté contigo?

Ella le miró exasperada.

—Entonces no querré ir al agua.

Él respiró profundamente.

—¿Y si te caes al agua por accidente?

—Nathan, esto se parece a la discusión que tuvimos sobre aprender a defenderme —le dijo con un tono de sospecha.

—Es exactamente la misma discusión —replicó Nathan—. No quiero tener que preocuparme por ti. Vas a aprender a nadar, y se terminó la discusión.

—Nora, ¿has visto cómo me grita todo el tiempo? —preguntó Sara.

—No trates de inmiscuirme en esta discusión —respondió su tía—. No tomaré partido.

Esposo y esposa permanecieron en silencio. No intercambiaron otra palabra hasta que llegaron al muelle.

Finalmente, Sara miró a su alrededor.

—Oh, Nora, todo está más verde y exuberante de lo que recordaba.

El paraíso tropical vibraba con cada color del arco iris. Sara permaneció en el muelle mirando las colinas a la distancia. El sol atravesaba las palmeras, brillando sobre la multitud de delicadas flores rojas que salpicaban las montañas.

Las casas de madera pintadas con tonos rosa y verde pastel, y techos color cobre, contrastaban contra las montañas que miraban hacia el puerto. Sara hubiera querido tener sus lápices y papeles a mano para capturar ese cuadro creado por Dios. Casi de inmediato se dio cuenta de que no podía duplicar la obra maestra, y suspiró profundamente.

Nathan se acercó a ella. La expresión de inocencia de su rostro le quitó la respiración.

—¿Sara? —le dijo al ver que se le estaban llenando los ojos de lágrimas—. ¿Te sucede algo?

Sin dejar de contemplar las montañas le respondió:

—Es magnífico, ¿verdad, Nathan?

—¿Qué es magnífico?

—El cuadro que Dios nos dio —susurró—. Mira las montañas. ¿Ves cómo el sol actúa como marco? Oh, Nathan, es realmente magnífico.

Él no desvió la mirada. Miró fijamente a su esposa durante lo que le pareció una eternidad. Un suave calor le penetró el corazón, el alma. No pudo evitar tocarla. Le acarició la mejilla con un dedo.

—Tú eres magnífica. Solo ves la belleza de la vida.

Sara estaba sorprendida por la afectación de su voz. Se volvió y le sonrió.

—¿En serio?

Pero él había bajado la guardia solo un momento. Antes de que Sara pudiera pestañear, Nathan había cambiado de humor. Se puso enérgico cuando le dijo que dejara de perder tiempo y no se retrasara.

Sara se preguntó si alguna vez lograría comprenderle. Caminó junto a su tía por los tablones de madera que conducían a la calle mientras consideraba la confusa personalidad de su esposo.

—Sara, querida, tienes el entrecejo fruncido. ¿Te molesta el calor?

—No —le respondió—. Solo estaba pensando en qué hombre más confuso es mi esposo —le explicó—. Nora, él realmente quiere que me convierta en autosuficiente —le confesó—. Nathan me ha hecho notar lo dependiente que he tratado de ser. Creía que tenía que hacerlo —agregó encogiéndose de hombros—. Pensé que él tenía que cuidarme, pero quizá estaba equivocada. Creo que aún me apreciaría más si pudiera defenderme sola.

—Creo que estaría muy orgulloso de tus esfuerzos —le respondió Nora—. ¿Realmente quieres estar a merced de un hombre? Piensa en tu madre, Sara. Ella no está casada con un hombre tan considerado como Nathan.

Su tía le había dado algo en qué pensar. Sara no había considerado que Nathan podría convertirse en un hombre cruel. Pero ¿y si lo hacía?

—Debo pensar en lo que me has dicho —le contestó.

Nora le palmeó la mano.

—Lo resolverás todo en tu mente. No frunzas el entrecejo. Te dolerá la cabeza. ¿No es un día encantador?

Había varios hombres en la acera. Cuando Sara pasó todos la miraron. Nathan observó con el entrecejo fruncido sus lujuriosas miradas, y cuando un hombre silbó, Nathan se enfureció. Cuando pasó junto al hombre le dio un puñetazo en el rostro.

El golpe tiró al hombre al agua. Sara miró sobre su hombro cuando oyó ruido. Fue una acción abstraída, ya que ella también estaba tratando de concentrarse en lo que le estaba diciendo Nora. Vio a Nathan y él le sonrió. Ella también le sonrió antes de volverse.

Todos menos uno de los hombres salieron del camino cuando Nathan pasó. El individuo menos cauteloso tenía la nariz fina y estrabismo.

—Es atractiva, ¿verdad? —comentó.

—Es mía —le anunció Nathan con un gruñido. En lugar de golpear al insolente, simplemente le empujó fuera del muelle.

—Muchacho, te estás poniendo un poco protector, ¿no crees? —comentó Jimbo. Hizo un mohín cuando agregó—: Es solo una esposa.

—Ella no se da cuenta de su atractivo —respondió Nathan—. Si hubiera visto cómo la miraban esos malditos no habría caminado de esa manera.

—¿Cómo está caminando? —le preguntó Jimbo.

—Sabes muy bien de qué estoy hablando. La forma en que mueve las caderas... —No continuó con la explicación sino que volvió a pensar en la última observación de Jimbo—. Y ella no es solo una esposa. Ella es mi esposa.

Jimbo decidió que ya había azuzado lo suficiente a Nathan. El muchacho se estaba poniendo furioso.

—Por el aspecto de este lugar veo que no podremos conseguir los materiales para arreglar el mástil.

Esa malhumorada profecía se convirtió en realidad. Después de enviar a Sara con Nora y Matthew para que se instalara en la casa de Nora, Nathan fue con Jimbo a explorar la diminuta villa.

Nathan no tardó en coincidir con que tendrían que viajar hasta un puerto más grande. De acuerdo con los mapas, el puerto más cercano para conseguir los materiales quedaba a dos días de viaje.

Nathan sabía que a su esposa no le agradaría oír hablar de su partida. Mientras subía por la colina decidió que se lo diría de inmediato para terminar de una vez con la inevitable escena.

Cuando llegó a la casa de Nora se sorprendió un poco. Esperaba encontrar una pequeña cabaña, pero la residencia de Nora era tres veces mayor. Era una estructura grande, de dos pisos. El exterior era rosa pálido. La galería que rodeaba el frente y los costados estaba pintada de blanco.

Sara estaba sentada en una mecedora cerca de la puerta. Nathan subió por la escalera y le anunció:

—Mañana partiré con la mitad de la tripulación.

—Está bien.

Sara trató de controlar su expresión. De pronto se sintió llena de pánico. ¿Se iría él otra vez en alguna de sus correrías? Nora había mencionado que su casa de la isla estaba cerca de la guarida de los piratas, ubicada un poco más allá de la costa. ¿Nathan se encontraría con sus antiguos socios y correría una última aventura?

Sara respiró profundamente. Sabía que estaba sacando conclusiones por adelantado, pero no podía evitarlo.

—Tenemos que navegar hasta un puerto más grande, Sara, para conseguir los materiales que necesitamos para arreglar el *Seahawk*.

Ella no creyó una palabra de la historia. Nora vivía en una villa de pescadores, y seguramente los marineros tendrían suficientes materiales a mano. Sin embargo, no iba a permitir que Nathan supiera lo que ella sospechaba. Cuando estuviera listo para decirle que él era Pagan, se lo diría. Hasta ese momento fingiría que le creía.

—Comprendo —le contestó.

Nathan estaba sorprendido por su aceptación. Estaba acostumbrado a discutir con ella por todo. Su cambio de actitud realmente le preocupaba. Se había estado comportando de manera muy particular durante todo el día.

Se apoyó contra la barandilla y esperó que ella dijera algo más. Sara se puso de pie y entró en la casa.

Nathan la alcanzó en el salón de entrada.

—No tardaré mucho.

Ella siguió caminando. Ya había llegado al primer piso cuando él la tomó de los hombros.

—Sara, ¿qué te sucede?

—Nora nos dio la segunda habitación de la izquierda, Nathan. Solo traje algunas cosas, quizá sería mejor que algunos de tus hombres trajeran mi baúl.

—Sara, no te vas a quedar tanto tiempo aquí —replicó Nathan.

—Comprendo.

¿Y si te matan en el mar?, quería gritarle. ¿Entonces

qué, Nathan? ¿Alguien se molestaría en venir a avisarme? Era horrible pensar en eso.

Sara se encogió de hombros y continuó su camino. Nathan volvió a seguirla.

La habitación que les habían asignado daba al mar. Las ventanas estaban abiertas, y el arrullador sonido de las olas golpeando contra las rocas retumbaba en la espaciosa habitación. Entre las dos ventanas había una cama grande, con una encantadora colcha multicolor. Cerca del armario que se encontraba junto a la puerta, había una gran silla de terciopelo verde. El color de las cortinas hacía juego con el de la silla.

Sara fue hasta el armario y comenzó a colgar sus vestidos.

Nathan se apoyó en la puerta y observó durante un momento a su esposa.

—Está bien, Sara. Algo sucede y quiero saber de qué se trata.

—No sucede nada —le respondió con voz temblorosa. No se volvió.

Maldición, pensó, algo andaba mal, y no se iría de la habitación hasta averiguar qué era.

—Que tengas buen viaje, esposo. Adiós.

Nathan sintió ganas de gruñir.

—No me voy hasta mañana.

—Comprendo.

—¿Podrías dejar de decir comprendo? —rugió—. Maldición, Sara, deja de actuar con tanta frialdad conmigo. No me gusta.

Ella se volvió para que viera su ceño.

—Nathan, te he pedido innumerables veces que dejes de decir blasfemias en mi presencia porque no me agrada, pero eso no te detiene, ¿verdad?

—Eso no es lo mismo. —No estaba irritado porque casi le había gritado. En realidad, le complacía que estuviera reaccionando nuevamente. Estaba actuando con frialdad e indiferencia.

Sara no podía comprender por qué le estaba sonriendo. Parecía aliviado. Era evidente que Nathan había pasado demasiados días al sol.

Se le ocurrió un plan.

—Ya que te gusta tanto usar blasfemias, debo suponer que obtienes una inmensa satisfacción cuando usas esas palabras ignorantes. —Se detuvo y le sonrió—. He decidido que yo también usaré palabras pecaminosas para probar esta teoría. También voy a averiguar si te gusta escuchar que tu esposa hable de manera tan vulgar.

Su risa no le molestó.

—Las únicas palabras que conoces son maldición y demonios, Sara, porque esas son las únicas blasfemias que he empleado en tu presencia. He sido considerado —agregó asintiendo con la cabeza.

Ella negó con la cabeza.

—Te escuché decir otras palabras cuando no sabías que yo estaba en la cubierta. También escuché el colorido vocabulario de la tripulación.

Él comenzó a reírse otra vez. Le parecía muy divertido que su delicada esposa usara palabras obscenas. Era una dama tan femenina, tan suave y delicada que no podía imaginarla diciendo ni una palabra ruda.

Un grito de Matthew interrumpió la discusión.

—Nora os está esperando en la sala —gritó hacia arriba.

—Baja tú —le ordenó Sara—. Solo me faltan dos vestidos para terminar. Dile que bajaré enseguida.

Nathan odió la interrupción. Se estaba divirtiendo mucho.

Suspiró y se encaminó hacia la puerta.

Sara tuvo la última palabra cuando le comentó con tono alegre:

—Nathan, es una maldita tarde de calor, ¿no es verdad?

—Así es —le respondió.

No permitiría que supiera que no le gustaba que hablara como una vulgar ramera. Lo que Sara le decía en privado era una cosa, pero sabía muy bien que nunca usaría esas blasfemias en público.

Tuvo oportunidad de comprobarlo más pronto de lo que pensaba.

Había un visitante sentado junto a Nora en el sofá de brocado de la sala. Matthew estaba de pie frente a las ventanas. Nathan asintió con la cabeza a su amigo, y luego se dirigió hacia Nora.

—Nathan, querido, quiero presentarte al reverendo Oscar Pickering. —Se volvió hacia su invitado y agregó—: Mi sobrino es el marqués de St. James.

Tuvo que esforzarse para no reírse.

—¿Usted es un hombre del clero? —le preguntó con una amplia sonrisa.

Nora nunca había visto a Nathan tan complaciente. Le estrechó la mano al vicario. Ella pensó que reaccionaría como Matthew. El pobre parecía que tenía un salpullido.

Sara entró en la sala cuando Nathan se estaba sentando en una de las dos sillas que se encontraban frente al sofá. Extendió las piernas y sonrió como un simplón.

—Oscar es el nuevo regente de la villa —le estaba diciendo Nora a Nathan.

—¿Hace mucho que conoce a Oscar? —preguntó Nathan antes de ver a Sara en la puerta.

—No, acabamos de conocernos, pero he insistido en que su tía me llame por ni nombre de pila.

Sara se adelantó e hizo una reverencia ante el invitado. El nuevo funcionario del gobierno era un hombre delgado, con gafas redondas. Llevaba una corbata almidonada blanca, pantalón y chaqueta negra, y sus modales eran austeros. Parecía un poco condescendiente con Sara, ya que tenía la cabeza inclinada hacia atrás y la miraba por encima de las gafas.

De vez en cuando miraba a Nathan. Tenía una notable expresión de desprecio en el rostro.

A Sara no le agradaba nada aquel hombre.

—Querida —comenzó Nora—, quiero presentarte...

Nathan la interrumpió.

—Su nombre es Oscar, Sara, y es el nuevo regente de la villa.

No mencionó deliberadamente que el hombre también era vicario.

—Oscar, esta joven encantadora es mi sobrina y la esposa de Nathan. Lady Sara.

—Encantado de conocerla, lady Sara. —Pickering asintió con la cabeza y le señaló la silla que estaba junto a Nathan.

Sara sonrió respetuosamente.

—Tendría que haber enviado una nota pidiendo una audiencia —dijo Pickering—, pero estaba dando mi paseo diario y no pude evitar ver toda la conmoción que había por aquí. Mi curiosidad fue más fuerte. Hay varios hombres con aspecto desagradable sentados en su barandilla, lady Nora, y yo le diría a sus sirvientes que los alejen. No debe mezclarse con los inferiores. No está bien.

Pickering le frunció el entrecejo a Matthew cuando hizo ese último comentario. Sara estaba sorprendida por la rudeza del hombre.

No era tan educado como pretendía hacerles creer, ya que no se había puesto de pie cuando ella entró en la habitación. El hombre era un fraude.

Sara tomó un abanico de la mesa, lo abrió y comenzó a agitarlo delante de su cara.

—Nadie va a echar de aquí a nadie —le anunció Nathan.

—Les hombres son parte de la tripulación del marqués —acotó Nora.

Sara se colocó junto a Matthew. Era una prueba de lealtad por su parte, y el guiño de Matthew le indicó que sabía cuál era su juego. Ella le respondió con una sonrisa.

Luego Nathan le llamó la atención.

—Mi esposa estaba haciendo un comentario sobre el calor —le dijo, con una sonrisa perversa—. ¿Qué es lo que has dicho, esposa? —le preguntó inocentemente.

—No lo recuerdo —le contestó Sara.

La mirada de satisfacción de su esposo la hizo cambiar de idea.

—Oh, sí, creo que ahora lo recuerdo. He dicho que hacía un maldito calor. ¿No le parece, señor Pickering?

Al regente se le cayeron las gafas a la punta de la nariz. Matthew la miró sorprendido. Nathan dejó de sonreír.

Sara sonrió con más dulzura.

—El calor siempre me da un maldito dolor de cabeza —agregó.

Esto aumentó las reacciones. Matthew la miró como si hubiera visto que tenía dos narices.

Su querido esposo la estaba mirando fijamente. Eso no era suficiente. Buscaba una derrota total y con ella la promesa de que nunca volvería a usar palabras obscenas.

Esperaba que Nora fuera comprensiva cuando le explicara su vergonzoso comportamiento. Luego suspiró y se apoyó en el borde de la ventana.

—Sí, hoy es un día asqueroso.

Nathan saltó de la silla. Como si hubiera oído una sugerencia obscena y que no podía creer, le pidió que lo repitiera.

—¿Qué has dicho? —gruñó.

Ella se sintió feliz de complacerle.

—He dicho que hoy es un día asqueroso.

—¡Suficiente! —gritó Nathan.

Matthew tuvo que sentarse. Nora comenzó a toser para ocultar su risa. Pickering se levantó de su asiento y cruzó apurado la habitación. Llevaba un libro apretado en sus manos.

—¿Debe irse tan pronto, señor Pickering? —le preguntó Sara. Tenía el rostro oculto detrás del abanico, así que él no podía ver que estaba sonriendo.

—Realmente, debo irme —respondió el huésped.

—Está muy apurado —le dijo Sara. Bajó el abanico y le acompañó a la entrada—. Actúa como si alguien le hubiera dado una patada en el...

Nunca pronunció la última palabra, ya que Nathan le tapó la boca con la mano. Ella se la apartó.

—Solo iba a decir trasero.

—Oh, no, no lo ibas a hacer —replicó Nathan.

—Sara, en nombre del cielo, ¿qué es lo que te sucede? —exclamó Nora.

Sara corrió hasta donde estaba su tía.

—Perdóname. Espero no haberte disgustado mucho, Nora, pero a Nathan le gusta usar palabras rudas, y pensé que debía probarle. De cualquier manera, este nuevo oficial del gobierno no me importa —le confesó—. Pero si quieres le seguiré y me disculparé.

Nora negó con la cabeza.

—A mí tampoco me ha gustado —admitió Nora.

Ambas mujeres conversaban como si Nathan no hubiera estado frente a ellas. Sara se acercó un poco más a Nora. Sintió que en cualquier momento se abalanzaría sobre ella.

Ese sentimiento no le importó para nada. Siguió sonriendo valientemente y dijo:

—¿Qué era ese libro que llevaba Pickering? ¿Le has prestado una de tus novelas, tía? Creo que no te la devolverá. No parece muy fiable.

—Lo que llevaba no era una novela —respondió Nora, con una sonrisa gentil—. Era la Biblia. Oh, cielo santo, tendría que habértelo explicado antes.

—¿Explicar qué? —preguntó Sara—. ¿Te refieres a decirme que ese hombre condescendiente anda con una Biblia? Si eso no es hipócrita, no sé qué es.

—Sara, la mayoría de los clérigos llevan Biblias.

Ella tardó un poco en comprender.

—¿Clérigo? Nora, tú me dijiste que era el nuevo regente.

—Sí, querida, es un funcionario del gobierno, pero también es el pastor de la única iglesia de la villa. Vino a invitarnos para la misa del domingo.

—Oh, Dios mío. —Después de lamentarse, Sara cerró los ojos.

Nadie dijo una palabra durante un momento. Nathan continuó mirando fijamente a su esposa. Sara continuó sonrojada y Nora continuó esforzándose para no reírse. Entonces, la voz profunda de Matthew rompió el silencio.

—Lady Sara, realmente es asqueroso.

—Cuida tu boca, Matthew —le ordenó Nathan. Tomó a Sara de la mano y la levantó del sofá.

—Me imagino cuál será el tema de su sermón del domingo —comentó Nora. Comenzó a reírse, y enseguida tuvo que secarse las lágrimas de las mejillas—. Oh, Señor, creí que me moriría cuando dijiste...

—Esto no es divertido —intervino Nathan.

—¿Lo sabías? —preguntó Sara al mismo tiempo.

—¿Saber qué? —Nathan fingió ignorarlo.

—Que Pickering era clérigo.

Él asintió lentamente con la cabeza.

—Todo es culpa tuya —exclamó Sara—. Nunca lo habría hecho si no me hubieras provocado. ¿Ahora entiendes mi posición? ¿Dejarás de decir blasfemias?

Nathan tomó de los hombros a su esposa y la colocó junto a él.

—Nora, me disculpo por la boca de mi esposa. Ahora, dígame dónde queda la catarata. —Miró a Sara—. Vas a recibir tu primera lección de natación, Sara, y si usas una sola palabra más obscena, te juro que dejaré que te ahogues.

Nora los condujo hasta la parte trasera de la casa y les indicó qué debían hacer para llegar a la catarata. Cuando les sugirió que le pediría a la cocinera que les preparara un almuerzo para que se lo llevaran, Nathan no aceptó el ofrecimiento. Tomó dos manzanas, le dio una a Sara, y la llevó entusiasmado hacia fuera.

—Hace mucho calor para nadar —se quejó Sara.

Nathan no dijo nada.

—No tengo la ropa adecuada para el agua —continuó.

—Qué lastima.

—Me mojaré el cabello.

—Así será.

Ella desistió. Ya estaba decidido, pensó Sara, y era inútil tratar de razonar con él.

El sendero era angosto. Ella se aferró a la parte de atrás de la camisa de Nathan cuando la subida se hizo más empinada. Ya estaba comenzando a cansarse cuando oyó el ruido de la catarata.

Ansiosa por ver una parte del paraíso, como Nora había comentado, pasó a su esposo y tomó la delantera.

El follaje era denso y el aroma dulce de las flores silvestres llenaba el aire. Sara sintió como si hubiera estado en medio de un caleidoscopio de colores. El verde de las hojas era el color más vívido que jamás había visto, excepto por los hermosos ojos de Nathan, y las flores rosas, naranjas y rojas que la madre naturaleza había esparcido parecía que iban a estallar ante sus ojos.

Realmente era un paraíso. Esto la hizo pensar en una serpiente.

Nathan levantó una rama gruesa del sendero y le indicó que pasara.

—¿Debo preocuparme por las víboras? —le preguntó con un susurro.

—No.

—¿Por qué no? —le preguntó, con la esperanza de que no hubiera ninguno de esos horribles reptiles en la isla.

—Yo me preocuparé por ti —le contestó.

Su temor aumentó.

—¿Qué harás si te muerde una víbora? —le preguntó mientras pasaba junto a él.

—Morderla —gruño Nathan.

Ese comentario la hizo reír.

—Lo harías, ¿verdad?

Sara se detuvo abruptamente y emitió un sonido entrecortado de placer.

—Oh, Nathan, esto es maravilloso.

Él asintió con ella en silencio. La catarata caía sobre las rocas y luego en la olla que había abajo.

Nathan le volvió a tomar la mano a Sara y la llevó hasta el borde que había atrás de la catarata. La zona era como una caverna oculta, y cuando llegaron al centro, el agua se convirtió en una cortina que los ocultaba del mundo.

—Quítate la ropa, Sara, mientras veo qué profundidad hay aquí.

No le dio tiempo para que discutiera esa orden y se apoyó contra las rocas para quitarse las botas.

Sara tomó su manzana y la de Nathan y las colocó en la roca que estaba detrás de ella. Extendió la mano y tocó el agua, y se sorprendió al advertir que no estaba demasiado fría.

—Me sentaré aquí y me mojaré los pies en el agua —le anunció.

—Quítate la ropa, Sara.

Se volvió para discutir con su esposo, y vio que se había quitado toda la ropa. Antes de que pudiera sonrojarse, él desapareció a través de la cortina de agua y se dirigió hacia la olla que estaba abajo.

Sara dobló la ropa de su esposo y la puso contra la pared de rocas. Luego se quitó el vestido, los zapatos, las medias y la enagua. Se dejó puesta la camisa.

Luego se sentó cerca del borde y dejó que el agua le cayera sobre los pies. Estaba a punto de relajarse cuando Nathan le tomó los pies y la arrojó al agua. Fue realmente demasiado maravilloso como para protestar. El sol brillaba y las gotas de agua parecían destellos sobre los hombros bronceados de Nathan.

El agua le llegaba a la mitad del pecho. Era tan clara que Sara podía ver hasta el fondo. De inmediato le llamaron la atención los muslos musculosos de Nathan. Era un hombre tan atractivo, pensó. Fue muy gentil con ella y la tomó entre sus brazos.

Se abrazó a él y apoyó el rostro sobre su hombro.

—Eres muy confiada —le susurró—. Ponte de pie. Veamos si el agua te cubre la cabeza.

Ella hizo lo que le pidió. El agua le llegaba hasta la boca, pero si inclinaba la cabeza hacia atrás podía respirar sin dificultad.

—Esto es hermoso, ¿verdad? —le preguntó Sara.

Nathan estaba tratando de concentrarse en la lección de natación que le iba a dar, pero el suave y delicado cuerpo de Sara se interponía en su camino. La fina camisa que tenía puesta se le adhería a los senos, y todo lo que Nathan quería era hacerle el amor.

Cuando ella estaba cerca tenía la disciplina de un mosquito, pensó.

—Muy bien, lo primero que vas a aprender es a flotar.

Sara se preguntó por qué Nathan tenía el entrecejo tan fruncido, y pensó que actuaba con tanta energía para que no discutiera con él.

—Si tú lo dices, Nathan.

—Tendrás que soltarme, Sara.

Ella hizo lo que le ordenó de inmediato. Se deslizó bajo el agua cuando perdió el ancla y el equilibrio, y subió rápidamente. Nathan la tomó de la cintura y luego le ordenó que se pusiera de espaldas.

En muy poco tiempo, Sara estaba flotando sin su ayuda. Él estaba más complacido por lo que había logrado que ella.

—Ya es suficiente lección por un día —le dijo Sara. Se sostuvo de su brazo para mantener el equilibrio y luego trató de que la llevara hasta el borde.

Nathan la abrazó. Le apartó gentilmente el cabello del rostro. Sus senos rozaron su pecho. Nathan se tomó su tiempo para bajarle los tirantes. Sara no advirtió las intenciones de su esposo hasta que tuvo la camisa en la cintura.

Abrió la boca para protestar. Él la hizo callar con un beso prolongado. El sonido de la catarata ahogó su gemido de deseo. A ella se le aflojaron las rodillas cuando su lengua se movió dentro de su boca. Él derrotó completamente su resistencia. Ella le abrazó con fuerza.

Nathan le bajó la camisa hasta las piernas, y luego la levantó hasta presionarse contra sus muslos. Besarla ya no era suficiente. Se inclinó hacia atrás y la miró a los ojos.

—Te deseo.

—Yo siempre te deseo, Nathan.

—Te deseo ahora, Sara.

Ella abrió grandes los ojos.

—¿Aquí?

Él asintió con la cabeza.

—Aquí y ahora, Sara. No quiero esperar.

Mientras le decía cuál era su intención le colocaba las piernas alrededor de su cintura. La besaba con vehemencia, esperando su respuesta.

Sara pensó en lo fácilmente que podía lograr que le deseara. Estaba temblando cuando él le preguntó si estaba lista para él. Ella no podía ni hablar. Le arañó los hombros y suspiró complacida cuando él comenzó a penetrarla.

Nathan le dio un beso prolongado, y cuando le tocó la lengua, él la penetró más profundamente. Ella se apretó a su cuerpo.

Casi se ahogan ambos. No les importó. Acabaron y compartieron una inmensa felicidad.

Sara no tenía fuerzas para caminar hasta el borde. Nathan la llevó hasta allí y la colocó en una roca cercana a la catarata. El sol castigaba su cuerpo, pero a Sara no le importó el calor. Aún se sentía feliz y en letargo.

Nathan se sentó junto a Sara. No podía dejar de tocarla. Le besó la cabeza y la parte de atrás de la oreja. Ella se recostó sobre la piedra y cerró los ojos.

—Es extraordinario lo que sucede cuando hacemos el amor, ¿verdad, Nathan? —le susurró.

Él se puso de costado, se apoyó sobre un codo y la miró fijamente. Le acarició lentamente los senos con los dedos, sonriendo al ver cómo se endurecían sus pezones.

Sara nunca se había sentido tan maravillosamente bien. El calor de la roca contra su espalda la calentaba, y al mismo tiempo las caricias de su esposo la hacían temblar. No pensó que pudiera desearle tan rápidamente, pero cuando él comenzó a frotarle la nariz entre los senos, el deseo se volvió a encender.

No podía evitar arquearse contra él. La estaba enloqueciendo con sus suaves y tiernas caricias. Le mojó cada seno con su boca y su lengua, y cuando la volvió a mirar vio la pasión y el deseo en sus ojos. Le acarició el abdomen con los dedos. Le tocó el ombligo. Bajó más la mano y cuando sus dedos la penetraron ella gimió.

—Estás mojada por mí, ¿verdad, Sara?

Ella se sentía demasiado incómoda para responderle. Trató de alejarle la mano. Él no la dejó. Y luego se inclinó y comenzó a hacerle el amor con la boca. Su lengua le hizo perder el control. Se retorció debajo de él. No deseaba que terminara esa dulce tortura.

Sus movimientos le provocaron una nueva erección. Cuando sintió que no podía soportar más la presión, se colocó entre sus piernas y la penetró. Entonces Sara acabó. El momento fue tan excitante, tan apasionado, que pensó que se había muerto e ido al cielo.

Nathan estaba allí con ella. Él gimió y acabó.

Sara estaba demasiado débil para moverse. Nathan pensó que su peso la estaba aplastando. Hizo un esfuerzo extremo y se apoyó sobre los codos.

Cuando vio su expresión confundida le sonrió.

—Si nos caemos al agua ahora, nos ahogaremos.

Ella le sonrió a través de sus lágrimas. Le tocó la boca.

—Nunca permitirías que algo malo me sucediera. ¿Tienes que irte mañana?

Él había comenzado a levantarse, pero su pregunta le detuvo.

—Sí —le respondió.

—Comprendo.

Parecía desamparada.

—¿Qué es exactamente lo que comprendes? —le preguntó. Le levantó el mentón cuando ella trató de volver el rostro—. ¿Sara?

Como no podía preguntarle si iba a piratear, decidió no decir nada.

—¿Me vas a extrañar, esposa? —le preguntó.

Se conmovió por la ternura de su mirada.

—Sí, Nathan, te voy a extrañar.

—Entonces ven conmigo.

Ella abrió grandes los ojos.

—¿Me dejarías ir contigo? Pero eso significa que no vas a... pensé... Olvídalo.

—Sara, ¿de qué estás hablando?

Le bajó la cabeza para besarle.

—Soy feliz porque me dejarías ir contigo. Eso es todo —le explicó. Se sentó y se apoyó contra él—. Ahora no necesito ir contigo. Basta saber que me dejarías.

—Deja de hablar con rodeos —le ordenó Nathan—. Y ahora que lo pienso, quiero que me expliques qué pensabas esta mañana. Estabas disgustada por algo. Dime qué era.

—Temía que no volvieras por mí —le contestó Sara.

Era una mentira, por supuesto, pero su arrogante esposo no lo sabía. En realidad, estaba complacido por su afirmación.

—Nunca olvidaría regresar por ti —replicó Nathan—. Pero hablo de antes, Sara.

—¿Antes de qué?

—Antes de que supieras que me iría a buscar materiales. Actuabas de manera extraña.

—Sentía pena porque pronto tendré que dejar a Nora. La voy a extrañar, Nathan.

La miró fijamente mientras trataba de decidir si le estaba diciendo la verdad o no. Entonces ella le sonrió y le dijo que estaba lista para regresar al agua.

—Aún no sé muy bien cómo flotar.

Esposo y esposa permanecieron en la olla durante casi toda la tarde. Comieron sus manzanas mientras bajaban por la montaña. La delicada piel de Sara estaba comenzando a enrojecerse. Su rostro estaba tan rojo como la puesta de sol.

Cuando Nathan la tomó de los hombros, Sara gritó. Él se arrepintió de inmediato.

Nora los estaba esperando en la puerta de la cocina.

—Matthew, Jimbo y yo os estábamos esperando para cenar, así que... Dios mío, Sara, estás roja como una remolacha. Oh, niña, esta noche vas a sufrir. ¿En qué estabas pensando?

—No pensé en el sol —respondió Sara—. Me estaba divirtiendo tanto.

—¿Qué estabais haciendo? ¿Nadasteis durante todo el tiempo? —les preguntó Nora.

—No —contestó Nathan cuando su esposa le miró. Le sonrió y luego le dijo a Nora—: En realidad, estuvimos...

—Flotando —interrumpió Sara—. Solo tardaré un minuto en cambiarme de ropa y cepillarme el cabello, tía. Realmente no tendríais que habernos esperado —agregó mientras corría hacia la escalera.

Nathan la alcanzó en el primer escalón. La volvió hacia él, le levantó el mentón y la besó. Fue un beso tan prolongado que sintió que se iba a desmayar. Nathan no acostumbraba besarla delante de otras personas, y nunca la besaba a menos que quisiera hacerle el amor... o hacerla callar. Como parecía demasiado agotado para volver a hacer el amor y ella no estaba discutiendo con él, solo podía llegar a una conclusión: Nathan estaba siendo cariñoso porque quería serlo.

Sara se sintió más confundida cuando se inclinó y le susurró al oído:

—Pensé que lo que habíamos hecho toda la tarde se llamaba hacer el amor, esposa, pero si tú prefieres llamarlo flotar, está bien para mí.

Tenía el rostro tan quemado por el sol que nadie podía saber si estaba sonrojada o no. Le sonrió mientras sacudía la cabeza. Él le estaba gastando una broma. Dios santo, Nathan también tenía sentido del humor. Era demasiado para ella.

Luego le guiñó el ojo lentamente. Entonces supo que moriría y se iría al cielo. Las quemaduras de sol ya no importaban ni la presencia de Matthew, Jimbo y Nora. Sara se arrojó a los brazos de Nathan y le besó profundamente.

—Oh, te quiero tanto —exclamó.

No se sintió decepcionada cuando le gruñó y no gritó su amor por ella. Decidió que era demasiado pronto para que él le dijera lo que tenía en su corazón. Los sentimientos eran demasiado nuevos, y Nathan era muy obstinado. Podría tardar otros seis meses en pronunciar las palabras que ella quería escuchar. Ella podía esperar, se dijo a sí misma. Después de todo, era paciente y comprensiva. Además, en su corazón ya sabía que la amaba, y el hecho de que no estuviera listo para saberlo no le molestaba para nada.

Sara no bajó a cenar. Cuando Nathan la ayudó a quitarse la ropa se sintió hinchada, y pensar en ponerse algo sobre la piel ardiente le provocaba ganas de gritar.

Nora le dio una botella de pasta verde. Sara dijo algunas palabras violentas mientras Nathan le aplicaba la loción pegajosa en la espalda y los hombros. Afortunadamente, no se había quemado la parte delantera del cuerpo. Durmió boca abajo, y cuando ya no pudo soportar los temblores durmió sobre Nathan.

Al día siguiente, Nathan no hizo ningún comentario rudo cuando le dio un beso a Sara para despedirse. Fingió que no le importaba la máscara de pasta verde que le cubría el rostro.

Sara pasó los dos días siguientes con su tía. El reverendo Pickering las visitó por segunda vez. Sara le explicó la razón por la cual había utilizado ese lenguaje tan soez en su presencia. Pickering sonrió. Parecía aliviado por la confesión de Sara, y su modo de tratar a Nora fue mucho más cálido.

Durante su visita, el reverendo mencionó que había un barco que partía para Inglaterra a la mañana siguiente. Sara fue inmediatamente hasta el escritorio de su tía y le escribió una carta a su madre. Le contó todo sobre su aventura, lo feliz que era y se jactó de que Nathan había resultado ser un esposo amable, considerado y amoroso. El reverendo Pickering se llevó la carta para entregársela al capitán del barco.

Cuando Nathan regresó a la mañana siguiente, Sara estaba tan feliz de verle que se puso a llorar. Pasaron un pacífico día juntos y se durmieron abrazados.

Sara no podía creer que fuera posible ser tan feliz. Estar casada con Nathan era como vivir en el paraíso. Nada podría destruir su amor. Nada.

Deseaba que todos pudieran ser tan felices, y una noche se lo comentó a Nora y a Matthew. Los tres estaban sentados en sillas de mimbre esperando que Nathan regresara de una diligencia.

—Creo que Matthew y yo sabemos exactamente de lo que hablas —le respondió Nora—. Uno no tiene que ser joven para sentir amor, querida. Matthew, ¿quieres un brandy?

—Yo lo traeré —ofreció Sara.

—Tú quédate quieta. —Nora se puso de pie y se dirigió hacia la puerta—. Tu piel aún está delicada. Hazle compañía a Matthew. Volveré enseguida.

Tan pronto como Nora cerró la puerta, Matthew le susurró a Sara:

—Ella es demasiado para mí, Sara, pero no dejaré

que eso se interponga en mi camino. Tan pronto como ponga en orden mis cosas, volveré para terminar mis días con su tía. ¿Qué me dice de eso?

Sara aplaudió.

—Oh, Matthew, creo que es una maravillosa noticia. Debemos celebrar la ceremonia de casamiento antes de regresar a Inglaterra. No quiero perderme la celebración.

Matthew parecía incómodo.

—Bueno, Sara, yo no mencioné casamiento, ¿verdad?

Ella saltó de la silla.

—Será mejor que lo mencione ahora o nunca regresará aquí. Una noche de pasión es una cosa, señor, pero un plan para vivir el resto de sus días en pecado es otra. ¡Piense en la reputación de Nora!

—Estoy pensando en la reputación de Nora —se defendió Matthew—. Ella no podría casarse conmigo. No estaría bien. No valgo lo suficiente.

El marinero se puso de pie y miró hacia el mar. Sara se le acercó y le tocó el abdomen con un dedo.

—Sí vale lo suficiente. No se atreva a insultarse delante de mí, señor.

—Sara, yo llevé una vida... licenciosa —le explicó Matthew.

—¿Y? —le preguntó Sara.

—Y no solo soy marinero —le respondió él.

Sara se encogió de hombros.

—El primer esposo de Nora era mozo de cuadra. Probablemente era tan licencioso como usted cree que es. Nora era muy feliz con su Johnny. Le deben de gustar los hombres licenciosos. Nora me confesó que usted era un hombre tierno, Matthew. Sé que la ama. Ella también debe de amarle, si le dejó acostarse con ella. Como le dije a Nathan no hace mucho, esto resolvería muchos problemas. El tío Henry no enviaría a nadie a buscar a Nora si supiera que ella tiene alguien fuerte que la proteja. Usted cuidaría de sus intereses. Y me sentiría muy orgullosa de llamarle tío.

Matthew se sintió avergonzado por la confianza de Sara en él. Suspiró feliz.

—Está bien. Le preguntaré a Nora. Pero tiene que prometerme que lo aceptará si Nora dice que no. ¿Está bien?

Sara abrazó con fuerza a Matthew.

—Ella no dirá que no —susurró.

—Esposa, ¿qué estás haciendo? Matthew, suéltala.

Sara y Matthew ignoraron la orden de Nathan, y ella solo se alejó después de darle un púdico beso en la mejilla. Se acercó a Nathan y le hizo un descarado mohín.

—Tenemos que ir arriba ahora, esposo. Matthew quiere estar a solas con Nora.

Tuvo que arrastrarle dentro de la casa y luego por la escalera. Él quería que le explicara por qué la había encontrado abrazada a su marinero.

—Te lo explicaré todo cuando lleguemos a nuestro dormitorio.

Se cruzaron con Nora en el salón de entrada. Sara deseó buenas noches a su tía y luego subió por la escalera. Se paseó por la habitación mientras esperaba para averiguar si Matthew había formulado su pregunta y si Nora le había dado su respuesta. Cuando Nathan se cansó de ver cómo gastaba la alfombra, la arrojó sobre la cama y le hizo el amor apasionadamente. Se durmieron abrazados.

El anuncio se realizó a la mañana siguiente. Nora había aceptado ser la esposa de Matthew. Sara lo adivinó tan pronto como vio la radiante sonrisa de su tía.

Matthew explicó que tendría que regresar a Inglaterra para arreglar sus asuntos y vender su cabaña. No llevaría a Nora con él, pues su vida correría peligro si los Winchester olfateaban su presencia en Inglaterra. El marinero quiso casarse antes de partir, y como Nathan había decidido hacerlo una semana después, el casamiento se fijó para el sábado siguiente. Fue una ceremonia simple. Sara lloró durante toda la celebración, y Nathan se pasó todo el tiempo secándole las lágrimas.

Nathan pensó que era la mujer más exasperante.

Observó cómo su pequeña esposa murmuraba y se reía con su tía, y advirtió la alegría que les brindaba a los demás.

Oyó que le decía a Matthew que su deseo más ferviente era que su matrimonio fuera tan perfecto como el de ella. Entonces se rió. Realmente, Sara era una romántica incurable.

Era ridículamente tierna.

Era extremadamente inocente.

Era... perfecta.

12

En el paraíso de Sara había más de una serpiente deslizándose y esperando su regreso a Inglaterra.

Sin embargo, el viaje de regreso a Londres fue tranquilo. Ivan se ocupó de Sara y trató de enseñarle cómo preparar una buena sopa. La mujer parecía no poder aprender a sazonar, pero Ivan no se atrevía a decirle la verdad. El resto de los hombres tampoco. La elogiaban considerablemente, sin embargo, cuando ella se volvía arrojaban la sopa por la borda. Sus estómagos vacíos no eran tan importantes como los sentimientos de Sara.

Luego Sara quiso aprender a hacer bizcochos. Los que había en las latas de madera estaban llenos de unas horribles criaturas llamadas gorgojos. A la tripulación no le importaban los insectos. Solo golpeaban en el suelo los bizcochos un par de veces para sacar los gorgojos, y luego se los comían todos.

Como Ivan tenía todos los ingredientes necesarios, decidió permitir a Sara que preparara una tanda. Ella trabajó durante toda la mañana con los bizcochos. Los hombres fingieron apreciarlos, pero estaban tan duros como piedras, y les preocupaba que los dientes se rompieran si trataban de morder uno.

Chester se había convertido en el campeón de Sara. Se burló de los otros hombres, y luego mojó sus bizcochos en una taza llena de bebida. A la mañana siguiente, hasta él tuvo que admitir la derrota. Los bizcochos aún no se podían comer.

Matthew sugirió que usaran los restos como balas para los cañones. Nathan se rió de ese comentario. Sara oyó la broma y la rechazó de inmediato. Esa noche se vengó comiendo la comida más asquerosa que podía comer un hombre. También se aseguró de que Nathan la estuviera observando. Los pepinos agrios mojados en jalea de frutilla la ayudaron con el truco. Nathan apenas llegó hasta la baranda antes de vomitar su cena.

Sara parecía tener un estómago de hierro y una discriminación poco común para las comidas. Nathan observaba todos sus movimientos. Le agradaba tenerla a su lado. Le agradaba el sonido de su risa.

Y luego llegaron a Londres.

Nathan llevó a Sara inmediatamente a la oficina de la Emerald Shipping. Estaba ansioso porque conociera a Colin.

Era media mañana cuando cruzaron por el muelle lleno de gente. El sol brillaba con tanta intensidad que hacía entrecerrar los ojos. También hacía calor. La puerta de la oficina estaba abierta para que entrara la dulce brisa. Cuando se encontraban a media calle de la entrada, Nathan detuvo a Sara, se inclinó y le dijo:

—Cuando conozcas a Colin no menciones su cojera. Es un poco sensible sobre su pierna.

—¿Tiene una cojera? ¿Qué le sucedió al pobre hombre?

—Le mordió un tiburón —le respondió Nathan.

—Dios santo. Tiene suerte de estar vivo —comentó Sara.

—Así es. Ahora prométeme que no dirás nada.

—¿Por qué piensas que le mencionaría su cojera? ¿Qué clase de mujer crees que soy? Nathan, yo sé lo que es apropiado y lo que no lo es. Es una vergüenza que hayas pensado que diría una palabra.

—Gritaste cuando viste mi espalda —le recordó.

Tenía que mencionar eso.

—Por el amor de Dios, eso fue diferente.

—¿Cómo? —le preguntó, pensando en qué explicación extraña le daría.

Ella se encogió de hombros.

—Era diferente porque te amo —le dijo sonrojándose.

Ella era exasperante, pensó Nathan. También complaciente. Ya se estaba acostumbrando a que le dijera lo mucho que le amaba. Dejó ese pensamiento de lado y continuó.

—Y ahora que sabes lo de la pierna de Colin no te sorprenderá, y por lo tanto no dirás nada que le incomode. ¿De acuerdo?

Aunque asintió con la cabeza, trató de tener la última palabra.

—Eres insultante.

Él la besó para tener un momento de paz, pero antes de que pudiera detenerse la tomó en sus brazos y se dejó llevar. Ella abrió la boca antes de que él la obligara. Le introdujo la lengua para frotarle la de ella. No le importó que estuvieran en medio de una calle muy concurrida, tampoco le importó que muchos transeúntes se detuvieran a observar.

Jimbo y Matthew venían corriendo, pero se detuvieron cuando vieron a la pareja. Jimbo hizo un sonido de disgusto.

—Por el amor de Dios, muchacho, no es el momento de estar manoseando a tu mujer. Tenemos negocios que hacer antes de que se acabe el día.

Nathan se alejó a regañadientes de su esposa. Ella trató de acercarse a él. Él sonrió ante esa reacción. Entonces Sara advirtió el grupo de extraños que los estaba observando. La pasión se evaporó rápidamente.

—Te has excedido —le susurró a Nathan.

—Yo no fui el único que se ha excedido —le respondió él.

Ella ignoró esa verdad.

—Voy a conocer a tu socio y apreciaría que no me distrajeras más.

Ella le dio la espalda antes de que él pudiera pensar en una respuesta apropiada. Mientras se arreglaba el cabello le sonrió a Jimbo y a Matthew.

—¿Vienen con nosotros?

Los dos hombres asintieron con la cabeza al unísono. Sara tomó del brazo a Jimbo.

—Puede escoltarme, señor, y tú también, Matthew —agregó cuando él le ofreció el brazo—. Estoy ansiosa por conocer al amigo de Nathan. Debe de ser todo un hombre para tolerar a mi esposo. ¿Vamos?

Nathan solo tuvo tiempo de apartarse del camino del trío y ellos avanzaron por la calle. Él los siguió con el entrecejo fruncido por la forma en que su esposa se había encargado del asunto.

—Y a propósito —oyó que decía Sara—, hagan lo que hagan, no le mencionen a Colin su cojera. Él es muy sensible sobre ese tema, se lo aseguro.

—Pensé que aún no le conocía —le dijo Jimbo.

—No, no le conozco —respondió Sara—. Pero Nathan me avisó. Mi esposo es muy tierno cuando se trata de los sentimientos de un amigo. Si solo pudiera lograr que me mostrara esa consideración, les aseguro que me sentiría muy agradecida.

—Deja de provocarme —le dijo Nathan desde atrás. Apartó a Jimbo de su camino, tomó de la mano a su esposa y la arrastró hacia delante.

Ella se sintió muy disgustada por esa actitud. Ella

no era la que tenía mal carácter en la pareja. Como era tan dulce decidió no enfrentarse a Nathan. Esperaría hasta más tarde para reprenderle.

Además estaba ansiosa por conocer a su amigo.

Colin estaba sentado detrás del escritorio, revisando una montaña de papeles. Tan pronto como entraron Sara y Nathan se puso de pie.

El amigo de Nathan era un hombre extremadamente atractivo, y Sara no tardó en advertir que su carácter también era encantador. Tenía una sonrisa agradable y auténtica. Tenía un brillo diabólico en sus ojos color castaño. Era atractivo aunque ciertamente no tanto como Nathan. Colin no tenía su altura ni su musculatura. Sara tenía que mirar hacia arriba, pero no le dolía el cuello como le sucedía siempre cuando Nathan estaba a su lado regañándola y tenía que mirarle.

Pensó que era rudo de su parte estar mirando fijamente al hombre e inmediatamente hizo una reverencia formal.

—Por fin puedo conocer a la novia —dijo Colin—. Es más hermosa de cerca, lady Sara, que desde la distancia en que la vi la última vez.

Después de decirle ese cumplido Colin se acercó y se puso directamente frente a ella. Se inclinó formalmente, le tomó la mano y se la besó.

Ella estaba impresionada con sus modales.

Nathan no lo estaba.

—Por el amor de Dios, Colin, no tienes que hacer una demostración. No la impresionarás.

—Sí, lo hará —replicó Sara.

—A mí también me impresiona —anunció Jimbo con una risita—. Nunca vi a Dolphin actuar así. —Le dio un codazo en las costillas a Matthew—. ¿Y tú?

—No puedo decir que lo haya visto —respondió Matthew.

Colin no le soltó la mano a Sara. A ella no le importó. Obviamente, a Nathan sí.

—Suéltala, Colin.

—No hasta que hagas una presentación apropiada —replicó Colin. Le guiñó un ojo a Sara y casi se ríe cuando ella se sonrojó.

La esposa de Nathan no solo era exquisitamente hermosa sino también encantadora, pensó Colin. ¿Nathan se había dado cuenta de su inmensa fortuna?

Colin se volvió hacia su amigo para formularle esa pregunta, y luego decidió averiguarlo por sí mismo.

—¿Y bien?

Nathan suspiró profundamente. Se apoyó en la ventana, se cruzó de brazos, y dijo:

—Esposa, te presento a Colin. Colin, te presento a mi esposa. Ahora suéltala, Colin, antes de que te dé un golpe en la cara.

Sara estaba consternada por la amenaza. Colin se rió.

—Me pregunto por qué no quieres que le sostenga la mano a tu esposa —le dijo lentamente.

No le soltó la mano a Sara y continuó mirando fijamente a su amigo. Nathan parecía extremadamente incómodo.

El comentario de Sara provocó que la volviera a mirar.

—A Nathan no le agrada nada, señor —le anunció con una sonrisa.

—¿Usted le agrada?

Ella asintió con la cabeza antes de que Nathan le ordenara a Colin que dejara de provocarle.

—Oh, sí, le agrado mucho —le contestó. Trató de alejar la mano, pero Colin se la sostuvo con fuerza—. Señor, ¿está tratando deliberadamente de provocar a Nathan?

Él asintió lentamente con la cabeza.

—Entonces creo que tenemos algo en común —le comentó Sara—. Yo siempre provoco a Nathan.

Colin inclinó la cabeza hacia atrás y se rió. Sara no pensó que su comentario fuera tan divertido, y se preguntó si no se estaba riendo de algo más.

Finalmente, le soltó la mano. Ella las colocó de inmediato en su espalda para evitar que se las volviera a tomar. Nathan advirtió esa acción y se sonrió. Colin le amargó.

—Después de todo no necesitaste un aplazamiento —le dijo a Nathan—. Hubiera sido mejor antes.

—Olvídalo —le ordenó Nathan. Sabía que Colin se estaba refiriendo a su comentario de esperar hasta el último momento para ir a buscar a su novia.

—Señor, ¿ya nos conocíamos? —le preguntó Sara—. Usted mencionó que desde la distancia...

Cuando él negó con la cabeza, ella interrumpió su pregunta.

—La vi una tarde, pero no tuve la oportunidad de que advirtiera mi presencia. Estaba cumpliendo una misión, para determinar si cierta posesión podría salir por la ventana.

—No me divierte, Colin —murmuró Nathan.

La mueca de Colin indicaba que se estaba divirtiendo mucho. Decidió que por el momento ya había molestado suficiente a su amigo.

—Permítame quitar estos papeles de la silla, lady Sara, y podrá sentarse y contarme todo sobre su viaje.

—No es una historia feliz, Dolphin —intercedió Jimbo. Como no había otras sillas disponibles se apoyó contra la pared. Su mirada estaba dirigida a Sara—. Tuvimos un problema tras otro, ¿verdad?

Sara se encogió de hombros, delicadamente.

—Creo que fue un viaje encantador —comentó Sara—. Muy tranquilo, Jimbo —agregó—. Es descortés gruñir cuando uno no está de acuerdo con alguien.

—¿Tranquilo, Sara? —le preguntó Matthew. Le hizo una mueca a Colin—. El enemigo nos atacaba a cada rato.

—¿Qué enemigo nos atacó? —preguntó Sara—. Oh, te debes de referir a esos horribles piratas.

—Ellos son solo una pequeña parte de la aventura —señaló Matthew.

Sara se volvió hacia Colin.

—Los piratas atacaron el barco, pero los ahuyentamos muy rápido. En cuanto al resto del viaje fue bastante pacífico. ¿Estás de acuerdo, Nathan?

—No.

Ella frunció el entrecejo para hacerle notar que su ruda negativa no había sido apreciada.

—Te olvidas de las sombrillas —le recordó Nathan.

Colin pensó que había perdido el hilo de la conversación.

—¿De qué estáis hablando?

—Las sombrillas de Sara se convirtieron en nuestros más grandes enemigos —le explicó Matthew—. Había tres... ¿o eran cuatro? No lo recuerdo. Tengo tendencia a bloquear los recuerdos desagradables. Me hacen temblar.

—¿Podría alguien explicarme de qué estáis hablando? —pidió Colin.

—Es insignificante —contestó Sara. No permitiría que sus hombres divulgaran sus pecados veniales como trapitos al sol—. Matthew está bromeando. ¿Verdad, Nathan?

Su esposo advirtió la preocupación de su mirada.

—Sí. Solo estaba bromeando.

Colin cambió de tema al ver lo aliviada que se sentía Sara. Decidió esperar hasta que él y Nathan estuvieran solos para averiguar la historia que había detrás de las sombrillas.

Levantó la pila de papeles de la silla y se dirigió hacia el otro extremo de la oficina. Después de dejar la pila sobre el armario, regresó a su silla, se sentó y colocó los pies en el borde del escritorio.

Sara le observó bien y advirtió que no cojeaba.

—Nathan, Colin no tiene...

—¡Sara!

—Por favor no me levantes la voz frente a tu socio —le ordenó.

—¿Qué es lo que no tengo? —preguntó Colin.

Sara se sentó, acomodó los pliegues de su vestido y luego sonrió a Colin. Podía sentir el ceño de Nathan.

—Un carácter rudo —le contestó—. No puedo imaginarme por qué usted y Nathan son tan buenos amigos. Usted es muy diferente, señor. Sí, lo es.

Colin hizo un mohín.

—Yo soy el civilizado de la sociedad —le dijo—. ¿Es eso lo que está pensando?

—No me atrevo a asentir, porque sería desleal con mi esposo —le respondió. Se detuvo para sonreír a Nathan, y luego agregó—: Pero advertirá que tampoco discrepo.

Colin estaba advirtiendo mucho más que eso. Al parecer, Nathan no podía dejar de mirar a su esposa. Tenía un brillo cálido en los ojos que Colin nunca había visto.

—No tienes que llamarme señor —le dijo Colin a Sara—. Por favor, llámame Colin; o Dolphin, como hacen los hombres, si te agrada. —Miró maliciosamente a Nathan antes de preguntar—: ¿Y yo cómo debo llamarte, lady Sara? ¿No es demasiado formal? Después de todo, ahora formas parte de la empresa. ¿Nathan tiene algún apodo para ti que yo también pueda usar?

Nathan pensó que la pregunta era ridícula. No le agradaba la forma en que Colin estaba adulando a su esposa. Confiaba plenamente en su amigo, y si no hubiera sido por eso no habría permitido que se ocupara tanto de su esposa, por lo menos no hasta el punto de sentirse celoso. Aun así se estaba irritando.

—Colin, yo la llamo esposa —le aclaró—. Tú no puedes.

Colin se reclinó más hacia atrás en su silla.

—No, supongo que no puedo. Es una lástima que no le hayas puesto otros apodos.

—¿Cómo cuál? —preguntó Sara.

—Como amorcito, querida, o...

—Demonios, Colin, ¿no vas a terminar con este juego? —le interrumpió Nathan.

Sara irguió los hombros. Estaba mirando con ceño a su esposo. Nathan pensó que era porque había dicho una blasfemia accidentalmente. Casi se disculpó, pero se detuvo a tiempo.

—No, Colin, él nunca me dice palabras cariñosas —le explicó Sara. Parecía realmente consternada. Nathan miró hacia el cielo.

—Y si lo he hecho, tú no puedes. Socios o no, Colin, no vas a llamar a mi esposa cariño.

—¿Por qué, te molestaría? —insistió inocentemente Colin.

Así que ese era su juego, pensó Nathan. Está tratando de averiguar cuánto me importa Sara. Sacudió la cabeza ante su amigo y luego le miró de manera que Colin comprendiera el mensaje de dejar el tema.

—Nathan usa un apodo especial cuando me reprende —anunció Sara, llamando la atención de su esposo—. Tienes mi permiso para usarlo tú también.

—¿Sí? —preguntó Colin. Vio la expresión de sorpresa en el rostro de Nathan y sintió más curiosidad—. ¿Y cuál es?

—Maldición, Sara.

Colin no podía creer lo que había escuchado.

—¿Has dicho...?

—Nathan siempre me dice maldición Sara. ¿No es verdad, querido? —le preguntó a su esposo—. Colin, tú también...

—Maldición, Sara, no me...

Hasta él advirtió la nota de humor y se rió con los demás. Luego, Matthew les recordó que había negocios que atender y que sería mejor continuar con ellos.

Las bromas terminaron. Sara se sentó tranquila mientras escuchaba cómo Colin le hacía un resumen de las actividades de la empresa a Nathan. Ella sonrió cuando Colin anunció que tenían cinco contratos más para transportar materiales a la India.

—¿Nathan, eso significa que...?

—No, aún no somos ricos.

Sara parecía abatida.

—Todos seremos ricos cuando tú...

—Sé cuál es mi deber —replicó Sara—. No tienes que explicármelo frente a mi personal.

Nathan sonrió. Colin sacudió la cabeza.

—No he entendido eso. ¿Cuál es el deber que tienes que cumplir para que todos seamos ricos?

Por la forma en que se sonrojó lady Sara, Colin concluyó que era un asunto personal. Recordó que Nathan le había dicho que el tesoro del rey no le sería entregado hasta que Sara le diera un heredero a su esposo. Sin embargo, por la obvia incomodidad de Sara, Colin decidió cambiar de tema.

—Por el amor de Dios —gruñó Matthew—, basta de charla. Estoy ansioso por irme, Colin. Tengo asuntos personales que arreglar antes de que termine la semana.

—¿Vas a algún lugar? —le preguntó Colin.

—Oh, cielo santo, Matthew, no le has hablado a Colin de Nora —intercedió Sara.

—¿Quién es Nora?

Sara se sintió feliz de explicar. No advirtió los detalles que había dado hasta que terminó la explicación.

—No puedo decir nada más sobre la rapidez del casamiento, Colin, porque al hacerlo dañaría la reputación de mi tía.

—Sara, ya le has contado todo —acotó Nathan fríamente.

Desde su posición tras el escritorio Colin podía ver la calle. Sara había comenzado a explicar por qué no había revelado las excepcionales circunstancias de su tía cuando un carruaje negro se detuvo en la calle de enfrente. Cinco hombres a caballo escoltaban el vehículo.

Colin reconoció el escudo de la puerta. Era el escudo familiar del conde de Winchester. Le hizo una seña imperceptible con la cabeza a Nathan y continuó atendiendo a Sara.

Nathan se alejó inmediatamente de la ventana, les hizo una indicación a Jimbo y a Matthew y todos salieron a la calle.

Sara no prestó atención a los hombres. Estaba decidida a convencer a Colin de que su tía era una mujer decente y de que nunca se habría comprometido tan apasionadamente con Matthew si no lo hubiera amado con todo su corazón. También quería que le prometiera que no diría una palabra de lo que le había dicho de su tía.

Tan pronto como se lo prometió quiso volverse para ver qué estaba haciendo su esposo. Colin la detuvo formulándole otra pregunta.

—Sara, ¿qué piensas de nuestra oficina?

—Colin, no quiero herir tus sentimientos, pero creo que es un poco monótona. Sin embargo, podría ser muy atractiva. Solo necesitamos pintar las paredes y poner cortinas. Me agradaría supervisar esta tarea. Rosa sería un color encantador, ¿no crees?

—No —le respondió con un tono tan animado que ella no se sintió ofendida. Sin embargo, se sintió un poco inquieta cuando él abrió el cajón del centro del escritorio y sacó una pistola—. Rosa es un color de mujer. Nosotros somos hombres. Nos gustan los colores oscuros, feos —le explicó Colin.

Hizo una mueca para indicarle que estaba bromeando. Además, aunque no le conocía bien, estaba segura de que no le dispararía porque no le había agradado el color que le sugirió. Nathan no se lo permitiría.

En cuanto a eso, ¿dónde estaba su esposo? Sara se puso de pie y se dirigió hacia la puerta. Vio a Nathan en medio de Jimbo y Matthew en la acera de enfrente. El trío estaba bloqueando la puerta de un carruaje negro. Sara no podía ver el escudo. Jimbo lo estaba tapando.

—Me pregunto con quién están hablando. ¿Lo sabes, Colin?

—Ven a sentarte, Sara. Espera a que Nathan regrese.

Ella estaba a punto de hacerlo cuando Jimbo cambió de posición y vio el escudo.

—Es el carruaje de mi padre —exclamó sorprendida—. ¿Cómo se enteró tan pronto de que había regresado a Londres?

Colin no le respondió, ya que Sara ya había salido. Guardó la pistola en su bolsillo y la siguió.

Ella vaciló en el borde de la acera. Se le hizo un nudo en el estómago. Oh, Dios, esperaba que su padre y Nathan se estuvieran entendiendo. ¿Y quiénes eran esos hombres?

—No te preocupes —se dijo a sí misma. Respiró profundamente, se levantó la falda y cruzó la calle justo cuando su padre se bajaba del carruaje.

Muchos consideraban al conde de Winchester un caballero distinguido. Aún tenía todo su cabello, aunque color gris, y su abdomen era muy firme. Medía casi un metro ochenta. Tenía los mismos ojos castaños que Sara, aunque ese era el único parecido que tenían. Su nariz era aguileña. Cuando fruncía el entrecejo o entrecerraba los ojos por el sol como lo estaba haciendo en ese momento, sus ojos desaparecían tras unas pequeñas arrugas. Cuando tenía los labios cerrados eran tan finos como una línea.

Sara no le tenía miedo a su padre, pero le preocupaba por la simple razón de que era un hombre impredecible. Ella nunca sabía qué iba a hacer. Sara ocultó su preocupación y corrió a abrazar a su padre. Nathan advirtió cómo el conde se puso tenso cuando su hija le abrazó.

—Estoy tan sorprendida de verte, padre —comenzó Sara. Retrocedió y tomó del brazo a Nathan—. ¿Cómo te has enterado tan rápido de que ya habíamos regresado a Londres? Ni siquiera han bajado nuestros baúles.

Su padre dejó de fruncirle el entrecejo a Nathan el tiempo suficiente para responderle a su hija.

—He tenido a mis hombres vigilando el agua desde el día en que te fuiste, Sara. Ahora ven conmigo. Te llevaré a casa, que es el lugar al que perteneces.

El tono enojado de su padre la alarmó. Se acercó instintivamente a su esposo.

—¿A casa? Pero padre, estoy casada con Nathan. Debo ir a casa con él. Seguramente te das cuenta de que...

Detuvo su explicación cuando se abrió la puerta del carruaje y bajó su hermana mayor, Belinda.

A Sara no le complacía verla. Belinda estaba sonriendo. Esa no era una buena señal. Las únicas veces que Belinda parecía feliz era cuando había problemas. Entonces sonreía mucho.

Belinda había aumentado considerablemente de peso desde que Sara la vio por última vez. Las costuras del vestido dorado que tenía puesto le tiraban. Su hermana era de huesos grandes y propensa a la gordura, y los kilos que había aumentado se le habían acumulado en el diafragma. Parecía embarazada. Cuando era una niña, Belinda era la hermana bonita. Los hombres de la familia se fijaban en ella. Tenía el cabello rizado rubio, un hoyuelo en cada mejilla y adorables ojos celestes. Sin embargo, cuando creció los hoyuelos desaparecieron en sus mejillas regordetas. Su glorioso cabello se puso marrón. La predilecta de la familia Winchester ya no volvió a ser el centro de atención. La respuesta de Belinda a ese cambio de estatus era consolarse con la comida.

Por otra parte, Sara había sido una niña sencilla, de piernas delgadas. Era desgarbada, y sus dientes permanentes tardaron una eternidad en salir. Durante un año escupió cada vez que hablaba. Nadie excepto su niñera y su abuela se fijaban en ella.

Era un pecado no querer a su hermana, y solo por esa razón Sara quería a Belinda. Ella comprendía el cruel ingenio de su hermana. Había nacido de todas las decepciones que había sufrido, y Sara siempre había tratado de ser paciente y comprensiva con ella. Cuando Belinda no estaba enojada por algo, podía ser realmente agradable.

Sara trató de concentrarse en las buenas cualidades de su hermana cuando la saludó. La forma en que le apretó el brazo a Nathan no coincidía con el tono alegre de su voz.

—Belinda, qué placer volver a verte.

Su hermana miró con rudeza a Nathan mientras le devolvía el saludo.

—Me alegro de que por fin estés en casa, Sara.

—¿Mamá está contigo? —le preguntó Sara.

El conde de Winchester le respondió a la pregunta.

—Tu madre está en casa, donde pertenece. Sube al

carruaje, hija. No quiero problemas, pero estoy preparado para ellos —agregó—. Vienes con nosotros. Nadie sabe que estuviste con el marqués, y si...

—Oh, papá —le interrumpió Belinda—, sabes que eso no es verdad. Todo el mundo lo sabe. Bueno, teniendo en cuenta todas las notas que recibimos desde que Sara se fue.

—¡Silencio! —gruñó el conde—. ¿Te atreves a contradecirme?

Sara se movió tan rápidamente que Nathan no tuvo tiempo de detenerla. Apartó a Belinda de al lado de su padre y se colocó entre ellos.

—Belinda no ha querido contradecirte —dijo Sara.

Su padre parecía un poco apaciguado.

—No toleraré insolencias. En cuanto a los pocos que saben sobre tu vergonzosa conducta, hija —continuó, dirigiendo su ceño y su atención hacia Sara—, mantendrán sus bocas cerradas. Si se desata un escándalo antes de que arregle este asunto, yo lo solucionaré.

Sara estaba más preocupada que nunca. Cuando su padre actuaba con tanta seguridad siempre había problemas.

—¿Qué escándalo, padre? —le preguntó—. Nathan y yo no hemos hecho nada para dar que hablar. Estamos obedeciendo todas las condiciones establecidas en el contrato.

—No me menciones el contrato, hija. Ahora sube al carruaje antes de que les ordene a mis hombres que saquen sus armas.

A Sara le dolía más el estómago. Tendría que desafiar a su padre. Era la primera vez. Se había enfrentado a él a menudo, pero siempre había sido para defender a su madre o su hermana, nunca a sí misma.

Retrocedió lentamente hasta colocarse otra vez junto a Nathan.

—Lamento decepcionarte, padre, pero no voy a ir contigo. Mi lugar está junto a mi esposo.

El conde estaba furioso. Era humillante que su hija le desafiara abiertamente ante testigos. Extendió la mano para golpearla. Nathan fue más rápido. Tomó la muñeca al conde y se la apretó. Fuerte. Quería romperle el hueso en dos.

Sara le detuvo. Cuando ella se apoyó contra él, Nathan soltó de inmediato a su padre y le apoyó el brazo en el hombro. Sintió que estaba temblando y se enfureció más aún.

—Ella no irá a ninguna parte, anciano —le anunció Nathan.

Obviamente, la negativa era la señal que necesitaban los hombres del conde. Sacaron las pistolas y las apuntaron contra Nathan.

Sara no podía creer lo que estaba sucediendo. Trató de ponerse delante de Nathan para protegerle. Él no permitió que se moviera. La apretó y continuó mirando fijamente a su padre. Sonrió. Sara no comprendía esa reacción.

Seguramente él comprendía la gravedad de la situación.

—¿Nathanial? —Usó ese nombre como un método para persuadirle. Se inclinó hacia él y susurró—: No tienes pistola. Ellos sí. Por favor, ten en cuenta la diferencia, esposo.

Nathan dejó de sonreír y la miró. Él sabía lo que ella no sabía, que la diferencia estaba a favor de él. Por lo menos ocho miembros de su tripulación habían venido corriendo al ver el carruaje. Estaban alineados detrás de Sara, listos y armados para luchar.

También se daba el hecho de que su padre estaba alardeando. La mirada de sus ojos le indicaba a Nathan que no tenía la intención ni el valor para una confrontación directa.

—Esto está completamente fuera de control —le dijo Sara a su padre. Estaba tan disgustada que le temblaba la voz—. Ordena a tus hombres que guarden sus armas, padre. No se resolverá nada hiriéndome a mí o a Nathan.

El conde de Winchester no dio la orden lo suficientemente rápido.

—No dejaré que lastimes a mi esposo —gritó—. Le amo.

—Él no le va a lastimar —gritó Colin—. Le haré un agujero en la frente si lo intenta.

Sara se volvió para mirar al amigo de Nathan. La transformación de Colin era tan sorprendente que Sara contuvo la respiración.

Su postura era relajada y tenía una sonrisa en los labios, pero la frialdad de su mirada indicaba claramente que cumpliría con su amenaza sin remordimiento.

De inmediato, el conde les indicó a sus hombres que abandonaran sus posiciones. Cuando guardaron sus armas, intentó otra forma de obtener la victoria.

—Belinda, háblale a tu hermana sobre tu madre. Como Sara se niega a venir a casa, debe saber la verdad.

Belinda había regresado junto a su padre. Le dio un golpecito en el brazo para que comenzara.

—Sara, realmente debes venir con nosotros —le dijo Belinda. Miró sobre el hombro a su padre, recibió su aprobación y continuó—. Mamá está gravemente enferma. Es por eso que no ha venido con nosotros.

—Ella ansía verte otra vez —acotó su padre—. Aunque por la forma en que la preocupaste, no entiendo por qué.

Sara negó con la cabeza.

—Mamá no está enferma. Esto es un ardid para que deje a Nathan, ¿verdad?

—Nunca utilizaría a tu madre de esa manera —le respondió su padre con indignación.

Volvió a darle un golpecito a Belinda. Nathan lo advirtió y supo que la escena que estaba presenciando había sido ensayada. Esperaba que su esposa también fuera lo suficientemente astuta para advertirlo.

Belinda dio un paso adelante.

—Mamá enfermó después de que te fuiste, Sara. Ella no sabía si te habías ahogado, o te habían matado los... piratas.

—Pero, Belinda, mamá... —Sara se detuvo. No estaba segura de que su padre supiera que le había dejado una nota explicándole a su madre que iba a ayudar a Nora para que regresara a su hogar. Su madre podría haberle ocultado la nota a su padre—. Le envié a mamá una extensa carta cuando Nathan y yo llegamos a nuestro destino. Mamá ya debe de haber recibido la carta.

Nathan se sorprendió ante la noticia.

—¿Cuándo le escribiste?

—Cuando te fuiste a buscar materiales —le explicó Sara.

—Sí, recibimos tus dos cartas —dijo el conde.

Sara estaba a punto de discutir que había enviado solo una carta, pero no tuvo oportunidad, ya que su padre continuó hablando.

—Y por supuesto, me sentí complacido por la información que me diste. Aun así, hija, el asunto no está resuelto, y por esa razón debemos seguir usando la discreción.

Ella no sabía de qué le estaba hablando.

—¿Qué información? —le preguntó.

Su padre negó con la cabeza.

—No te hagas la tonta conmigo, Sara. —Irguió los hombros y luego se volvió para abrir la puerta del carruaje—. Tu madre está esperando.

Sara miró a Nathan.

—¿Me llevarías a ver a mi madre? Estaré preocupada hasta que hable con ella.

—Más tarde —le respondió Nathan.

Sara se volvió hacia su padre.

—Por favor, dile a mamá que iremos a visitarla tan pronto como Nathan termine con sus negocios aquí.

El conde de Winchester había planeado esperar hasta que hubiera alejado a Sara de Nathan para poner su plan en acción. No le gustaban los conflictos directos. Era mucho más satisfactorio tener la sorpresa de su parte, y también menos peligroso. Sin embargo, cuando el marqués le dijo que se fuera, explotó su furia.

—En este momento, el príncipe regente tiene toda la información —exclamó—. Solo es una cuestión de tiempo que decida si violaste el contrato. Espera y verás.

—¿De qué demonios habla? —preguntó Nathan—. Está loco si piensa que violé alguna condición. Este matrimonio no será invalidado. Ya me acosté con mi esposa. Es demasiado tarde.

El rostro del conde se puso rojo. Sara nunca le había visto tan furioso.

—Por favor, cálmate, padre. Vas a enfermar.

—Sara, ¿sabes de qué habla tu padre? —le preguntó Nathan.

Ella negó con la cabeza. Ambos se volvieron hacia el conde.

—Esta es una conversación privada —anunció el padre de Sara. Les hizo una seña a sus hombres—. Esperen en la esquina.

Se volvió hacia Nathan.

—Dígales a sus hombres que se retiren —le ordenó—, a menos que quiera que escuchen lo que voy a decir.

—Ellos se quedan... —Nathan se encogió de hombros.

—Padre, me gustaría explicarles —se ofreció Belinda. Sonrió mientras esperaba que se retirara la escolta.

Cuando los hombres ya no podían escuchar, se volvió hacia Nathan—. Sara nos escribió. Nunca lo habríamos sabido si ella no lo hubiera hecho.

—¿Qué no habríais sabido? —preguntó Sara.

Belinda suspiró con burla.

—Oh, Sara, no actúes tan inocentemente. Ya no es necesario. —Volvió a mirar a Nathan y sonrió—. Ella nos habló sobre su padre. Ahora sabemos todo sobre el conde de Wakersfield. Sí, lo sabemos.

—No —gritó Sara—. Belinda, ¿por qué...?

Su hermana no podía dejar que continuara.

—Por supuesto que Sara solo nos dio los huesos pelados, pero una vez que tuvimos la información..., bueno, papá tiene amigos importantes que investigaron un poco, y el resto fue indagar. Cuando papá haya terminado, todo el mundo en Londres sabrá que el padre de tu esposo fue un traidor.

El conde resopló disgustado.

—¿Creyó que iba a poder mantener esa suciedad debajo de la alfombra? —le preguntó a Nathan—. Dios mío, su padre casi derriba a nuestro gobierno. Maquiavelo era un santo comparado con su padre. Ahora esos pecados pesan sobre sus hombros —agregó asintiendo con la cabeza—. Cuando yo haya terminado, estará destruido.

—Padre, ya basta de amenazas —exclamó Sara—. No puedes hablar en serio.

Su padre ignoró su súplica. Su mirada estaba dirigida a Nathan.

—¿Honestamente cree que el príncipe regente obligará a mi hija a permanecer casada con un infiel como usted?

Nathan estaba tan sorprendido por los comentarios del conde que una furia que jamás había sentido comenzó a quemarle por dentro. ¿Cómo había averiguado el maldito todo eso sobre su padre? Y cuando se hiciera público, ¿cómo reaccionaría su hermana Jade?

Era como si el conde le hubiera leído la mente.

—Piense en su hermana. Lady Jade está casada con el conde de Cainewood, ¿verdad? Ella y su esposo son muy apreciados. Eso pronto cambiaría —agregó volviendo a resoplar—. La vergüenza convertirá a su hermana en una leprosa de la sociedad, se lo prometo.

Sara estaba aterrorizada por Nathan. ¿Cómo se había enterado su padre de ese asunto sobre el conde de Wakersfield? Cuando Nora le confió ese secreto, ella le dijo que nadie se enteraría. El documento del padre estaba dentro de la bóveda del Departamento de Guerra. Nadie podía violar ese santuario.

Entonces comprendió lo que su padre y su hermana estaban tratando de hacer. Querían que Nathan creyera que le había traicionado.

Sacudió la cabeza inmediatamente. No, eso no tenía sentido, pensó. ¿Cómo pudieron adivinar que ella lo sabía?

—No comprendo cómo se enteraron de eso sobre el padre de Nathan —susurró—. Pero yo...

Belinda la interrumpió.

—Tú nos lo dijiste. Ya no tienes que seguir mintiendo. Tan pronto como papá se enteró de la novedad hizo lo que pediste. Por el amor de Dios, tendrías que estar feliz. Muy pronto estarás libre. Entonces te podrás casar con un caballero que te merezca. ¿No es eso lo que dijiste, papá?

El conde de Winchester asintió rápidamente con la cabeza.

—Si se anula el contrato, el duque de Loughtonshire aún querrá casarse contigo.

—Pero Belinda está comprometida con él —respondió Sara.

—Él te prefiere a ti —le contestó su padre.

A Sara le dolía tanto el estómago que casi la hacía doblarse.

—¿Es por eso que estás mintiendo, Belinda? No quieres casarte con el duque, e hiciste un pacto con papá, ¿verdad?

—No estoy mintiendo —replicó Belinda—. Tú nos diste la información que necesitábamos. Papá dice que pedirá que toda la tierra que el marqués heredó de su padre sea confiscada. Cuando papá haya terminado —añadió con tono sarcástico—, el marqués será un indigente.

Sara negó con la cabeza. Las lágrimas le corrían por sus mejillas. Estaba tan humillada de que su familia actuara de esa manera tan cruel, tan sádica.

—Oh, Belinda, por favor, no hagas esto.

Nathan no había dicho una palabra. Cuando le apartó el brazo de los hombros a Sara, el conde pensó que su jugada había dado resultado. Se regocijaba con la victoria. Había escuchado que el marqués de St. James era un hombre cínico y obstinado, y ahora sabía que los rumores eran ciertos.

Sara necesitaba escuchar que su esposo le dijera que la creía.

—¿Nathan? ¿Crees que le escribí a mi madre y le hablé sobre los pecados de tu padre?

Él le respondió con una pregunta.

—¿Sabías algo sobre mi padre?

Que Dios la protegiera, casi le mintió. Parecía tan despreocupado. Sin embargo, le temblaba la voz de furia.

Él la condenó.

—Sí, lo sabía —admitió Sara—. Nora me lo contó.

Él se alejó de ella. Sara sintió como si la hubiera golpeado.

—Nathan, no creerás que te traicioné, ¿verdad?

Entonces habló Colin.

—¿Por qué no? Todas las evidencias están en tu contra. Ese secreto estuvo bien guardado durante mucho tiempo. Luego tú lo averiguaste, y...

—¿Así que me crees culpable, Colin? —le interrumpió.

Él se encogió de hombros.

—No te conozco bien para juzgar si puedo confiar o no en ti —le respondió. Estaba siendo brutalmente honesto con ella—. Pero tú eres una Winchester —agregó con una significativa mirada a su padre.

Colin miró a Nathan. Sabía que su amigo estaba muy angustiado, aunque dudaba de que alguien hubiera advertido ese dolor. Nathan tenía una mirada despreocupada. Su amigo se había convertido en un maestro para ocultar sus reacciones. Irónicamente, había sido una mujer la que le había enseñado cómo proteger su corazón. Ahora otra mujer parecía estar probando que el cinismo de Nathan era más que justificado.

Sin embargo, la angustia de Sara era evidente. Parecía devastada, derrotada. Colin comenzó a dudar sobre su rápido juicio. ¿Sara era capaz de tanta falsedad?

—¿Por qué no se lo vuelves a preguntar a Nathan? —le sugirió con tono suave.

Ella negó con la cabeza.

—Él debería tener suficiente fe en mí para saber que nunca le traicionaría.

—Sube al carruaje —le volvió a ordenar su padre.

Sara se volvió para mirar a su padre.

—He sido tan tonta sobre tantas cosas, padre —le dijo—. Busqué excusas para tu pecaminosa conducta, pero después de todo Nora tenía razón. No eres mejor que tus hermanos. Me repugnas. Dejas que tu hermano Henry se ocupe del castigo cuando estás disgustado. De esa manera tus manos quedan limpias, ¿verdad? Oh,

Dios, no quiero volver a verte. —Respiró profundamente y agregó—: Ya no soy tu hija.

Luego se dirigió a Belinda.

—En cuanto a ti, espero que te arrodilles y le pidas perdón a Dios por todas las mentiras que has dicho hoy. Puedes decirle a mamá que lamento que no se sienta bien. Iré a verla cuando esté segura de que ninguno de vosotros está en casa.

Después de decir todo eso, Sara le dio la espalda a su familia y cruzó la calle. Colin intentó cogerla del brazo. Ella le apartó.

Todo el mundo la miró hasta que entró en la oficina y cerró la puerta.

El conde de Winchester aún no estaba listo para rendirse. La discusión duró varios minutos más hasta que finalmente Nathan dio un paso adelante.

Entonces el padre de Sara intentó ir a la oficina. Gritó tan fuerte el nombre de su hija que se le hincharon las venas del cuello. Nathan le bloqueó el camino. Esa acción fue lo suficientemente intimidatoria.

Nadie dijo una palabra hasta que el carruaje de Winchester giró en la esquina. Los hombres que estaban a caballo siguieron el vehículo. Entonces todos empezaron a hablar al mismo tiempo.

Jimbo y Matthew discutían en defensa de Sara.

—Ella puede haberlo dicho —dijo Matthew—, pero solo de la forma en que habló sobre Nora y yo. De forma accidental.

—Te digo que ella no ha dicho nada —replicó Jimbo. Se cruzó de brazos y miró fijamente a Colin cuando hizo esa afirmación—. Tú no has ayudado, Dolphin —agregó—. Podrías haber hecho cambiar de idea al muchacho si hubieras defendido a Sara con nosotros.

—La última vez que salí en defensa de una mujer, casi matan a Nathan —replicó Colin.

—En aquel momento era joven y estúpido —acotó Matthew.

—Aún lo es —afirmó Jimbo—. No te sorprende, ¿verdad? Con tu corazón cínico, seguramente esperabas que Sara te fallara. ¿No es verdad?

Nathan no estaba escuchando a sus amigos. Su mirada estaba dirigida hacia la esquina. Sacudió la cabeza y se volvió.

—¿Dónde vas? —le gritó Matthew.

—Quizá ha recuperado el sentido —comentó Jimbo cuando Nathan empezó a cruzar la calle—. Puede que vaya a disculparse con Sara. ¿Has visto su mirada, Matthew? Me partió el corazón ver tanto tormento.

—Nathan no se disculpará —dijo Colin—. No sabe cómo hacerlo. Pero quizá está lo suficientemente tranquilo para escucharla.

Sara no tenía idea de que Jimbo y Matthew la habían defendido. Creía que todos la habían condenado. Estaba tan disgustada que no podía dejar de caminar de un lado al otro. Aún seguía pensando en la expresión del rostro de Nathan cuando ella admitió que sabía la verdad acerca de su padre.

Él creía que le había traicionado.

Sara nunca se había sentido tan sola. No sabía adónde ir, a quién recurrir, qué hacer. No podía pensar. Su fantasía de vivir en el paraíso con el hombre que pensó que siempre la había amado se desvaneció.

Nathan nunca la había amado. Era como le habían dicho sus familiares. Solo buscaba la dote del rey. Creyó que todas eran mentiras para que su corazón se volviera contra él. Ahora sabía que no.

Qué tonta había sido.

El dolor era muy intenso, demasiado abrumador para pensar. Sara recordó la vil amenaza que su padre había hecho contra la hermana de Nathan. Aunque no conocía a la mujer sabía que su deber era prevenirla para que pudiera prepararse.

Este plan le dio una razón para moverse. Nadie se dio cuenta de cuándo salió. Estaban ocupados gritándose los unos a los otros. Ella fue hasta la esquina, pero cuando ya no la veían comenzó a correr. Siguió corriendo hasta que se quedó sin aliento.

Dios se apiadó de ella, ya que cuando no podía dar un paso más vio un carruaje en el medio de la calle. Un pasajero estaba bajando del vehículo. Mientras buscaba monedas en su bolsillo, Sara corrió hacia él.

Sara no tenía monedas. Tampoco sabía la dirección a la que tenía que ir. Sin embargo, no podía preocuparse por la falta de dinero. Decidió que el cochero tendría que hacerse responsable de encontrarla.

—La casa del conde de Cainewood, por favor —le indicó. Subió al vehículo y se sentó en un rincón. Su temor era que Nathan hubiera enviado a alguno de sus hombres para que la siguiera.

El cochero dirigió el carruaje hacia lo que llamó la parte elegante de la ciudad, sin embargo, tuvo que pedir indicaciones a un transeúnte para encontrar la dirección que le había indicado la pasajera.

Sara trató de calmar su estómago nauseabundo. Respiró profundamente y rezó para no descomponerse.

Nathan no tenía idea de que Sara no le estaba esperando dentro de la oficina. Trató de tranquilizarse antes de volver a hablar con ella. No quería disgustarla más. No podía imaginar lo que debió de haber sido su vida con una familia tan vil.

Jimbo comenzó a regañarle.

—No la condeno por haberlo contado —dijo Nathan—. Comprendo sus defectos. No me he sorprendido. Ahora, si dejas de perseguirme, iré a decirle que la perdono. ¿Estás satisfecho?

Jimbo asintió con la cabeza. Nathan cruzó la calle y entró en la oficina. No tardó en darse cuenta de que su esposa no estaba allí. Miró por el almacén solo para asegurarse.

Sintió pánico. Sabía que no se había ido con su padre, así que eso significaba literalmente que se había ido.

La imagen de lo que le podía suceder a una mujer sola en esa parte de la ciudad aterrorizó a Nathan. Su rugido retumbó en las calles. Tenía que encontrarla.

Ella le necesitaba.

13

Sara lloró durante todo el camino. Cuando el carruaje se detuvo frente a la casa con fachada de ladrillos trató de controlarse. Su voz se quebró cuando le indicó al cochero que la esperara.

—Tardaré un minuto —le prometió—. Después de que termine aquí tengo que ir a otro lugar, y duplicaré su precio si me espera.

—Esperaré lo que sea necesario —le respondió el conductor, dando un golpecito en su sombrero.

Sara subió corriendo la escalera y golpeó la puerta. Quería entrar en la casa antes de que la vieran sus familiares. También tenía miedo de perder el valor antes de completar su misión.

Un hombre alto, con aspecto arrogante y arrugas en los ojos, abrió la puerta. Parecía bastante rústico, pero el brillo de sus ojos oscuros indicaba que era amable.

—¿Puedo ayudarla, madam? —le preguntó el mayordomo con un tono de voz arrogante.

—Debo ver a lady Jade de inmediato, señor —respondió Sara. Miró sobre su hombro para asegurarse de que no la estaban observando—. Por favor, déjeme entrar.

El mayordomo solo tuvo tiempo de apartarse de su camino. Sara pasó rápidamente junto a él, luego le pidió con un susurro que cerrara la puerta con el cerrojo para que no entraran intrusos.

—Espero que su señora esté aquí —le dijo—. No sé qué voy a hacer si no está en casa.

Esa posibilidad era tan angustiante que se le llenaron los ojos de lágrimas.

—Lady Jade hoy está en casa —le informó el mayordomo.

—Gracias a Dios.

El mayordomo sonrió.

—Sí, madam, a menudo le agradezco a Dios que la envía a mí. Ahora, ¿podría decirme a quién debo anunciar?

—Lady Sara —respondió Sara. Le tomó la mano repentinamente—. Y por favor, apúrese, señor. Cada segundo que pasa me siento más cobarde.

El mayordomo sintió curiosidad. La pobre mujer angustiada le estaba apretando tanto la mano que parecía que le iba a romper los huesos.

—Me complacerá apurarme, lady Sara —le contestó—. Tan pronto como me suelte la mano.

Hasta ese momento, ella no se había dado cuenta de que la estaba sosteniendo, y se la soltó de inmediato.

—Estoy muy perturbada, señor. Por favor, disculpe mi atrevimiento.

—Por supuesto, mi lady —respondió el mayordomo—. ¿Por ventura hay un nombre que vaya con el primero?

La pregunta fue demasiado para ella, y para consternación del mayordomo, Sara se puso a llorar.

—Solía ser lady Sara Winchester, pero eso ha cambiado, y ahora soy lady Sara St. James. Ahora eso también va a cambiar —exclamó—. Mañana no sé cuál será mi nombre. Supongo que Ramera. Todos creerán que viví en pecado, pero no lo hice, señor, no lo hice. No fue pecaminoso.

Se detuvo para secarse las lágrimas con un pañuelo que le entregó el mayordomo.

—Usted también podría llamarme Ramera. Tendré que acostumbrarme.

Sara advirtió que se estaba comportando como una tonta. El mayordomo se estaba alejando lentamente de ella. Probablemente pensó que había dejado entrar a una mujer trastornada en el santuario de su señora.

El conde de Cainewood había entrado en la sala desde la parte de atrás de la casa, donde estaba su biblioteca, cuando oyó que Sterns le preguntaba el nombre completo a su invitada. Su respuesta le detuvo.

Sara trató de pasar junto al mayordomo. Le entregó el pañuelo mojado y le dijo:

—No debí venir. Ahora lo comprendo. Le enviaré una nota a su señora. Seguramente lady Jade está muy ocupada para recibirme.

—Detenla, Sterns —gritó el conde.

—Como desee —respondió el mayordomo. Tomó a Sara de los hombros—. ¿Y ahora qué, mi señor? —le preguntó.

—Dale la vuelta.

Sterns no tuvo que obligar a Sara. Ella se movió sin que tuviera que tocarla.

—¿Es usted el esposo de lady Jade? —le preguntó cuando vio al hombre alto y buen mozo que estaba apoyado contra el pasamano.

—¿Puedo presentarle a mi señor, el conde Cainewood? —anunció el mayordomo con voz formal.

Su reverencia de cortesía fue instintiva, producto de años de entrenamiento. El mayordomo la hizo tropezar cuando agregó:

—Señor, ¿puedo presentarle a lady Sara Ramera?

Sara casi se cae de rodillas. Sterns la sostuvo para que mantuviera el equilibrio.

—Solo estaba bromeando, mi lady. No pude contenerme.

El esposo de Jade se adelantó. Le estaba sonriendo. Eso ayudaba.

—Puedes llamarme Caine —le dijo.

—Soy la esposa de Nathan —replicó Sara.

Su sonrisa era tan amable, tan tierna.

—Lo adiviné cuando vi lo disgustada que estabas. También he escuchado tu explicación acerca de que te convertiste en una St. James —agregó cuando vio que estaba tan azorada—. Bienvenida a nuestra familia, Sara.

Le tomó la mano y se la apretó con afecto.

—Mi esposa está ansiosa por conocerte. Sterns, ve a buscar a Jade. Sara, ven conmigo a la sala. Podremos conocernos un poco mejor mientras esperamos a mi esposa.

—Pero señor, esta no es una visita social —le explicó Sara—. Cuando conozcan la razón de mi visita, ambos querrán echarme.

—Es una vergüenza que pienses que seríamos tan poco hospitalarios —replicó el conde. Le guiñó un ojo y la llevó a su lado—. Ahora somos de la familia. Llámame Caine, no señor.

—No seré parte de la familia durante mucho tiempo —susurró Sara.

—Vamos, vamos, no empieces a llorar otra vez. No puede ser tan terrible. ¿Entonces has venido a contarnos algo sobre Nathan? Me pregunto qué ha hecho.

Su sonrisa le indicó que estaba bromeando. Cuando mencionó a su esposo se puso a llorar otra vez.

—Él no ha hecho nada —le contestó entre sollozos—. Además, nunca hablaría mal de mi esposo. No sería leal.

—¿Así que la lealtad es importante para ti?

Ella asintió con la cabeza. Luego frunció el entrecejo.

—También lo es tener fe en el esposo. Algunas la tienen, otras no.

Él no estaba seguro de saber de qué le estaba hablando.

—¿Y tú?

—Ya no. He aprendido la lección.

Caine no sabía de qué estaban hablando.

—No he venido aquí para hablar de Nathan —le explicó—. Nuestro matrimonio terminará pronto.

Fue un considerable esfuerzo para Caine contener su sonrisa. Así que después de todo había sido un desacuerdo matrimonial.

—Nathan puede ser un poco difícil —le comentó.

—Así es, esposo.

Sara y Caine se volvieron hacia la puerta y vieron entrar a lady Jade.

Sara pensó que la hermana de Nathan era la mujer más hermosa que jamás había visto. Tenía un cabello castaño rojizo maravilloso. Sus ojos eran tan verdes como los de Nathan y su cutis era de porcelana. Al compararse con ella, Sara se sintió completamente disminuida.

Se esforzó por dejar de lado su aspecto físico y comenzó a rezar para que Jade no tuviera el mismo carácter testarudo que su hermano.

—He venido con malas noticias —le advirtió.

—Ya sabemos que estás casada con Nathan —comentó Caine—. No puede haber nada más terrible para ti, Sara. Nuestras condolencias.

—Muy desleal de tu parte —respondió Jade. Sin embargo, su sonrisa indicaba que no estaba irritada por el comentario de su esposo—. Caine adora a mi hermano —le dijo a Sara—. Odia admitirlo.

Se acercó y le dio un beso en la mejilla a Sara.

—No eres lo que yo esperaba. Eso me complace. ¿Dónde están mis modales? Estoy muy complacida de conocerte, Sara. ¿Dónde está Nathan? ¿Vendrá pronto?

Sara negó con la cabeza. Tuvo que sentarse y se desplomó en la silla más cercana.

—No quiero volver a verle —susurró—. Excepto para decirle que no quiero volver a verle. Oh, no sé por dónde empezar.

Jade y Caine se miraron, y Caine pronunció las palabras «problemas matrimoniales», como una tentativa de cuál podía ser el problema. Jade asintió con la cabeza antes de sentarse en el sillón de brocado. Caine se sentó junto a ella.

—No importa lo que él haya hecho, Sara, estoy segura de que los dos podréis arreglar esto para satisfacción de ambos —dijo Caine.

—Mi esposo y yo peleábamos todo el tiempo cuando nos casamos —acotó Jade.

—No, querida, peleábamos antes de casarnos, no después —replicó Caine.

Jade estaba a punto de discutir sobre ese ridículo comentario cuando Sara dijo:

—No he venido para discutir mi matrimonio. No... ¿por qué no soy lo que esperabas?

Jade sonrió.

—Me preocupaba que pudieras ser... reprimida. La mayoría de las damas de nuestra sociedad tienden a ser superficiales. Se esfuerzan por parecer aburridas. Pero tus reacciones parecen muy honestas.

—Debes de impacientar a Nathan —comentó Caine.

—Me niego a hablar de Nathan —respondió Sara—. He venido a preveniros. Debéis prepararos para el escándalo.

Caine se inclinó hacia delante.

—¿Qué escándalo?

—Tendría que haber comenzado por el principio, y así comprenderíais —susurró Sara. Cruzó las manos sobre su falda—. ¿Conocéis las condiciones del contrato entre Nathan y yo?

Ambos negaron con la cabeza. Sara suspiró.

—El rey George, gracias a su mente enferma, estaba decidido a terminar con la enemistad entre los St. James y los Winchester. Forzó un casamiento entre Nathan y yo y luego endulzó la amargura de esa acción destinando una gran fortuna en oro y una parcela de tierra que está situada entre las propiedades de las dos familias. La enemistad data de la Edad Media —agregó—. Pero ahora eso no es importante. En realidad, la tierra es más codiciada que el oro, ya que es fértil y el agua que baja de la montaña directamente sobre el centro de la parcela riega los campos de ambas propiedades. El que posea la tierra podría arruinar al otro cortando el suministro de agua. De acuerdo con el contrato, el tesoro pertenece a Nathan tan pronto como yo sea su esposa. Después de que le dé un heredero, la tierra también sería nuestra.

Caine la miraba incrédulo.

—¿Cuántos años tenías cuando se firmó ese contrato?

—Tenía cuatro años. Mi padre lo firmó en mi nombre, por supuesto. Nathan tenía catorce años.

—Pero eso es... descabellado —acotó Caine—. No puede ser legal.

—El rey decretó que era legal y valedero. El obispo estaba con él y bendijo el matrimonio.

Sara no podía mirar a Caine ni a Jade. Ya había terminado con la parte fácil de la explicación y era el momento de abordar el verdadero problema. Se miró la falda.

—Si no cumplo con el contrato, Nathan obtiene todo. Y si él no lo cumple, entonces yo... mejor dicho mi familia recibiría todo. Fue un juego muy astuto por parte del rey.

—Tú y Nathan fuisteis sus prendas, ¿verdad? —preguntó Caine.

—Sí, supongo que lo fuimos —respondió Sara—. Sin embargo, creo que los motivos del rey fueron honestos. Parecía obsesionado porque todo el mundo se llevara bien. Trato de recordar que tenía sus mejores intenciones para nosotros.

Caine no estaba de acuerdo con esa evaluación, pero se guardó su opinión.

—Te he interrumpido. Por favor, continúa con tu explicación, Sara. Veo que esto te incomoda mucho.

Ella asintió con la cabeza.

—Nathan me vino a buscar hace tres meses. Nos fuimos en su barco y acabamos de regresar a Londres. Mi padre nos estaba esperando.

—¿Qué sucedió entonces? —le preguntó Caine al ver que ella no continuaba.

—Mi padre quería que me fuera a casa con él.

—¿Y? —insistió Caine.

—Caine —intervino Jade—, es obvio que no se fue a casa con su padre. Está aquí con nosotros, por el amor de Dios. Sara, no comprendo por qué tu padre quería que regresaras a su casa. Estarías rompiendo el contrato, ¿verdad? Nathan lo ganaría todo, y no creo que los Winchester permitieran eso. Además, supongo que tú y Nathan estuvisteis viviendo juntos como marido y mujer. Es demasiado tarde, no es...

—Querida, deja que Sara nos explique —le sugirió Caine—. Luego formularemos nuestras preguntas.

—Mi padre encontró una forma de romper el contrato y ganar la dote —continuó Sara.

—¿Cómo? —preguntó Jade.

—Averiguó algo terrible sobre tu padre —susurró

Sara. Levantó rápidamente la vista y vio la mirada de alarma en el rostro de Jade—. ¿Conocías las actividades de tu padre?

Jade no le respondió.

—Esto es muy difícil —agregó Sara.

Caine no estaba sonriendo.

—¿Qué fue exactamente lo que averiguó tu padre?

—Que el conde de Wakersfield traicionó a su país.

Ni Caine ni Jade dijeron nada durante un minuto. Caine abrazó a su esposa para consolarla.

—Lamento tener que contarte esto sobre tu padre —susurró Sara. Su angustia era evidente—. Pero debes tratar de no condenarle. No puedes conocer las circunstancias que le llevaron a tomar ese camino.

No sabía qué más decir. Jade estaba pálida, y parecía que se iba a descomponer. Sara se sentía igual.

—Se sabría tarde o temprano —dijo Caine.

—¿Entonces lo sabíais? —preguntó Sara.

Jade asintió con la cabeza.

—Nathan y yo sabíamos lo de nuestro padre desde hacía tiempo. —Se volvió hacia su esposo—. Estás equivocado, Caine. El secreto nunca debió saberse. —Se volvió hacia Sara—. ¿Cómo lo averiguó tu padre?

—Sí, ¿cómo lo averiguó? —preguntó Caine—. El documento estaba en la bóveda. Me aseguraron que nadie lo averiguaría.

—Nathan cree que yo lo averigüé y le escribí la novedad a mi familia —respondió Sara.

—¿Lo sabías? —le preguntó Jade.

—Esa es la misma pregunta que me formuló tu hermano —contestó Sara. La tristeza de su voz indicaba su dolor—. Casi le miento a Nathan porque me miraba de una manera tan amenazadora.

—¿Lo sabías? —le volvió a preguntar Jade—. Y si es así, Sara, ¿cómo lo averiguaste?

Sara irguió los hombros.

—Sí, lo sabía, Jade. Sin embargo, no puedo decirte cómo lo averigüé. Sería desleal.

—¿Desleal? —Jade habría saltado de su asiento si su esposo no la hubiera detenido—. Lo que me parece desleal es habérselo contado a tu familia —exclamó—. ¿Cómo has podido hacer una cosa así, Sara? ¿Cómo has podido?

Sara ni siquiera trató de defenderse. Si su propio esposo no le había creído, ¿por qué lo iba a hacer su hermana?

Se puso de pie y miró a Jade.

—Sentí que era mi deber venir a advertiros. Me disculparía por mi familia, pero he decidido renunciar a ella, y de cualquier manera eso no aliviaría su tormento. Gracias por escucharme.

Sara se dirigió hacia la entrada.

—¿Adónde vas ahora? —gritó Caine. Trató de ponerse de pie, pero su esposa le tiró de la mano.

—Debo asegurarme de que mi madre está bien —les explicó Sara—. Y luego me iré a casa —después de decir eso, Sara abrió la puerta y se fue.

—Demasiado para haber renunciado a su familia —susurró Jade—, deja que se vaya, Caine. No quiero volver a verla. Oh, Dios, tenemos que encontrar a Nathan. Debe de estar terriblemente disgustado por esta traición.

Caine miró con el entrecejo fruncido a su esposa.

—No puedo creer lo que estoy escuchando. Si te refieres al escándalo que se va a desatar, Nathan no se disgustará. Jade, los hombres de St. James florecen en la desgracia, ¿recuerdas? Por el amor de Dios, razona. Nunca te ha importado lo que pensaban los demás. ¿Por qué este cambio repentino?

—Aún no me importa lo que piensan los demás, excepto tú, esposo. Estaba hablando sobre la traición de Sara. Ella traicionó a mi hermano, y es por eso que creo que Nathan debe de estar muy disgustado.

—Así que crees que ella es culpable, ¿verdad?

La pregunta la hizo reflexionar. Comenzó a asentir con la cabeza, pero luego lo negó.

—Nathan ya la ha juzgado. Sara nos dijo que él creía que le había traicionado.

—No —replicó Caine—. Ella ha dicho que le preguntó si sabía lo de su padre. Jade, no puedes saber qué piensa hasta que se lo preguntes. Tu hermano es uno de los hombres más cínicos que he conocido, pero esperaba algo mejor de ti.

Jade abrió grandes los ojos.

—Oh, Caine, yo la encontré culpable, ¿verdad? Yo solo lo supuse... y ella no se defendió.

—¿Por qué iba a hacerlo?

—Nos dijo que se iba a su casa. Una mujer que afirma que renunció a su familia... ¿Crees que es inocente?

—Hasta ahora saqué una sola conclusión. Sara ama a Nathan. Todo lo que hay que hacer es mirarla. ¿Se habría molestado en venir a avisarnos si no le importara tu hermano, querida? Ahora, suéltame, por favor. Iré a buscarla.

—Es demasiado tarde, señor —le dijo Sterns desde la entrada—. El carruaje ya se ha ido.

—¿Por qué no la has detenido? —le preguntó Caine corriendo hacia la puerta.

—Estaba ocupado escuchando detrás de la puerta —admitió el mayordomo—. Tampoco sabía que quería que la detuviera. —Se volvió hacia Jade—. Espero que no le importe que le haya dado algunas monedas a su cuñada. Lady Sara no tenía dinero y necesitaba pagar el viaje hasta su próximo destino.

Los golpes en la puerta principal detuvieron la conversación. Antes de que Caine o Sterns pudieran abrir la puerta se abrió de par en par y Nathan entró en el salón de entrada. Había pocos hombres que pudieran intimidar a Sterns, pero el marqués de St. James era uno de ellos. El mayordomo se apartó de inmediato del camino de Nathan.

Nathan saludó a ambos hombres asintiendo rápidamente con la cabeza.

—¿Dónde está mi hermana?

—Es agradable volver a verte, Nathan —gruñó Caine—. ¿Qué te trae por aquí? ¿Vienes a ver a tu ahijada? Olivia está durmiendo, pero estoy seguro de que con tus gritos se despertará enseguida.

—No tengo tiempo para ser sociable —le respondió Nathan—. Olivia está bien, ¿verdad?

Como una respuesta a esa pregunta se oyó el llanto de una niña retumbando por la escalera. Sterns le frunció el entrecejo al marqués antes de subir por la escalera.

—Iré a ver a la niña —anunció Sterns—. Querrá que la acune para volver a dormirse.

Caine asintió con la cabeza. El mayordomo era más un miembro de la familia que un sirviente, y se encargaba del cuidado de Olivia. Los dos se llevaban extremadamente bien, y Caine no estaba seguro de quién estaba más aferrado a quién.

Caine se volvió para darle una buena reprimenda a Nathan por haber perturbado el sueño de su hija, pero cuando vio la expresión del rostro de su cuñado cambió de idea. Era una expresión que jamás había visto en el rostro del hermano de Jade. Nathan parecía preocupado.

—Jade está en la sala —le informó.

Su hermana se puso de pie tan pronto como entró en la sala.

—Oh, Nathan, gracias al cielo que estás aquí.

Nathan se acercó y se detuvo directamente frente a su hermana.

—Siéntate —le ordenó.

Ella obedeció de inmediato. Nathan colocó las manos a su espalda y luego le dijo:

—Prepárate. Los Winchester averiguaron todo sobre nuestro padre y es solo una cuestión de tiempo que seas humillada. ¿Has entendido?

Tan pronto como ella asintió con la cabeza, él se volvió para irse.

—Espera —le gritó Jade—. Nathan, debo hablar contigo.

—No tengo tiempo —le respondió su hermano.

—Siempre has sido un hombre de pocas palabras —le dijo Caine—. ¿Por qué tanta prisa?

—Tengo que encontrar a mi esposa —le contestó Nathan casi gritando—. Está perdida.

Ya había salido por la puerta antes de escuchar el anuncio de Caine.

—Tu adorable esposa ha estado aquí.

—¿Sara ha estado aquí?

—Por el amor de Dios, Nathan, ¿tienes que gruñir cada vez que abres la boca? Entra.

El sollozo de la pequeña Olivia fue seguido por un portazo. Obviamente, Sterns les estaba enviando el mensaje de que bajaran sus voces.

Nathan volvió a entrar.

—¿Qué estaba haciendo mi esposa aquí?

—Quería hablar con nosotros.

—¿Por qué la dejaste ir, hombre? Maldición, ¿adónde fue?

Caine llevó a su cuñado hasta la sala y cerró las puertas antes de contestarle.

—Sara vino a prevenirnos. No fue tan brusca como tú —agregó secamente.

—¿Te dijo adónde iba?

Jade se acercó y le tomó la mano a Nathan para que no pudiera irse otra vez. Comenzó a responderle a su pregunta, pero se detuvo cuando Caine le indicó con la cabeza que no lo hiciera.

—Te diremos adónde fue Sara después de que te sientes y hables con nosotros —le explicó Caine—. Por una vez tienes que ser civilizado. ¿Entiendes?

—No tengo tiempo para esto. Tengo que encontrar a Sara. ¿Tendré que romperte el brazo para obtener la información que necesito?

—Sara está a salvo —le contestó Caine. Tomó de los hombros a Jade y la condujo al sofá.

Advirtió que Nathan los seguía.

—Siéntate —le ordenó con voz firme—. Tengo que formularte un par de preguntas, Nathan, y no te diré adónde fue Sara hasta que obtenga algunas respuestas.

Nathan sabía que era inútil discutir. Tampoco tendría sentido golpear a su cuñado. Caine también le golpearía. Se perdería un tiempo muy valioso, y cuando la pelea terminara, Caine seguiría tan obstinado como antes.

Esa era una de las muchas razones por las cuales Nathan admiraba al esposo de su hermana.

—¿Por qué demonios no te puedes parecer un poco más a Colin? —le preguntó. Se sentó y miró fijamente a Caine—. Jade, te casaste con el hermano equivocado. Colin es mucho más agradable.

Su hermana sonrió.

—No me enamoré de Colin, Nathan.

Jade miró a su esposo y le comentó:

—Creo que nunca vi a Nathan tan disgustado. ¿Y tú?

—Está bien —susurró Nathan—. Pregúntame.

—Dime cómo averiguaron los Winchester lo de tu padre.

Nathan se encogió de hombros.

—No importa cómo se averiguó la verdad.

—Por supuesto que sí —replicó Caine.

—¿Crees que Sara se lo contó a su familia?

—Probablemente lo hizo —contestó Nathan.

—¿Por qué? —preguntó Jade.

—¿Por qué lo contó o por qué creo que lo hizo? —le preguntó Nathan.

—¿Por qué crees que se lo contó? —le aclaró Jade—. Y deja de darme respuestas evasivas, Nathan. Veo que este tema te molesta. Pero no voy a dejarlo, así que contesta directamente.

—Sara es una mujer —dijo Nathan.

Advirtió la tontería de ese comentario casi al mismo tiempo que su hermana.

—Yo soy una mujer —acotó Jade—. ¿Qué tiene que ver con lo que estamos discutiendo?

—Sí, por supuesto que tú eres una mujer —respondió Nathan—. Pero tú eres diferente, Jade. No te comportas como una mujer.

Ella no sabía si la había insultado o elogiado. Miró a su esposo para juzgar su reacción.

La expresión de Caine mostraba toda su exasperación.

—Nathan, ¿no has aprendido nada sobre las mujeres durante el tiempo que estuviste con Sara?

—Caine, no la condeno —contestó Nathan—. Aún estoy un poco enojado con ella, pero solo porque no quiere admitir que se lo contó. No debió mentirme. Probablemente...

—Déjame adivinar —le interrumpió Caine—. Probablemente, no pudo evitarlo.

—Tus conceptos sobre las mujeres son espantosos —le dijo Jade—. No tenía idea de que estuvieras tan confundido. —Advirtió que había levantado la voz y trató de calmarse para preguntarle—: ¿Tienes tan poca fe en ella porque es una Winchester?

Caine bufó.

—¿Eso no es como si la sartén le dijera al cazo: Apártate que me tiznas? Si Nathan no tiene fe en su esposa por su familia, ella seguramente no tendrá fe en él.

Nathan se sentía cada vez más incómodo. Su familia le estaba obligando a evaluar creencias que tenía desde hacía años.

—Por supuesto que Sara tiene fe en mí. Como he dicho antes, no la condeno.

—Si vuelves a decir que probablemente no pudo evitarlo, creo que te estrangularé, Nathan —le señaló Jade.

Nathan negó con la cabeza.

—Estas preguntas son inútiles.

Nathan comenzó a ponerse de pie, pero la siguiente pregunta de Caine le detuvo.

—¿Y si ella es inocente? Nathan, ¿no te das cuenta de qué significa eso?

Lo que le llamó la atención fue el tono de la voz más que la pregunta.

—¿Qué estás sugiriendo? —le preguntó.

—Estoy sugiriendo que si estás equivocado acerca de Sara, entonces alguien cogió el documento de tu padre. Y eso significa que entró en el santuario del Departamento de Guerra y en la bóveda. Podríamos estar ante otro traidor. Los secretos más importantes de Inglaterra están guardados en ese lugar. Nathan, tu documento está allí y el de Colin y el mío. Todos estamos expuestos.

—Estás conjeturando —respondió Nathan.

—No, hermano, tú estás conjeturando —susurró Jade—. Caine, debes averiguar la verdad lo antes posible.

—Por supuesto que lo haré —replicó Caine. Volvió a mirar a Nathan—. Sara nos dijo que iba a su casa. Sin embargo, era una contradicción. Dijo que quería ver a su madre y luego iría a su casa.

—También nos dijo que ha renunciado a su familia. Me pareció que tú también estabas incluido en esa afirmación, Nathan —le comentó Jade.

Su hermano ya estaba camino de la entrada.

—Si tengo que romper la casa Winchester del techo al sótano lo haré —gritó.

—Voy contigo —le dijo Caine—. Podría haber más de un Winchester esperándote.

—No necesito tu ayuda —replicó Nathan.

—No me importa si la necesitas o no —le indicó Caine—. La vas a tener.

—Maldición, no necesito que nadie pelee mis batallas.

Caine no se detuvo.

—Te dejaré que pelees la batalla principal tú solo, hermano, pero voy contigo a lo de los Winchester.

Sterns estaba bajando por la escalera cuando Nathan gritó:

—¿De qué demonios estás hablando, Caine?

El solloza de la niña retumbó en el salón de entrada. Sterns se volvió y subió otra vez por la escalera.

—¿Cuál es la batalla principal? —preguntó Nathan mientras abría la puerta principal y salía.

Caine iba tras sus talones.

—La batalla para recuperar a Sara —le contestó.

Nathan sintió un estremecimiento de preocupación. Alejó de inmediato ese sentimiento.

—Maldición, Caine, baja la voz. Estás molestando a mi ahijada.

De pronto, Caine sintió deseos de estrangular a su cuñado.

—Nathan, espero que Sara te haga sufrir. Si existe justicia en el mundo, ella te hará poner de rodillas antes de perdonarte.

Nathan no rompió el techo de la residencia de los Winchester, pero sí rompió un par de puertas cerradas. Mientras Caine vigilaba en el salón de entrada, Nathan revisaba metódicamente cada habitación de arriba abajo. La suerte estaba de su parte. El conde y su hija Belinda no se hallaban en la casa, seguramente estaban buscando a Sara, y por lo menos no tenía que enfrentarse con su interferencia. Eso no le hubiera detenido, pero le habría demorado un poco.

La madre de Sara tampoco le molestó. La frágil mujer se quedó cerca de la chimenea de la sala y simplemente esperó hasta que el marqués terminó.

Lady Victoria Winchester podría haber ahorrado mucho tiempo a Nathan diciéndole que Sara la había visitado y ya se había ido, pero el marqués de St. James abrumó a la tímida mujer y ella no pudo hablarle.

Caine y Nathan se estaban retirando cuando la madre de Sara les gritó:

—Sara ha estado aquí, pero se fue hace veinte minutos.

Nathan se había olvidado de que la mujer estaba en la sala. Se dirigió hacia ella, pero se detuvo en medio de la habitación al ver que ella retrocedía.

—¿Le dijo adónde iba? —le preguntó suavemente. Avanzó otro paso y se detuvo otra vez—. Madam, no voy a lastimarla. Estoy preocupado por Sara y me gustaría encontrarla lo antes posible.

Su voz gentil la ayudó a recobrar la calma.

—¿Por qué quiere encontrarla? Ella me dijo que a usted no le importaba, señor.

—Durante estas últimas semanas me ha dicho que sí me importaba —replicó Nathan.

La madre de Sara sacudió lentamente la cabeza. La

tristeza de sus ojos era evidente. Superficialmente se parecía a su hermana Nora, pero Nora vivía la vida con entusiasmo, mientras que la madre de Sara parecía una mujer atemorizada, derrotada.

—¿Por qué quiere encontrar a Sara?

—¿Por qué? Porque es mi esposa —respondió Nathan.

—¿Es verdad que quiere que Sara regrese solo para obtener la dote del rey? Mi Sara está decidida a encontrar una forma para que pueda obtener la tierra y el tesoro, señor. Pero no quiere nada de usted.

A la anciana se le llenaron los ojos de lágrimas.

—Usted destruyó su inocencia, mi lord. Ella tuvo tanta fe en usted durante todos estos años. Ambos la hemos decepcionado.

—Sara siempre habló muy bien de usted, madam —le dijo Nathan—. Ella no cree que la haya decepcionado.

—Solía llamarla mi pequeña reconciliadora. Cuando fue mayor siempre peleaba mis batallas por mí. Era mucho más fácil.

—No comprendo. ¿Qué batallas? —le preguntó Nathan.

—Disputas familiares —le respondió—. Mi esposo Winston siempre mezclaba a su hermano Henry en nuestras discusiones personales. Sara se ponía de mi parte para equilibrar las cosas.

Nathan sacudió la cabeza. Decidió que a la madre de Sara le quedaba muy poco espíritu cuando ella irguió los hombros y le miró con el entrecejo fruncido.

—Sara merece paz y felicidad. No terminará como yo. Tampoco volverá aquí. Está muy decepcionada de todos nosotros.

—Madam, tengo que encontrarla.

Su angustia la conmovió.

—¿Entonces está preocupado por ella? ¿Le importa, aunque sea un poco?

Nathan asintió con la cabeza.

—Por supuesto que estoy preocupado. Sara me necesita.

Lady Victoria sonrió.

—Quizá usted también la necesita —le señaló—. Me dijo que se iba a casa —agregó—. Supuse que regresaría con usted. Dijo que había varios detalles que tenía que arreglar antes de irse de Londres.

—Ella no se irá de Londres —afirmó Nathan.

Caine se adelantó.

—¿Habrá ido a tu casa de campo? —le preguntó a su cuñado.

Nathan le miró con el entrecejo fruncido.

—No tengo casa de campo, ¿recuerdas? Algunos de los socios de mi padre la incendiaron.

Caine asintió con la cabeza.

—Demonios, Nathan, ¿adónde puede haber ido? ¿Dónde está tu hogar?

Nathan se volvió hacia la madre de Sara.

—Gracias por ayudarme. Le avisaré tan pronto como encuentre a Sara.

A la mujer se le volvieron a llenar los ojos de lágrimas. Le hizo recordar a Sara y le sonrió. Ya sabía de quién había heredado su esposa la tendencia a llorar ante la menor provocación.

Se tomó del brazo de Nathan y le acompañó hasta la puerta principal.

—Sara le ama desde que era una niña. Solo lo admitía conmigo. El resto de la familia la hubiera ridiculizado. Siempre fue muy fantasiosa. Usted era su caballero de brillante armadura.

—Se oxida minuto a minuto —acotó Caine.

Nathan ignoró el insulto.

—Gracias otra vez, lady Winchester.

Caine estaba sorprendido por la ternura de la voz de Nathan. Cuando le hizo una reverencia formal a la anciana, él hizo lo mismo.

Estaban a la mitad de la escalera cuando la madre de Sara susurró desde atrás:

—Su nombre es Grant. Luther Grant.

Caine y Nathan se volvieron.

—¿Qué ha dicho? —le preguntó Nathan.

—El hombre que averiguó lo de su padre —le explicó la madre de Sara—. Su nombre es Luther Grant. Trabaja como guardia, y mi esposo le pagó muy bien para que revisara los documentos. Eso fue todo lo que alcancé a escuchar —agregó—. ¿Le ayudará?

Nathan se quedó sin palabras. Caine asintió con la cabeza.

—Gracias. Ahorra mucho tiempo, se lo aseguro.

—¿Por qué nos lo ha dicho? —le preguntó Nathan.

—Porque ha estado mal. Esta vez Winston fue demasiado lejos. Mi esposo está atrapado en su codicia y no considera lo que sus planes pueden provocarles a los demás. No puedo permitir que Sara vuelva a ser su cabeza de turco. Por favor, no le digan a nadie que yo se lo conté. Sería muy difícil para mí.

La madre de Sara cerró la puerta antes de que ninguno de los dos hombres se lo pudieran prometer.

—Está aterrorizada por su esposo —susurró Caine—. Me enferma ver tanta tristeza en sus ojos. Ninguna mujer tendría que vivir atemorizada.

Nathan asintió con la cabeza. Sin embargo, no estaba pensando en la madre de Sara, y cuando se volvió hacia Caine no pudo ocultar su temor.

—¿Y ahora dónde la buscaré, Caine? ¿Adónde habrá ido? Dios mío, si le sucediera algo no sé qué haría. Me he acostumbrado a tenerla a mi lado.

Caine comprendió que Nathan estaba a punto de admitir la verdad. Se preguntaba si su testarudo cuñado sabía que amaba a Sara.

—La encontraremos, Nathan —le prometió—. Ella debe de haber regresado al muelle. Colin debe de tener novedades. Quizá alguno de los hombres la ha visto.

Nathan se aferró a esa pizca de esperanza. No dijo otra palabra hasta que él y Caine llegaron a su destino. El temor le estaba destrozando los nervios. Parecía no poder pensar.

Al atardecer llegaron al muelle. Las calles tenían sombras naranjas. Las velas brillaban en la oficina de la Emerald Shipping. Tan pronto como Nathan y Caine entraron, Colin se puso de pie tan rápidamente que los dolores se le extendieron por la pierna enferma.

—¿Alguien ha encontrado a Sara? —le preguntó Caine a su hermano.

Colin asintió con la cabeza.

—Ella nos encontró a nosotros —le contestó. Tenía la frente mojada de sudor y respiraba profundamente para aliviar el dolor. Ni Caine ni Nathan le hicieron ningún comentario sobre su dolor, pues sabían que esto solo irritaría al orgulloso de Colin.

Nathan esperó hasta que Colin relajara un poco la tensión de su expresión, y luego le preguntó:

—¿Qué quieres decir con que ella nos encontró?

—Sara ha regresado aquí.

—Entonces dime dónde demonios está ahora.

—Pidió que la llevaran a casa. Jimbo y Matthew la escoltaron. Sara volvió al *Seahawk*.

El suspiro de alivio de Caine inundó la habitación.

—Entonces ella considera que el *Seahawk* es su hogar, ¿verdad?

A Nathan comenzó a aflojársele la tensión. Estaba tan aliviado de saber que Sara estaba a salvo, que literalmente comenzó a sentir un sudor frío. Tomó el pañuelo que Colin había sacado del bolsillo de su chaleco y se secó la frente.

—Es el único hogar que hemos compartido —comentó Nathan en voz baja.

—Creo que eso significa que ella no siente rencor —acotó Caine. Se apoyó en el borde del escritorio y le hizo una mueca a su hermano—. Es una lástima. Realmente quería ver cómo practicaba Nathan.

—¿Practicaba qué?

—Ponerse de rodillas.

14

Nathan ya no podía tolerar más toda esa cháchara. Tenía que ir a buscar a Sara. Necesitaba ver por sí mismo que ella estaba bien. Era la única manera en que podría tranquilizar su corazón acelerado. Tenía que saber que estaba a salvo.

Sin decir una palabra de despedida, dejó a Colin y a Caine y remó hasta el *Seahawk*. Se sorprendió al ver que la mayoría de la tripulación ya estaba a bordo. Generalmente, los hombres pasaban su primera noche en un puerto emborrachándose lo suficiente para pelear con cualquier cosa que se moviera.

Una parte de la tripulación estaba de guardia en las tres cubiertas, mientras que el resto ocupaba sus posiciones en el cuarto de oficiales. Algunos de los hombres habían colgado sus hamacas entre los ganchos del techo y dormían con sus cuchillos sobre el pecho para estar preparados en caso de un ataque por sorpresa.

Las hamacas solo se usaban cuando había mal tiempo o cuando hacía demasiado frío para dormir en cubierta. Ese día era cálido y Nathan sabía que los hombres estaban allí solamente con propósitos de protección. Estaban vigilando a su señora.

Tan pronto como lo vieron, se levantaron de sus hamacas y subieron por la escalera.

La puerta del camarote no estaba cerrada con llave. Cuando Nathan entró vio de inmediato a Sara. Estaba profundamente dormida en el centro de la cama. Tenía la almohada apretada contra el pecho. Había dejado dos velas encendidas sobre el escritorio, y el suave brillo de la luz proyectaba sombras sobre los ángulos de su rostro.

Tenía que volver a hablar con ella sobre los peligros del fuego, pensó. La mujer siempre se olvidaba de apagar la llama de las velas.

Nathan cerró suavemente la puerta y luego se apoyó contra ella. Estaba tan ansioso por verla que permaneció allí durante mucho tiempo observando cómo dormía hasta que finalmente el pánico se disipó y no le costaba tanto respirar.

De vez en cuando suspiraba, y Nathan advirtió que se había dormido llorando.

El sonido le hacía sentirse terriblemente culpable.

No podía pensar en vivir sin ella a su lado. Que Dios le ayudara, ella le importaba demasiado.

Ese reconocimiento no era tan doloroso como imaginó. No sintió que le habían robado el alma.

Después de todo, Caine tenía razón. Había sido un tonto. ¿Cómo había podido ser tan ciego, tan indiferente? Sara nunca había tratado de manipularle. Sara era su compañera, no su enemiga. No podía tolerar pensar en pasar el resto de su vida sin volver a gritarle.

Su amor le brindó una fuerza renovada. Juntos podían enfrentar cualquier desafío, ya fuera de parte de los St. James o de los Winchester. Siempre que tuviera a Sara a su lado, Nathan pensó que no sería derrotado.

Pensó en la forma en que podía complacer a su esposa. No le volvería a levantar la voz. Comenzaría a decirle esos ridículos nombres cariñosos que había oído que los demás hombres les decían a sus esposas. Probablemente, a Sara le gustaría.

Finalmente dejó de mirarla y observó la habitación. Todo estaba desordenado. Los vestidos de Sara estaban colgados entre sus camisas.

Ella había convertido el camarote en su hogar. Sus pertenencias estaban por todos lados. Su peine y su cepillo de marfil, junto con una multitud de horquillas para el cabello multicolores, cubrían su escritorio. Había lavado algunas de sus prendas interiores y las había colgado en una cuerda que colocó de pared a pared.

Cuando se quitó la camisa tuvo que esquivar la ropa húmeda. No podía pensar en otra cosa que no fuera encontrar las palabras adecuadas para decirle que lo lamentaba. Sería difícil. Nunca se había disculpado con nadie, pero estaba decidido a no estropearlo.

Se inclinó para quitarse las botas y golpeó la cuerda provisional con ropa. Se soltó una de las camisas de seda de Sara. Nathan la cogió antes de que cayera al suelo, y entonces advirtió lo que su esposa había usado como cuerda.

—¿Has usado mi látigo para colgar la ropa?

Realmente no había querido gritar. Sin embargo, su grito no la despertó. Sara refunfuñó dormida y luego se apoyó sobre su abdomen.

Nathan solo tardó un minuto en calmarse. Entonces pudo ver lo divertido de la situación. No podía sonreír, pero ya no tenía un gesto adusto en el rostro. Mañana, pensó, después de hablar con ella sobre los peligros del fuego, le mencionaría su apego a su látigo y le pediría que no lo utilizara para esas tareas caseras.

Se quitó el resto de la ropa y se acostó junto a Sara. Ella estaba agotada por el dolor de cabeza que él y la familia Winchester le habían provocado. Necesitaba descansar. Ni siquiera se movió cuando él la abrazó.

No se atrevió a acercarla más ya que sabía que cuando la abrazara y la acariciara no podría dejar de hacerle el amor.

Sus intenciones eran honorables. Sin embargo, pronto su frustración fue dolorosa. Nathan consideró que merecía una penitencia por la agonía que le había provocado. El único pensamiento que le acompañó durante la larga noche fue la promesa de que tan pronto como amaneciera y Sara se despertara le demostraría que ella realmente le importaba.

Nathan no se durmió hasta que salió el sol. Se despertó sobresaltado varias horas más tarde, y extendió los brazos para abrazar a su esposa.

Ella no estaba allí. Tampoco estaba su ropa. Nathan se puso el pantalón y subió a buscarla a la cubierta.

Primero encontró a Matthew.

—¿Dónde está Sara? —le preguntó—. No está en la galera, ¿verdad?

El marinero le señaló hacia el muelle.

—Colin vino hoy temprano con unos papeles para que los firmaras. Sara y Jimbo regresaron a la oficina con él.

—¿Por qué no me has despertado?

—Sara no nos permitió que te molestáramos —le explicó Matthew—. Dijo que dormías como los muertos.

—Fue muy... considerada —susurró Nathan—. Aprecio eso.

Mathew negó con la cabeza.

—Si quieres mi opinión estaba tratando de evitarte. Y después de la forma en que todos la retamos ayer cuando regresó al muelle, bueno, nos sentíamos un poco culpables, así que hoy la dejamos que hiciera su voluntad.

—¿De qué estás hablando?

—Cuando Jimbo vio que Sara bajaba de ese carruaje comenzó a sermonearla sobre los peligros de la ciudad para una inocente mujer que viaja sola.

—¿Y?

—Luego lo hizo Colin —continuó Matthew—. Luego Chester... ¿o fue Ivan? No lo recuerdo. Nathan, todos los hombres estaban alineados esperando su turno para sermonearla. Fue algo que nunca había visto.

Nathan se imaginó la escena y no pudo dejar de sonreír.

—Los hombres le son leales —le comentó. Se volvió hacia la escalera. Tenía la intención de ir a buscar a su esposa para que regresara. De pronto se detuvo y se volvió—. ¿Matthew? ¿Cómo estaba Sara esta mañana?

El marinero miró fijamente a Nathan.

—No estaba llorando si es lo que quieres saber. Ahora, si me preguntas cómo actuaba, tengo que decirte que actuaba lastimosamente.

Nathan regresó y se colocó junto a su amigo.

—¿Qué quieres decir?

—Derrotada —respondió Matthew—. Le has roto el corazón, muchacho.

Nathan recordó a la madre de Sara. Ella era una mujer derrotada, y Nathan sabía que su esposo Winston había sido el responsable de romperle el corazón. ¿Él sería igual?

Ese pensamiento le aterrorizó. Matthew estaba observando la expresión de Nathan y estaba sorprendido de ver su vulnerabilidad.

—¿Qué demonios voy a hacer? —le preguntó Nathan.

—Tú lo has roto —replicó Matthew—. Pues arréglalo tú.

Nathan negó con la cabeza.

—Dudo que crea algo de lo que le diga. No puedo culparla.

Matthew negó con la cabeza.

—¿Aún tienes tan poca fe en nuestra Sara?

—¿Qué estás diciendo? —le preguntó Nathan.

—Ella te ama desde hace años, Nathan. No creo que pueda dejar de hacerlo tan repentinamente, no importa lo que le hayas hecho. Solo tienes que hacerle saber que confías en ella. Si pisas una flor, la matas. El corazón de nuestra Sara es como una flor, muchacho. La heriste. Lo mejor será que encuentres una forma de demostrarle que te preocupas por ella. Si no lo haces, la perderás. Me preguntó si puede acompañarme de regreso a la isla de Nora.

—No me va a dejar.

—No necesitas gritar, muchacho. Oigo muy bien —Matthew tuvo que esforzarse para ocultar su sonrisa—. Ella mencionó que te molestaría si se iba.

—Entonces se da cuenta de que ha empezado a... —Nathan se sintió como un escolar— importarme.

Matthew resopló.

—No, ella no reconoció eso. Piensa que tú quieres la tierra y el tesoro. Cree que es la maleta extra que va con la dote del rey.

Al principio eso era todo lo que a Nathan le importaba, pero no tardó en darse cuenta de que Sara era mucho más importante para él.

Y la estaba perdiendo. Le había roto el corazón, pero no sabía cómo arreglarlo.

Necesitaba el consejo de un experto.

Después de ordenarle a Matthew que se hiciera cargo del *Seahawk* durante el resto del día, terminó de vestirse y se fue a Londres. Sabía que Sara estaría segura con Jimbo y Colin, así que fue directamente a la casa de su hermana. No quería ver a Sara hasta que no supiera exactamente lo que le diría.

Jade abrió la puerta principal.

—¿Cómo lo has averiguado tan pronto? —le preguntó a su hermano cuando pasó junto a ella.

—Tengo que hablar con Caine —le indicó Nathan. Miró en la sala, la vio vacía, y luego se volvió hacia su hermana—. ¿Dónde está él? No ha salido, ¿verdad?

—No, está en el estudio —le respondió Jade—. Nathan, nunca te he visto así —agregó—. ¿Estás preocupado por Sara? Ella está bien. Acabo de llevarla a la habitación de huéspedes.

Nathan estaba en la mitad del pasillo antes de que Jade terminara su explicación. Entonces se volvió.

—¿Ella está aquí? ¿Cómo...?

—Colin nos la trajo —le explicó Jade—. Nathan, por favor baja la voz. Olivia está durmiendo una siesta, y creo que si esta vez la despiertas, Sterns te perseguirá con un hacha.

—Lo lamento.

Nathan se dirigió al estudio de Caine. Jade le gritó:

—Me disculpé con Sara por haber sacado conclusiones apresuradas. ¿Tú lo hiciste, Nathan?

—¿Sacar conclusiones apresuradas?

Ella corrió tras él.

—No. Quiero saber si te disculpaste con ella por haberla creído culpable de traición, hermano. Sé que ella no podría haberlo hecho. Ella te ama, Nathan. Y te va a dejar.

—No la dejaré ir a ninguna parte —gritó Nathan.

Caine oyó la voz estruendosa de su cuñado. Se sentó detrás del escritorio y fingió estar absorto leyendo las noticias.

Nathan no llamó. Entró y cerró la puerta con la parte trasera de su bota. Un chillido de bebé se oyó después de ese ruido.

—Tengo que hablar contigo.

Caine se tomó su tiempo para doblar el diario. Estaba tratando de darle unos minutos a Nathan para que se calmara. Le indicó que se sentara.

—¿Quieres un coñac? —le preguntó—. Parece que te vendría muy bien.

Nathan rechazó el ofrecimiento. Tampoco se sentó. Caine se reclinó hacia atrás y observó cómo caminaba su cuñado hasta que se le acabó la paciencia.

—¿Has dicho que querías hablar conmigo? —insistió.

—Sí.

Pasaron otros cinco minutos antes de que Caine le dijera:

—Dilo, Nathan.

—Es... difícil.

—Ya me he dado cuenta —replicó Caine.

Nathan asintió con la cabeza, luego volvió a caminar de un lado a otro.

—Maldición, ¿quieres sentarte? Me estoy mareando de mirarte.

Nathan se detuvo de inmediato. Se colocó delante del escritorio de Caine. Su postura era rígida. Caine pensó que estaba listo para pelear.

—Necesito tu ayuda.

A Caine no le hubiera sorprendido que Nathan hubiera vomitado su cena en ese momento. Su cuñado tenía el rostro color gris y tenía el aspecto de sufrir un intenso dolor.

—Está bien, Nathan —le dijo Caine—. Te ayudaré como pueda. Dime qué quieres.

A Nathan le pareció increíble.

—Todavía no te he dicho lo que necesito e inmediatamente me has prometido ayudarme. ¿Por qué?

Caine suspiró profundamente.

—Nunca has tenido que pedirle nada a nadie, ¿verdad, Nathan?

—No.

—Es muy difícil para ti, ¿verdad?

Nathan se encogió de hombros.

—Aprendí a no depender de los demás, pero ahora al parecer no puedo pensar correctamente.

—También aprendiste a no confiar en nadie, ¿verdad?

—¿Qué quieres decir?

—Sara dice que esperabas que ella te traicionara. ¿Tiene razón?

Nathan se volvió a encoger de hombros.

—Mira —le dijo Caine—, cuando me casé con tu hermana, tú te convertiste en mi hermano. Por supuesto que te ayudaré. De eso se trata la familia.

Nathan se acercó a la ventana y miró hacia fuera. Tenía las manos a la espalda.

—Creo que Sara debe de haber perdido un poco de su fe en mí.

Caine pensó que era la exposición más incompleta del mundo.

—Entonces ayúdala a que la recupere —le sugirió.

—¿Cómo?

—¿La amas, Nathan?

—Me importa —le respondió—. Me he dado cuenta de que no es mi enemiga. Ella es mi socia. Quiere lo mejor para mí, como yo quiero lo mejor para ella.

Caine miró hacia arriba.

—Colin es tu socio, Nathan. Sara es tu esposa.

Al ver que Nathan no hacía ningún comentario, Caine insistió:

—¿Quieres pasar el resto de tu vida con Sara? ¿O es una molestia que tienes que soportar para ganar el regalo del rey?

—No puedo imaginarme viviendo sin ella —le contestó Nathan con voz baja, ferviente.

—Entonces Sara es algo más que una socia, ¿verdad?

—Por supuesto que lo es —murmuró Nathan—. Ella es mi esposa, por el amor de Dios. Colin es mi socio.

Los dos hombres permanecieron en silencio durante un momento.

—No tenía idea de que... interesarse en alguien fuera tan irritante. Lo he estropeado todo, Caine. He destruido la fe de Sara en mí.

—¿Ella te quiere?

—Por supuesto que ella me quiere —respondió de inmediato Nathan—. O por lo menos me amaba. Me lo decía casi todos los días. —Suspiró y agregó—: Matthew tenía razón. Durante todo este tiempo Sara me dio su amor sin reservas. Es como una flor y yo la he pisado.

Caine trató de no sonreír.

—¿Como una flor, Nathan? Dios, has caído. Te has convertido en... elocuente.

Nathan no le estaba prestando atención.

—Ella cree que es una maleta extra que debo llevar para obtener la tierra y las monedas. Eso era verdad al principio, pero ahora todo ha cambiado.

—Nathan, simplemente dile lo que sientes.

—Sara es tan delicada —le anunció Nathan—. Se merece alguien mejor que yo, pero no dejaré que ningún otro la toque. Tengo que arreglar esto. He pisado su...

Caine le interrumpió.

—Lo sé, lo sé. Has pisado su flor.

—Su corazón, maldición —susurró Nathan—. Entiéndelo, por el amor de Dios.

Como Nathan no le estaba mirando, Caine se sintió seguro para sonreír.

—¿Entonces qué vas a hacer? —le preguntó.

Transcurrieron otros cinco minutos en silencio. Luego Nathan irguió los hombros. Se volvió para mirar a Caine.

—Voy a reconstruir su fe en mí.

Caine pensó que no tenía sentido recordarle que él le había sugerido lo mismo hacía cinco minutos.

—Es una muy buena idea —le dijo en cambio—. Ahora, dime cuál es tu plan para lograr esto...

—Se lo voy a demostrar —le interrumpió Nathan—. ¿Por qué no lo he pensado antes?

—Como no sé lo que estás pensando, no te puedo responder.

—Es tan simple, que hasta un imbécil podría darse cuenta. Necesitaré tu ayuda para hacerlo.

—Ya te he dicho que te ayudaré.

—Ahora necesito algunos consejos, Caine. Tú eres el experto en mujeres —afirmó.

Ese anuncio era una novedad para Caine y estaba a punto de preguntarle a Nathan cómo había llegado a esa conclusión, pero su cuñado le respondió antes de que le formulara la pregunta.

—Jade nunca se hubiera casado. Mi hermana es discriminatoria.

Caine comenzó a hacer un mohín, pero le frunció el entrecejo cuando Nathan agregó:

—Aún no puedo imaginarlo. Debes de tener algo que solo ella puede... apreciar.

Caine no tuvo oportunidad de responder a ese comentario incisivo.

—Necesito tu ayuda con Luther Grant —le explicó Nathan.

—Por el amor de Dios, Nathan, ¿quieres dejar de saltar de un tema a otro? Me acabas de pedir consejo sobre mujeres, y ahora...

—Grant tiene que hablar con nosotros —insistió Nathan.

Caine se reclinó hacia atrás en la silla.

—De cualquier manera voy a buscar al maldito, Nathan. Recibirá lo que se merece.

—Quizá ha huido —dijo Nathan.

—No te preocupes. Lo averiguaremos muy pronto.

—Tendrá que admitir su parte en este plan antes de la fiesta de Farnmount. Si Grant ha huido, nos quedan solo dos días para encontrarle.

—Tendremos su confesión firmada antes de eso —le prometió Caine—. Pero ¿por qué el límite es la fiesta de Farnmount, Nathan?

—Porque todo el mundo regresa a Londres para ir allí.

—Tú nunca vas.

—Este año iré.

Caine asintió con la cabeza.

—Sabes que a mí siempre me agradó esa fiesta. Es la única a la que concurren tus familiares St. James más amables.

—Es la única fiesta a la que los invitan —gruñó Nathan. Se apoyó contra el borde de la ventana y sonrió a su cuñado.

Caine aún no comprendía lo que Nathan estaba planeando. Sabía que no tenía que insistir. Nathan se lo diría cuando estuviera listo.

—Todo el mundo teme ir a la fiesta porque no quiere ser la próxima víctima de tu tío Dunnford —le señaló Caine. Sonrió cuando agregó—: Pero tampoco quieren perdérsela. Dunnford brinda un buen entretenimiento. Me recuerda a Atila el Huno, vestido con su traje formal. Ahora que lo pienso, tú también, Nathan.

Su cuñado apenas escuchó lo que le estaba diciendo Caine. Su mente estaba concentrada en su plan. Pasaron uno o dos minutos antes de que le comentara:

—El príncipe regente también acude siempre a la fiesta.

A Caine se le iluminó la mirada. Se inclinó hacia delante en su silla.

—Sí. Y ahora que lo pienso también todos los Winchester.

—Solo tengo interés en un Winchester —le contestó Nathan—. Winston.

—¿Crees que es allí donde piensa provocar el escándalo sobre tu padre? Sí, lo hará —continuó Caine—. ¿Qué mejor oportunidad?

—¿Puedes arreglar un encuentro con sir Richards? Quiero ponerle al tanto de los hechos lo antes posible.

—El director de nuestro Departamento de Guerra ya está enterado del asunto de Grant. He hablado con él esta mañana. En este momento debe de estar visitando al maldito.

—A menos que haya escapado —acotó Nathan.

—Él no tiene ninguna razón para pensar que sabemos lo que sucedió. Deja de preocuparte por Grant y cuéntame qué planeas hacer.

Nathan asintió con la cabeza. Luego procedió a explicarle lo que quería hacer. Cuando terminó, Caine estaba sonriendo.

—Si la suerte está de nuestro lado, podremos arreglar el encuentro para mañana por la tarde, Nathan.

—Sí —le respondió su cuñado. Se alejó de la ventana—. Ahora, hablemos de Sara. Alguien tiene que vigilarla de cerca hasta que esto se resuelva. No quiero que los Winchester la encuentren mientras me ocupo de los detalles. Si algo le sucede, Caine, no sé qué... —No continuó.

—Jimbo está en la cocina dejando los estantes secos. Ya ha aclarado que está protegiendo a Sara. No dejará que salga de aquí. Jade y yo también la vigilaremos. ¿Crees que regresarás antes de esta noche?

—Lo intentaré —le contestó Nathan—. Ahora tengo que hablar con Colin. Es justo que mi socio esté de acuerdo con mi plan antes de que yo proceda.

—Aunque parezca completamente ignorante, ¿por qué Colin tiene que dar su aprobación sobre Grant?

—Ahora no estoy hablando de Grant —le explicó Nathan—. Estoy hablando de Sara. Dios mío, Caine, presta atención.

Caine suspiró profundamente.

—Lo estoy intentando.

—Tengo que pedirte un favor más.

—¿Sí?

—Siempre le estás diciendo esas ridículas palabras cariñosas a Jade.

—A Jade le agrada oír esas ridículas palabras cariñosas —le respondió Caine.

—Es exactamente lo que pensaba —le contestó Nathan asintiendo rápidamente con la cabeza—. A Sara también le gustarán.

—¿Quieres que le diga a Sara las mismas palabras cariñosas que le digo a mi esposa?

—Por supuesto que no —replicó Nathan—. Quiero que me las escribas en un papel.

—¿Por qué?

—Así sabré cuáles son —gritó Nathan—. Maldición, estás haciendo esto muy difícil. Solo escríbelas, ¿está bien? Déjame el papel sobre el escritorio.

Caine no se atrevió a reírse. Sin embargo, sonrió. La imagen de Nathan leyendo notas mientras trataba de cortejar a Sara era muy divertida.

—Sí, te lo dejaré sobre el escritorio —le respondió cuando Nathan le miró fijamente.

Nathan se iba a retirar.

—¿Ni siquiera vas a ver a Sara antes de irte? —le preguntó Caine.

Nathan negó con la cabeza.

—Primero tengo que dejar todo preparado.

Caine advirtió la preocupación en su voz.

—Las palabras de amor no son necesarias, Nathan, si le dices lo que hay en tu corazón.

Su cuñado no respondió a esa sugerencia. Finalmente, Caine comprendió.

—Tienes miedo de enfrentarte a ella, ¿verdad?

—Sí —gruñó Nathan—. No quiero equivocarme.

Jade pasaba por la puerta de la biblioteca cuando oyó la risa de su esposo. Se detuvo para escuchar, pero la única parte de la conversación que pudo escuchar no tuvo ningún sentido para ella.

Nathan anunció que contra viento y marea arreglaría su flor. Solo necesitaba tiempo para averiguar cómo.

Jade se preguntó qué había querido decir.

15

Sara pasó la tarde en el dormitorio para huéspedes. Se sentó en una silla cerca de la ventana y trató de leer uno de los libros que Jade le había llevado. Sin embargo, no se podía concentrar en la historia, y terminó mirando el pequeño jardín de flores que había detrás de la casa. Sara solo podía pensar en Nathan y en lo tonta que había sido al quererle.

¿Por qué no podía amarla?

Se formulaba esa dolorosa pregunta cada diez minutos, pero nunca encontraba la respuesta adecuada. El futuro la aterrorizaba. Ya había decidido violar el contrato para que su familia no pudiera quedarse con la dote del rey; pero una vez que se produjera el escándalo sobre el padre de Nathan, ¿el príncipe regente no tendría que retener la dote y tampoco entregársela a Nathan?

Sara no podía permitir eso. Su padre había utilizado el engaño y el fraude para obtener ventaja sobre Nathan. Sara estaba decidida a encontrar una forma de igualar la diferencia. No quería vivir con un hombre que no la amaba, así que decidió llegar a un acuerdo con Nathan. A cambio de su firma cediendo todos los derechos de la dote para Nathan, él dejaría que Matthew la llevara con él cuando regresara a la isla de Nora.

La injusticia de lo que había hecho su padre la avergonzaba. Entonces decidió que su única esperanza era obtener el apoyo del príncipe regente. Sintió un escalofrío en la espalda al pensar que tendría que alegar su caso ante él.

George, el futuro rey de Inglaterra, una vez que su padre muriera o fuera declarado insano, como afirmaban los rumores, era un hombre buen mozo y educado. Desafortunadamente, esos eran sus únicos puntos a favor. A Sara le desagradaba inmensamente. Era un hombre corrompido, que solo buscaba el placer y que rara vez ponía los intereses de su país sobre los de él. Para Sara su peor defecto era su característica de cambiar de opinión sobre cualquier asunto. Sara sabía que no era la única a la que no le agradaba el príncipe. No era popular entre el pueblo, y hacía unos meses ella había escuchado que algunos sujetos enojados le habían roto los cristales de su carruaje. En ese momento, George iba camino al Parlamento.

Pero aun así, ella no tenía a quién recurrir, así que le escribió una nota al príncipe pidiéndole una audiencia para la tarde del día siguiente. Cerró el sobre y estaba a punto de salir al pasillo para pedirle a Sterns que enviara un mensajero a Carlton House cuando Caine la interceptó.

La iba a buscar para que fuera a cenar. Sara fue muy amable cuando rechazó la invitación, e insistió en que no tenía hambre. Caine también fue muy amable cuando insistió en que tenía que comer algo. El hombre no aceptaría un no por respuesta. Se lo dijo mientras la acompañaba por el pasillo.

Jimbo estaba esperando en el salón de entrada. Sara le entregó el sobre y le pidió que lo enviara. Caine tomó la carta antes que el marinero pudiera asentir.

—Le diré a uno de los sirvientes que la lleve —le explicó Caine—. Jimbo, escolta a lady Sara hasta el comedor. Iré en un minuto.

Tan pronto como Jimbo y Sara se alejaron, Caine abrió el sobre, leyó la carta y la guardó en su bolsillo. Esperó uno o dos minutos más y entró en el comedor.

Jimbo se sentó junto a Sara ante la larga mesa. Jade estaba sentada frente a ella. Caine ocupó su lugar en la cabecera, y luego llamó a los sirvientes para comenzar.

—Creo que probablemente fue muy descortés de mi parte, pero vi que la carta estaba dirigida a nuestro príncipe regente —comenzó Caine.

—No conozco a nadie más que viva en Carlton House —acotó Jimbo.

Caine le frunció el entrecejo al marinero.

—Sí, pero no sabía que Sara conociera al príncipe.

—Oh, no conozco al príncipe —replicó Sara—. Ni siquiera me gusta... —Se detuvo en la mitad de su explicación y se sonrojó. Bajó la mirada a la mesa—. Pido disculpas. Tengo la costumbre de decir lo que pienso —les confesó—. En cuanto a la nota, le pedí una audiencia. Espero que el príncipe me reciba mañana por la tarde.

—¿Por qué? —le preguntó Jade—. El príncipe está a favor de tu padre.

—Espero que estés equivocada, Jade.

—Temo que mi esposa tiene razón, Sara —le dijo Caine—. Cuando el príncipe hizo saber que se quería divorciar de su esposa Caroline, tu padre fue uno de los que le apoyó.

—Pero ¿el príncipe no deja las consideraciones personales de lado y se ocupa de ayudar a un leal?

Su inocencia era placentera y alarmante. Caine no quería que se decepcionara.

—No —le contestó Caine—. Sus propias consideraciones siempre van primero. El hombre cambia de opinión tan a menudo como cambia a sus ministros, Sara. No se puede contar con lo que promete. Lamento parecer desleal, pero soy completamente honesto contigo. No quiero darte esperanzas para que luego queden destruidas. Deja que Nathan luche en esta batalla, Sara. Colócate junto a él y deja que maneje a tu padre.

Ella negó con la cabeza.

—¿Sabes que no quise aprender a nadar? Creí que no tenía que saber, porque Nathan tenía el deber de asegurarse de que no me ahogara. Siempre me ocupé de los demás y no de mí. Ahora tú sugieres que Nathan pelee por mí. Está mal, Caine, me equivoqué. No quiero depender de nadie. Debería tener la suficiente fuerza para cuidarme sola. Quiero ser fuerte, maldición.

Se sonrojó después de terminar su apasionada exposición.

—Por favor, disculpad mi lenguaje grosero.

Después de esa acotación se produjo un molesto silencio. Jimbo llenó el espacio con algunas sabrosas historias sobre sus aventuras en el mar. Estaban retirando la bandeja del postre cuando Jade preguntó:

—¿Todavía no conoces a nuestra hermosa hija?—le formuló esa pregunta en un intento por mantener a Sara un poco más en la mesa. Quería llevar la conversación hacia Nathan. Jade estaba decidida a interceder. Ver a Sara tan sola y desolada le provocaba mucha angustia.

Sara sonrió al escuchar mencionar a la niña.

—La he oído—le confesó—, pero aún no la conozco. Sterns me prometió que esta tarde me dejará tener en brazos a Olivia.

—Es una niña encantadora—le comentó Jade—. Está siempre sonriendo. También es muy inteligente. Caine y yo nos dimos cuenta enseguida.

Jade siguió exponiendo las cualidades de su hija de tres meses. Sara advirtió que, después de cada alarde de Jade, Caine asentía inmediatamente con la cabeza.

—Olivia tiene suerte de tener unos padres tan cariñosos.

—Nathan será un magnífico padre —le dijo Jade.

Sara no hizo ningún comentario.

—¿Estás de acuerdo, esposo? —le preguntó Jade a Caine.

—Si aprende a bajar la voz, lo será.

Jade le dio un puntapié a su esposo, mientras seguía sonriéndole a Sara.

—Nathan tiene tantas cualidades maravillosas... —continuó Jade.

Sara no quería hablar de Nathan, pero sintió que sería descortés no mostrar un poco de interés.

—¿Sí? ¿Y cuáles son esas cualidades? —preguntó.

Jade abrió la boca para responder, pero se detuvo. Parecía como si hubiera olvidado el tema de la conversación. Se volvió hacia Caine para buscar ayuda.

—Explica a Sara las magníficas cualidades de Nathan.

—Explícaselas tú —le respondió Caine, mientras tomaba otro bizcocho.

Jade le dio otra patada por debajo de la mesa. Caine miró fijamente a su esposa.

—Es un hombre en quien se puede confiar.

—Quizá se pueda confiar en él, pero él no confía en nadie —replicó Sara. Comenzó a doblar su servilleta.

—El muchacho tiene valor —acotó Jimbo. Hizo una mueca pues estaba muy complacido de haber podido comentar algo.

—Es notablemente... prolijo —dijo Jade. Después de hacer ese comentario se preguntó si era cierto.

Sara no asintió ni discrepó. Caine decidió que estaban utilizando el camino equivocado. Le tomó la mano a Jade, y cuando ella le miró le guiñó un ojo.

—Probablemente, Nathan sea el hombre más obstinado que he conocido.

—Quizá sea un poco obstinado —replicó Sara de inmediato—, pero eso no es un pecado. —Se volvió para mirar a Jade—. Tu hermano me recuerda una estatua hermosamente esculpida. Por fuera es tan atractivo, tan perfecto, pero por dentro su corazón es tan frío como el mármol.

Jade sonrió.

—Nunca pensé que Nathan fuera hermoso.

—Sara no puede considerarle hermoso. —Caine le apretó la mano a su esposa antes de agregar—: Nathan es feo, y todo el mundo lo sabe. Tiene la espalda cubierta de cicatrices, por el amor de Dios.

Sara emitió un pequeño sonido entrecortado, pero Caine contuvo su sonrisa. Al fin estaban logrando que mostrara un poco de emoción.

—Fue una mujer la que le marcó la espalda a Nathan —exclamó Sara—. Y fue esa misma mujer la que le marcó el corazón.

Arrojó la servilleta sobre la mesa y se puso de pie.

—Nathan no es feo, señor. Es increíblemente guapo. Creo que es espantoso que su propio cuñado hable así de él. Ahora si me disculpan, me gustaría ir a mi dormitorio.

Jimbo le frunció el entrecejo a Caine por haber disgustado a Sara, y luego la siguió para ver si realmente había subido a su dormitorio.

—Caine, la has disgustado de tal manera que tienes que disculparte —le dijo Jade a su esposo.

Jimbo regresó apurado al comedor.

—Sara se siente muy desgraciada —les comentó—. Dígame por qué me quitó la carta de las manos. No pensará que iba a mandar esa cosa, ¿verdad?

—La carta está en mi bolsillo —le contestó Caine—. Se la quité porque quería leerla.

—Caine, eso es una invasión... ¿Qué decía? —preguntó Jade.

—Lo que Sara nos dijo que había escrito —respondió Caine—. Pide una audiencia para discutir el contrato.

—Supongo que el muchacho tiene algún plan —intervino Jimbo.

—Sí —le contestó Caine.

—¿A qué se refirió Sara cuando dijo que había sido una mujer la que le había marcado la espalda a Nathan? ¿Quién le dio esa mala información? Fue el fuego que le atrapó dentro de la prisión.

—Pero ¿no fue Ariah la responsable de haberle encerrado?

—Lo fue —admitió Jimbo—. Sucedió hace tantos años que dudo de que Nathan tenga algún rencor. Creo que salió fortalecido de eso, y no nos fuimos de la isla sin un buen botín para repartir entre nosotros.

Caine se puso de pie.

—Tengo que arreglar algunos detalles. Regresaré tarde a casa, Jade. Sir Richards y yo tenemos que discutir algunos negocios.

—¿Por qué tienes que hablar con el director del Departamento de Guerra? —le preguntó. No pudo ocultar su temor—. Caine, no habrás comenzado a trabajar para nuestro gobierno sin hablar primero conmigo, ¿verdad? Prometiste...

—Chist —le dijo Caine—. Estoy ayudando a Nathan en un pequeño asunto, eso es todo. Estoy retirado y no tengo deseos de regresar a los días de capa y puñal.

Jade parecía aliviada. Caine se inclinó y la besó.

—Te amo —le susurró antes de dirigirse hacia la puerta.

—Espera un minuto —le pidió Jade—. Aún no me has explicado por qué has hecho que Sara se enfadara deliberadamente. Caine, ya sabemos que le ama. Todo lo que tienes que hacer es mirarla.

—Sí, sabemos que le ama —respondió Caine—.

Solo quería recordárselo —continuó. Hizo una mueca diabólica—. Ahora, si me disculpas, acabo de pensar en algunas palabras cariñosas y quiero escribirlas antes de irme.

Jimbo y Jade se quedaron mirándole fijamente.

Por primera vez en ese día, Sara pudo dejar de pensar en Nathan. La pequeña Olivia acaparó toda su atención. Era una niña hermosa. En un momento estaba sonriendo y babeando y al siguiente gritaba como una cantante de ópera.

Olivia tenía los ojos verdes iguales a los de su madre. Pero el poquito cabello que tenía parecía que iba a ser rizado como el de su padre. Sterns permaneció junto a Sara durante todo el tiempo que ella sostuvo a la niña.

—Creo que mi amorcito heredó la inclinación a gritar como su tío Nathan. Puede hacerlo tan fuerte como él —confesó Sterns con una sonrisa—. Olivia siempre quiere una gratificación inmediata —le explicó cuando la niña comenzó a enojarse más.

La volvió a tomar entre sus brazos y la acercó a él.

—¿Vamos a buscar a tu mamá, mi angelito? —le canturreó.

Sara no quería regresar a su habitación. Allí estaría sola y sabía que sus problemas volverían a abrumarla.

Esa noche se acostó temprano, y como estaba tan perturbada emocionalmente durmió durante toda la noche. Recordaba vagamente haberse acurrucado contra su esposo y sabía que él había dormido junto a ella porque su lado de la cama aún estaba tibio, y llegó a la amarga conclusión de que aún estaba muy enojado con ella porque no se había molestado en despertarla. Aún creía que ella le había traicionado, pensó.

No es necesario decir que esa posibilidad la volvió a enojar. Cuando terminó de bañarse estaba furiosa.

Aunque había dormido muchas horas se sentía como una vieja bruja.

Tenía ojeras y el cabello tan lacio y aplastado como su espíritu. Sara quería estar lo mejor posible cuando fuera a ver al príncipe regente. Tardó en decidir qué vestido ponerse, solo para alejar su mente del verdadero asunto que tenía entre manos, y finalmente se decidió por un vestido rosa conservador de cuello alto.

Como una dama en una fiesta formal, Sara se sentó en un rincón del dormitorio durante toda la mañana, esperando la invitación que nunca llegó.

Rechazó el almuerzo y pasó gran parte de la tarde caminando de un lado a otro de su habitación tratando de pensar cuál sería su próximo paso. Era terriblemente desconcertante que el príncipe regente hubiera ignorado su urgente petición. Pensó que Caine había tenido razón cuando le dijo que el príncipe no tenía interés en los problemas del pueblo.

Entonces Caine llamó a la puerta, interrumpiendo sus pensamientos.

—Sara, tenemos que hacer una pequeña diligencia.

—¿Adónde vamos? —le preguntó. Comenzó a ponerse sus guantes blancos, pero luego se detuvo—. Yo no debería salir —le explicó—. El príncipe regente podría enviarme algún mensaje.

—Tienes que venir conmigo —le ordenó Caine—. No tengo tiempo de explicártelo, Sara. Nathan quiere que te encuentres con él en las oficinas del Departamento de Guerra dentro de media hora.

—¿Por qué?

—Dejaré que tu esposo te lo explique.

—¿Quién más va a estar allí? ¿Por qué tenemos que encontrarnos en el Departamento de Guerra?

Caine evadió sus preguntas. Jade los estaba esperando en el salón de entrada. Tenía a Olivia en los brazos.

—Todo va a salir bien —le dijo Jade a Sara. Le estaba palmeando suavemente la espalda a su hija.

La niña eructó. Todos sonrieron al oír el ruido. Caine besó a su esposa y a su hija, y luego sacó gentilmente a Sara por la puerta principal.

—Haré que te planchen tus vestidos y los coloquen en el armario mientras haces esta diligencia —le anunció Jade.

—No —exclamó Sara—. Solo me quedaré una noche más.

—Pero ¿adónde iréis tú y Nathan? —le preguntó Jade.

Sara no le respondió. Se volvió y bajó los tres escalones. Caine le abrió la puerta del carruaje. Sara se sentó frente a su cuñado. Él trató de conversar con ella, pero desistió rápidamente cuando ella le susurró algunos monosílabos como respuesta.

El Departamento de Guerra estaba situado en un edificio de piedra alto, gris, y feo. Un olor a humedad cubría la escalera. Caine llevó a Sara hasta el primer piso.

—La reunión se llevará a cabo en la oficina de sir Richards. Él te agradará, Sara. Es un buen hombre.

—Estoy segura de que sí —le contestó solo por ser amable—. Pero ¿quién es él y por qué quiere esta reunión?

—Richards es el director del Departamento. —Caine abrió la puerta de la oficina y le indicó a Sara que entrara.

Un hombre con un gran abdomen estaba de pie detrás de un escritorio. Tenía cabello gris fino, una nariz prominente y un aspecto rudo. Tan pronto como levantó la vista del papel que tenía en su mano y vio a Sara y a Caine se adelantó.

—Allí está —anunció con una sonrisa—. Ya casi estamos listos. Lady Sara, es un placer conocerla.

Era un caballero muy amable, pensó Sara. Se inclinó formalmente y le tomó la mano.

—Usted debe de ser toda una dama para haber capturado a nuestro Nathan.

—Ella no le capturó, sir Richards —acotó Caine con una sonrisa—. Él la capturó a ella.

—Temo que ambos están equivocados —susurró Sara—. El rey George nos capturó a los dos. Nathan nunca tuvo una oportunidad en el asunto, pero me gustaría encontrar una forma de...

Caine no la dejó continuar.

—Sí, sí —la interrumpió—. Quieres encontrar a Nathan, ¿verdad? ¿Dónde está? —le preguntó al director.

—Está esperando los papeles —le explicó sir Richards—. Volverá enseguida. Mi ayudante es muy rápida. No se preocupe, querida, todo será legal.

Sara no sabía de qué estaba hablando el director, pero no quiso parecer completamente ignorante.

—No estoy segura de por qué estoy aquí —admitió—. Yo...

Dejó de hablar cuando se abrió una puerta lateral de la oficina y entró Nathan. No pudo recordar qué estaba diciendo, y cuando comenzó a dolerle el pecho advirtió que estaba conteniendo la respiración.

Él no la miró. Se acercó al escritorio y dejó caer dos papeles sobre la pila. Luego se dirigió hacia un banco alargado que había junto a una ventana y se quedó allí mirándola fijamente.

Ella no podía dejar de mirarle. Era un hombre rudo, imposible de comprender, obstinado y con modales groseros, pensó Sara.

Llamaron a la puerta y un joven con uniforme de guardia negro miró hacia dentro.

—Sir Richards, el carruaje del príncipe regente está fuera.

Sara escuchó el anuncio, pero aun así no podía dejar de mirar a Nathan. Él no parecía sorprendido de que el príncipe estuviera subiendo por la escalera. Tampoco parecía nervioso, ya que se apoyó contra la pared y continuó mirándola.

Si no le iba a hablar, ella...

La llamó con un dedo. Ella no podía creer su arrogancia. Sir Richards y Caine estaban discutiendo sobre algunos temas. Se preguntó si la habían incluido en la conversación. Luego Nathan la volvió a llamar con el dedo. Tendría que arder el paraíso antes de que le obedeciera, pensó, aun cuando comenzó a caminar hacia él.

Él no le sonreía. Tampoco la miraba con el entrecejo fruncido. Nathan estaba tan serio... tan concentrado. Se detuvo cuando estaba frente a su esposo.

Que Dios la ayudara, pensó, no podía ponerse a llorar. Él no le hacía fácil su tormento. Parecía tan satisfecho. ¿Por qué?, se preguntó Sara. Todo lo que él tenía que hacer era hacerle una indicación con el dedo y ella iba corriendo.

Sara se volvió y trató de alejarse de él. Él la hizo retroceder. Le puso un brazo sobre el hombro y se inclinó para susurrarle al oído:

—Confiarás en mí, esposa. ¿Me comprendes?

Estaba tan sorprendida por su orden que emitió un sonido entrecortado. Le miró para saber si estaba bromeando. Luego recordó que Nathan rara vez bromeaba sobre algo. De inmediato, Sara se sintió enfurecida. ¿Cómo se atrevía a ordenarle algo? Por lo menos tenía suficiente confianza en él para perder un poco, pensó. Se le llenaron los ojos de lágrimas y pensó en salir de la habitación antes de ponerse a llorar.

Nathan le levantó el mentón para que le volviera a mirar.

—Me amas, maldición.

Ella no podía negarlo, y por eso no dijo nada.

La miró fijamente durante un minuto.

—¿Y sabes por qué me amas?

—No —le respondió Sara—. Honestamente, Nathan, no tengo la menor idea de por qué te amo.

Él no se sintió irritado por el tono de enojo de su voz.

—Me amas, Sara, porque soy todo lo que podrías querer de un esposo.

Se le deslizó una lágrima y él la secó con su pulgar.

—¿Te atreves a burlarte usando mis propias palabras? Había olvidado que te dije esas mismas palabras cuando partimos para la isla de Nora. El amor se puede destruir. Es frágil, y...

No continuó con su explicación al ver que él sacudía la cabeza.

—Tú no eres frágil. Y tu amor no puede ser destruido. —Le acarició suavemente la mejilla—. Es lo que más valoro, Sara. No me estaba burlando.

—No importa —le susurró ella—. Sé que no me amas. Lo acepto, Nathan. Por favor, no te preocupes. No te culpo. Nunca te dieron una oportunidad.

Él no podía soportar ver su angustia. Cómo deseaba que hubieran estado solos para tomarla en sus brazos y mostrarle lo mucho que la amaba. Pero primero tendría que probárselo.

—Discutiremos esto más tarde —le anunció—. Por ahora tengo una sola orden para ti, Sara. No te atrevas a perder la esperanza en mí.

Ella no comprendió qué le estaba pidiendo.

Nathan miró hacia la puerta cuando el príncipe regente entró en la oficina. Sara se alejó de inmediato de su esposo, inclinó la cabeza como lo hubiera hecho cualquier súbdito y esperó pacientemente que su líder la saludara.

El príncipe era de estatura mediana y bastante

atractivo. Usaba su arrogancia como una capa sobre sus hombros.

Todos los hombres se inclinaron ante el príncipe cuando los saludó, y luego le tocó el turno a Sara. Ella hizo una leve reverencia.

—Siempre es un placer verla, lady Sara.

—Gracias, mi lord —le respondió—. Y gracias también por concederme esta audiencia.

El príncipe parecía desconcertado por ese comentario. Sin embargo, asintió con la cabeza y se sentó detrás del escritorio de sir Richards. Los dos hombres que le acompañaban se pusieron junto a su líder como centinelas.

Caine estaba preocupado porque Sara pudiera hacer algún otro comentario sobre la carta que le había escrito al príncipe. Se acercó y se colocó junto a ella.

—Sara, no le envié tu carta al príncipe. Aún está en mi bolsillo.

Sir Richards estaba hablando con el príncipe sobre la reunión, y como ninguno de los dos les estaba prestando atención, no le pareció descortés susurrar:

—¿Por qué no enviaste la carta? ¿Te olvidaste?

—No, no me olvidé —le contestó Caine—. La carta hubiera interferido con los planes de Nathan.

—¿Entonces fue Nathan el que solicitó esta reunión?

Caine asintió con la cabeza.

—Sir Richards también lo hizo —le aclaró—. Será mejor que te sientes, Sara. Será un poco duro. Cruza los dedos.

Nathan estaba apoyado contra la pared observándola. Escuchó la sugerencia de Caine y esperó para ver qué hacía ella. En el otro extremo de la habitación había un sillón y un lugar vacío en el banco que estaba junto a la ventana.

Sara miró el sillón, luego se volvió y caminó hacia

Nathan. Él se sintió arrogantemente satisfecho por su instintiva demostración de lealtad.

Y luego advirtió que dependía de esa cualidad.

Nathan se sentó y la colocó a su lado en un segundo. Casi se inclinó para decirle lo mucho que la amaba. Se detuvo justo a tiempo. Tenía que ser correcto, se dijo a sí mismo. En unos momentos más le mostraría lo mucho que la amaba.

Sara se alejó para no tocar a su esposo. Creía que no era apropiado sentarse tan cerca en presencia del príncipe.

Nathan pensaba de otra manera. No fue muy gentil cuando la volvió a acercar a él.

—Estoy listo para comenzar —anunció el príncipe.

Sir Richards le hizo una indicación al guardia que estaba en la entrada. El hombre abrió la puerta y el padre de Sara entró corriendo en la oficina.

Tan pronto como Sara vio a su padre se acercó instintivamente a su esposo. Nathan la tomó con fuerza de la cintura.

El conde de Winchester hizo una reverencia ante el príncipe, y luego frunció el entrecejo cuando vio a los demás.

Estaba a punto de pedir que desalojaran la oficina pues el asunto que iban a discutir era confidencial, pero el príncipe habló primero.

—Siéntese, Winston. Estoy ansioso por terminar con este asunto.

El conde se sentó de inmediato frente al príncipe. Se sentó y al mismo tiempo se inclinó hacia delante.

—¿Revisó la evidencia que le envié?

—Lo hice —le respondió el príncipe—. Winston, ¿conoce a nuestro estimado director del Departamento de Guerra?

Winston se volvió hacia sir Richards y le saludó asintiendo rápidamente con la cabeza.

—Nos vimos una o dos veces. ¿Puedo preguntar por qué está él aquí? No veo que el asunto tenga ninguna relación con su Departamento. Es una cuestión de romper un contrato, nada más.

—Por el contrario —replicó sir Richards. Su voz fue tan placentera y suave como un helado—. El príncipe y yo estamos muy interesados en saber cómo obtuvo esta información sobre el conde de Wakersfield. ¿Le importaría informarnos?

—Debo proteger a la persona que me lo dijo —respondió Winston. Se volvió para mirar a Sara cuando hizo esta afirmación. Se quedó mirándola deliberadamente durante un momento. Luego se volvió hacia el príncipe—. Cómo no es importante, mi lord. Seguramente, después de haber leído los hechos, comprenderá que mi hija no puede compartir su vida con el hijo de un traidor. Sería apartada de la sociedad. El padre del marqués no actuó de buena fe con el rey ni los Winchester cuando firmó el contrato uniendo su hijo a mi hija. Por lo tanto, pido que Sara sea liberada de ese compromiso y que le sea entregada la dote en pago de la humillación que tuvo que sufrir.

—Temo que realmente voy a tener que insistir en que nos diga quién le dio la información sobre el padre de Nathan —le volvió a decir sir Richards.

Winston se volvió hacia el príncipe buscando su apoyo.

—Preferiría no responder a esa pregunta.

—Creo que debe responder —le dijo el príncipe.

A Winston se le arquearon los hombros.

—Mi hija. Ella nos escribió. Ella nos dio la información —contestó Winston.

Sara no dijo una palabra. Nathan la apretó suavemente. Fue un intento torpe de consolarla. Ella no protestó.

No abandonarle, pensó. Esas fueron sus palabras. Sara trató de concentrarse en la discusión, pero la petición de Nathan seguía interponiéndose en su camino.

Su padre estaba dando una excusa tras otra sobre por qué su hija había compartido esa información acerca del padre de Nathan. Sara no quería escuchar esas mentiras.

El príncipe le llamó la atención cuando le hizo una seña a uno de los hombres que estaba detrás de él. De inmediato el guardia fue hasta la entrada lateral y abrió la puerta. Un hombre bajo, delgado y con un gorro negro en las manos entró en la oficina.

Sara no reconoció al hombre. Sin embargo, era obvio que su padre sí. Él no pudo ocultar su sorpresa.

—¿Quién es el hombre que se está inmiscuyendo en nuestra discusión? —preguntó el padre de Sara.

Su mezquino intento de pasar esa prueba no funcionó.

—Él es Luther Grant —enunció lentamente sir Richards—. Quizá le conozca, Winchester. Luther trabajaba como ayudante en nuestro Departamento. Teníamos tanta confianza en él que se le encargó de la bóveda. Su único deber era mantener seguros los secretos de Inglaterra.

El tono de voz del director era mordaz.

—De ahora en adelante, Luther va a proteger las paredes de la prisión de Newgate. Tiene su propia celda para vigilar.

—El juego ha terminado —intervino Caine—. Grant nos dijo que usted le pagó para que revisara los documentos de Nathan. Cuando no pudo encontrar nada condenatorio allí, revisó los documentos del padre de Nathan.

La expresión de Winston mostraba solo desprecio.

—¿A quién le importa cómo se encontró la información? Lo único que importa es que...

—Oh, a nosotros sí nos importa —le interrumpió sir Richards—. Usted ha cometido un acto de traición.

—¿Ese crimen no se paga con la horca? —preguntó el príncipe.

Por su expresión, Sara no sabía si se estaba tratando de asustar a su padre realmente.

—Sí, es un crimen para la horca —respondió sir Richards.

Winston tembló furioso.

—Nunca fui desleal a la Corona. —Miró fijamente al príncipe regente—. Cuando todos los demás políticos de la ciudad se mofaron de usted, yo permanecí a su lado. Incluso salí en su defensa cuando quiso librarse de su esposa. ¿Esta es la forma en que me pagan por mi lealtad?

El rostro del príncipe se puso rojo. Era obvio que no le agradaba que le recordaran su falta de popularidad o su intento de liberarse de su esposa. Miró fijamente a Winston mientras negaba con la cabeza.

—¿Cómo se atreve a hablarle a su príncipe regente con tanta insolencia?

Winston comprendió que había ido demasiado lejos.

—Le pido disculpas, mi lord, pero estoy tratando desesperadamente de proteger a mi hija. El marqués de St. James no es bueno para ella.

El príncipe respiró profundamente. Aún estaba sonrojado, pero su voz fue mucho más calmada cuando le dijo:

—No estoy de acuerdo con usted. Nunca me interesé en el Departamento de Guerra porque me aburre inmensamente, pero una vez que leí los hechos le pedí a sir Richards que también me entregara los documentos del hijo. Nathan no es responsable de los pecados de su padre. Ningún hombre debería serlo. —Levantó un poco la voz cuando agregó—: Si vamos al caso, mis súbditos podrían culparme por la debilidad de mi padre, ¿no es así?

—Ellos no le culpan de la enfermedad de su padre —le aseguró Winston.

El príncipe asintió con la cabeza.

—Exactamente. Y yo no responsabilizo a Nathan de los errores de su padre. No, el marqués no es responsable —repitió—. Pero incluso si lo fuera, ha probado su lealtad con las proezas que ha realizado en nombre de Inglaterra. Si se pudieran revelar todos los secretos, Nathan sería coronado por sus actos heroicos. En cuanto a eso, me han dicho que el conde de Cainewood merecería el mismo tratamiento. He estado casi toda la tarde leyendo los documentos, Winston, y ahora que conozco todos los hechos, me siento honrado de estar en la misma habitación con estos leales y distinguidos hombres.

Nadie dijo una palabra durante un minuto. Nathan sentía que Sara estaba temblando. Advirtió que ella estaba observando a su padre, y quiso susurrarle que todo iba a salir bien, que él no podría volver a asustarla.

El príncipe volvió a hablar.

—Sin embargo, sir Richards se niega a que la información se haga pública, y he decidido acatar su sabiduría en este asunto. Está de más decir que estos hombres tienen mi gratitud. Ahora tengo que pedirle algo. —Miró al director—. Si Winston nos asegura que no dirá una palabra sobre el padre de Nathan, sugiero que no le encerremos.

Sir Richards fingió cavilar sobre esa sugerencia.

—Yo preferiría que le ahorcaran. Sin embargo, la decisión depende de usted. Yo solo soy su humilde servidor.

El príncipe asintió con la cabeza. Volvió a mirar a Winston.

—Sé que ciertos miembros de su casa conocen la información sobre el padre de Nathan. Su deber será mantenerlos en silencio. Usted será responsable de defender a Nathan contra cualquier clase de escándalo, ya que si me llega algún rumor, será acusado de traición. ¿He sido claro?

Winston asintió con la cabeza. Estaba tan furioso que apenas podía hablar. El cambio repentino del príncipe era evidente. El conde de Winchester sabía que en el futuro no le incluirían en ninguna de las funciones más importantes.

Sara sintió la furia de su padre. Se le cerró la garganta y pensó que se iba a descomponer.

—¿Podría beber un vaso de agua, por favor? —le susurró a Nathan.

Él se puso de pie de inmediato y salió de la habitación para buscar la bebida. Caine también se levantó de su silla y sacó a Luther Grant por la puerta lateral.

Winston se volvió hacia sir Richards.

—Podría recurrir esto. Es la palabra de Grant contra la mía.

El director negó con la cabeza.

—Tenemos otras evidencias —le mintió.

El conde de Winchester se puso de pie. Obviamente, había creído en la mentira del director.

—Comprendo. ¿Cómo han averiguado lo de Luther? —le preguntó al príncipe.

—Nos lo dijo su esposa —le respondió el príncipe—. Ayudó a su hija, Winston, mientras usted trató de destruirla. Váyase, Winston. Me apena verle.

El conde de Winchester hizo una reverencia ante el príncipe, se volvió para mirar a su hija y salió de la oficina.

Sara nunca había visto tanta furia en el rostro de su padre. Estaba aterrorizada. Sabía que su madre tendría que soportar su furia.

Tenía que intentar llegar hasta ella primero, pensó Sara.

—¿Podrían disculparme? —exclamó mientras se dirigía apurada hacia la puerta.

Sara apenas había recibido el consentimiento del príncipe cuando cerró la puerta.

—¿Cree que está descompuesta? —preguntó sir Richards.

—No veo por qué no debería estarlo —respondió el príncipe—. Richards —agregó con un tono de voz más suave—, sé cuántos encargados del Departamento murmuran su desprecio por mí. Mis espías me mantienen informado. También sé que usted nunca dijo una palabra contra mí. Aunque he sido juzgado incorrectamente como un gobernante que cambia de idea a su antojo, ahora puedo decirle que no es así. No cambiaré de idea en este asunto de Winston, se lo aseguro.

Sir Richards acompañó al príncipe a la puerta.

—Como comprenderá, mi lord, le mentí a Winston cuando le dije que teníamos otras evidencias contra él. Realmente es la palabra de Grant contra la de él, y si él llevara este asunto...

El príncipe sonrió.

—Él no llevará nada —le aseguró al director.

Nathan entró por la puerta lateral con un vaso con agua en la mano y Caine a su lado. El príncipe ya se había retirado.

—¿Dónde está Sara? —preguntó Nathan.

—Fue al baño —le explicó sir Richards. Regresó a su escritorio y se desplomó en la silla—. No fue fácil. No estaba seguro de cómo se comportaría el príncipe regente. Esta vez estaba en el límite, ¿verdad?

—¿Se mantendrá allí, o mañana Winston estará otra vez a su servicio?

El director se encogió de hombros.

—Rogaré para que no cambie de idea y creo que cumplirá su promesa.

Caine se apoyó en el borde del escritorio.

—No puedo creer que usted le permitiera leer los documentos, Richards.

—Entonces no lo creas —le respondió el director con un mohín—. Le entregué un breve resumen sobre algunas de las hazañas más pequeñas. Deje de fruncir el entrecejo, Caine. Nathan, por el amor de Dios, deja de caminar de un lado a otro con ese vaso de agua en la mano. Ya has tirado la mayor parte del agua sobre la alfombra.

—¿Por qué tarda tanto Sara?

—Creo que no se sentía bien. Espera algunos minutos más.

Nathan suspiró.

Fue a llenar otra vez el vaso, mientras sir Richards conversaba con Caine sobre actividades del Departamento.

Nathan trató de ser paciente, pero cuando transcurrieron otros diez minutos y Sara no había regresado a la oficina decidió ir a buscarla.

—¿Dónde demonios está el baño? Sara podría necesitarme.

Sir Richards le dio indicaciones sobre el piso de abajo.

—¿Los papeles están listos para las firmas? —le preguntó Caine cuando Nathan se iba a retirar.

—Están sobre el escritorio —respondió Nathan—. Tan pronto como encuentre a Sara podremos terminar con esto.

—Es tan romántico —acotó Caine.

—Por cierto, lo que está a punto de hacer por su esposa me indica que es realmente un romántico de corazón. ¿Quién hubiera pensado que Nathan se enamoraría?

Caine hizo una mueca.

—¿Quién habría pensado que alguien le atraparía? Sara está tan enamorada de él como él de ella. Nathan está decidido a comenzar de nuevo —agregó asintiendo con la cabeza en dirección a los papeles.

—Ah, el amor en flor —dijo sir Richards—. Sara estará complacida con su consideración. Dios sabe que ella merece ser feliz. Hoy fue muy difícil para ella. La expresión de su rostro cuando el príncipe mencionó a su madre casi me rompe el corazón, Caine, y como sabrás no me emociono con facilidad. Lady Sara parecía tan atemorizada. Sentí deseos de acercarme a ella, acariciarla y decirle que todo se olvidaría. Generalmente no soy tan expresivo, pero tuve que contenerme para no acercarme a ella.

Caine estaba desconcertado.

—No recuerdo que el príncipe mencionara a la madre de Sara.

—Creo que tú y Nathan no estabais en la oficina en ese momento —le dijo Richards—. Sí, así es —agregó asintiendo con la cabeza—. Sara estaba sola. Nathan había ido a traerle un poco de agua.

—Sara no está en el baño —gritó Nathan desde la puerta—. Maldición, Richards, ¿dónde la has enviado? ¿A la calle?

Caine se puso de pie.

—Nathan, ella podría tener problemas —le aclaró Caine con voz preocupada—. Sir Richards, díganos exactamente qué dijo el príncipe sobre la madre de Sara.

El director ya estaba alejando la silla del escritorio para poder ponerse de pie. No estaba seguro de cuál era el peligro, pero podía sentirlo.

—Winston quiso saber quién nos había informado sobre Grant. El príncipe le dijo que su esposa nos había dado el nombre.

Pero Nathan y Caine ya estaban corriendo hacia la puerta.

—Seguramente, Winston no se atreverá a tocar a su esposa o a su hija —susurró sir Richards mientras seguía a los dos hombres—. Piensan que es allí adonde fue Sara, ¿verdad? Charles, trae el carruaje.

Nathan llegó a la planta baja con Caine pisándole los talones cuando sir Richards giró en el descansillo de la escalera.

—Nathan, no crees que Winston es capaz de lastimar a su esposa o a su hija, ¿verdad?

Nathan abrió la puerta y salió corriendo a la calle.

—No —le gritó—. Winston no las tocará. Dejará que su hermano reparta el castigo. Así es como opera el maldito desgraciado. Maldición, Caine, Sara se llevó tu carruaje. Dios, tenemos que llegar a ella antes que Henry.

Un carruaje pasó por la calle. Nathan aprovechó la oportunidad. No esperaría el carruaje del director. Corrió hacia la calle y tomó las riendas de los dos caballos.

Le apoyó el hombro al caballo que tenía más cerca. Caine agregó su fuerza y el vehículo se detuvo.

El conductor fue arrojado a la parte superior del vehículo. Comenzó a gritar. El pasajero, un hombre rubio con gafas, sacó la cabeza por la ventanilla para ver qué era toda esa conmoción justo cuando Nathan abrió la puerta. Antes de que el hombre supiera qué había sucedido, Nathan le había arrojado al pavimento.

Caine le dio instrucciones al conductor mientras sir Richards ayudaba al extraño a ponerse de pie. El director estaba siendo muy solícito hasta que advirtió que le estaban dejando atrás. Soltó al hombre y saltó al carruaje antes de que Caine cerrara la puerta.

Nadie dijo una palabra en el camino hacia la casa de los Winchester. Nathan estaba temblando atemorizado. Por primera vez en su vida, se rebeló contra el aislamiento al que siempre se había sometido. La necesitaba, y si algo le sucedía antes de que pudiera probarle que él valía la pena, que podía amarla tanto como ella merecía, pensó que no podría continuar.

En el espacio de esos largos e intolerables minutos, Nathan aprendió a rezar. Se sintió tan inexperto como un ateo, no podía recordar ninguna oración de sus días de infancia y terminó pidiéndole a Dios misericordia. Cómo la necesitaba.

El trayecto hasta la residencia de su madre no fue tan traumático para Sara. Ella no tenía miedo porque sabía que tenía tiempo suficiente para llegar la primera hasta su madre. Su padre tendría que ir a la casa de su hermano. Eso le llevaría por lo menos veinte minutos. Luego tardaría por lo menos quince minutos más en contarle las injusticias que habían cometido con él. Suponiendo que Henry estuviera bajo los efectos de la bebida, tardaría en despejar su mente y vestirse.

También estaba el hecho extrañamente reconfortante de que en poco tiempo Nathan advertiría que ella no estaba en el baño. Sabía que vendría a buscarla.

No me abandones. Sus palabras volvieron a interponerse en sus pensamientos. De inmediato trató de enfurecerse por esa petición. Cómo se atrevía a pensar que le abandonaría. Cómo se atrevía a...

No podía enfurecerse, pues no estaba segura de tener el derecho a sentirse ultrajada. ¿Le había abandonado? No, por supuesto que no, se dijo a sí misma. El hecho simple era que Nathan no la amaba.

Sin embargo, él le había mostrado consideración. Recordó cómo le frotó la espalda cuando tuvo los dolores de la menstruación. Sus caricias habían sido tan tiernas...

También era un amante gentil. No porque le hubiera dicho palabras cariñosas cuando la acariciaba. Pero le mostró su amabilidad, su paciencia y nunca tuvo miedo de él. Nunca.

Pero no la amaba.

Pasó tantas horas enseñándole pequeñas cosas que consideraba necesarias para que fuera autosuficiente. Pensó que era porque no quería ocuparse de cuidarla. Y aunque consideraba su deber proteger a aquellos que amaba, como a su madre, dejaba la tarea de su propia protección a su esposo.

Como a su madre...

Dios, Nora tenía razón. Sin darse cuenta, Sara había seguido el camino de su madre. Había decidido convertirse en dependiente de su esposo. Si Nathan se convertía en un hombre cruel y egoísta como su padre, ¿Sara retrocedería cuando él le levantara la voz?

Ella negó con la cabeza. No, nunca permitiría que ningún hombre la aterrorizara. Nathan la había hecho darse cuenta de su propia fuerza. Podía sobrevivir sola.

No le había enseñado cómo defenderse porque no quería molestarse en cuidarla. No quería que le sucediera nada.

Era un hombre amable.

Sara comenzó a llorar. ¿Por qué no podía amarla?

No me abandones. Si no la amaba, ¿por qué le importaba si le abandonaba o no?

Sara estaba tan concentrada en sus pensamientos que no advirtió que el carruaje se había detenido hasta que el conductor de Caine gritó avisándole.

Le pidió al conductor que esperara y subió corriendo por la escalera.

El mayordomo, un hombre contratado por su padre, le dijo que su madre y su hermana habían salido.

Sara no le creyó. Pasó junto al sirviente y subió por

la escalera hasta los dormitorios para comprobarlo por sí misma.

El mayordomo emitió un sonido con la nariz ante su falta de modales y se retiró hacia la parte trasera de la casa.

Los dormitorios estaban vacíos. Al principio, Sara se sintió aliviada, pero luego comprendió que tenía que encontrar a su madre antes que los Winchester. Revisó las invitaciones que había sobre el escritorio de su madre, pero ninguna le dio una pista de las actividades de la tarde.

Sara decidió bajar y sacarles la información a los sirvientes. Seguramente, alguno de ellos sabía adónde había ido su madre.

Cuando había llegado al descansillo de la escalera se abrió la puerta principal. Ella pensó que era su madre que había regresado a casa y comenzó a bajar. Se detuvo a mitad de camino cuando el tío Henry entró contoneándose al salón de entrada.

La vio de inmediato. El desprecio en su rostro le descompuso el estómago.

—Papá fue directamente a ti con su furia, ¿verdad? —le gritó con evidente desprecio en la voz—. Sabía que lo haría. Es lo único en lo que es predecible. Cree que es muy astuto al dejar que su hermano borracho se encargue del castigo cuando él está disgustado. Papá está esperando en White, ¿verdad?

Su tío entrecerró los ojos hasta convertirlos en una línea.

—A tu madre habría que cortarle la lengua por ponerse en contra de su esposo. Esto no es asunto tuyo, Sara. Sal de mi camino. Voy a hablar con tu madre.

Sara negó con la cabeza.

—No te dejaré hablar con ella —le gritó—. Ni ahora ni mañana ni nunca. Si tengo que obligar a mamá lo haré, pero se va a ir de Londres. Le hará bien visitar a su hermana. Incluso hasta podría darse cuenta de que no quiere regresar aquí. Eso espero. Mamá merece un poco de alegría en su vida. Me voy a ocupar de que la tenga.

Henry dio una patada a la puerta para cerrarla. No quería amedrentar a Sara, ya que recordó la amenaza que hizo su esposo cuando entró en la taberna para buscar a su novia.

—Vete con el canalla con el que estás casada —le gritó—. Victoria —agregó con un chillido—. Baja. Quiero hablar una palabra contigo.

—Mamá no está aquí. Ahora vete. Me pone enferma verte.

Henry se dirigió hacia la escalera. Se detuvo cuando vio el paraguas de bronce en un rincón. Estaba demasiado furioso como para medir las consecuencias. La descarada necesitaba aprender una lección, pensó. Solo un buen golpe para quitarle la insolencia.

Tomó el bastón para caminar con punta de marfil. Solo un buen golpe...

16

Ella casi le mata.

Los gritos se oían desde la calle. El carruaje aún no se había detenido completamente cuando Nathan saltó al pavimento y subió por la escalera. Los gritos le enloquecieron de miedo por Sara y no se detuvo a pensar que era la voz de un hombre. Tampoco se detuvo a abrir la puerta. Pasó a través de ella. La estructura cayó sobre la cabeza de Henry Winchester. El pesado trozo de madera apagó un poco el ruido de los gritos.

Nathan no estaba preparado para ver lo que vio. Estaba tan sorprendido que se detuvo de inmediato. Caine y sir Richards chocaron contra su espalda. Caine gruñó, pues sintió como si hubiera chocado contra un bloque de acero. Él y sir Richards recuperaron el equilibrio y se colocaron a un lado de Nathan para ver qué le había detenido.

Los hombres no entendían muy bien lo que estaban viendo. Henry Winchester estaba tirado en medio del gran salón de entrada, en una posición fetal, tomándose los genitales. El hombre estaba retorciéndose, y cuando rodó hacia un lado, sir Richards y Caine vieron que le sangraba la nariz.

Nathan estaba mirando fijamente a Sara. Ella estaba al pie de la escalera. Estaba completamente tranquila, hermosa y desarmada.

Ella estaba bien. El maldito no la había tocado. Sí, ella estaba bien.

Nathan continuó repitiéndolo en su mente para tranquilizarse.

No funcionó. Le temblaban las manos. Decidió que tenía que escuchar que ella le dijera que estaba bien antes de poder respirar normalmente otra vez.

—¿Sara? —susurró su nombre con voz tan ronca que dudaba que pudiera oírle. Lo volvió a intentar—. ¿Sara? ¿Estás bien? No te ha lastimado, ¿verdad?

La angustia de la voz de su esposo casi fue su ruina. Se le llenaron los ojos de lágrimas, y advirtió que Nathan también los tenía húmedos. La expresión de su rostro le estrujó el corazón. Parecía tan... asustado... tan vulnerable... tan amoroso.

Él la amaba. Era tan evidente para ella.

Tú me amas, quería gritarle. Por supuesto que no lo hizo porque había otras personas en la habitación. Pero él la amaba. Ella no podía hablar, no podía dejar de sonreír.

Se encaminó hacia su esposo, y luego recordó a los otros. Se volvió hacia Caine y sir Richards y los saludó con una reverencia.

Caine hizo una mueca. Sir Richards estaba en la mitad de una reverencia cuando se detuvo.

—¿Qué ha sucedido aquí? —preguntó con autoridad.

—Maldita sea, Sara, respóndeme —le ordenó Nathan al mismo tiempo—. ¿Estás bien?

Ella dirigió su mirada hacia su esposo.

—Sí, Nathan. Estoy bastante bien. Gracias por preguntar.

Sara miró a su tío.

—El tío Henry tuvo un pequeño contratiempo —anunció.

El director se arrodilló y le quitó a Henry un trozo de la puerta del pecho.

—Eso me ha parecido, mi querida —le dijo a Sara. Arrojó el trozo de madera hacia un lado y miró a Henry con el entrecejo fruncido—. Por el amor de Dios, hombre, deje de sollozar. No es digno. ¿La puerta le cayó encima cuando Nathan entró? Hable, Winchester. No entiendo una palabra de lo que balbucea.

Caine ya había sacado sus conclusiones. Sara se estaba frotando la mano derecha para aliviar el dolor. Henry se tomaba los genitales.

—El tío Henry sufrió el contratiempo antes de que se cayera la puerta —explicó Sara. Parecía increíblemente alegre, y le estaba sonriendo a Nathan cuando hizo esa afirmación. Nathan aún no estaba lo suficientemente tranquilo para razonar. No podía comprender por qué su esposa parecía tan complacida consigo misma. ¿No advirtió el peligro que había corrido? Tenía los nervios destrozados.

Luego ella caminó lentamente hacia él, y todo lo que pudo pensar fue en abrazarla. No la soltaría ni siquiera después de sermonearla por su costumbre de irse sola.

La sonrisa de Caine fue contagiosa. El director también sonrió, aunque aún no sabía qué era tan divertido. Se puso de pie y se volvió hacia Sara.

—Por favor, satisface mi curiosidad y dime qué ha sucedido.

No se lo explicaría. Si le contaba exactamente lo que había hecho, el director se asustaría por su comportamiento muy poco femenino.

Nathan no se asustaría. Estaría orgulloso de ella. Sara no podía esperar para estar a solas con él y darle todos los detalles.

—El tío Henry tropezó con un bastón —le respondió sin poder dejar de sonreír.

Nathan finalmente salió de su estupor y miró a su alrededor. Cuando la abrazó ella ya estaba junto a él y le miró las marcas rojas que tenía en la mano derecha.

Aquel gruñido que le parecía adorable estaba subiendo por la garganta de Nathan. También podía ver que se estaba enfureciendo. Sin embargo, no estaba atemorizada porque sabía que ya nunca descargaría su furia contra ella.

No quería que se disgustara por su comportamiento. Sara tomó de la cintura a su esposo y le abrazó con fuerza.

—Realmente estoy bien, Nathan. No debes preocuparte —le susurró.

Le apoyó la mejilla contra el pecho. Las palpitaciones de su corazón indicaban que sus palabras no le habían tranquilizado. Sin embargo, su voz fue engañosamente tranquila cuando le preguntó:

—¿Tú tenías el bastón o él?

—Él tenía el bastón cuando comenzó a subir para alcanzarme —le explicó—. Lo tomó del paragüero.

Nathan se imaginó la escena. Trató de soltarle las manos.

—¿Nathan? Ya terminó. Él no me golpeó.

—¿Lo intentó?

Sintió como si hubiera estado aferrada a una estatua, pues ahora su postura era muy rígida. Ella suspiró, le abrazó con más fuerza y le respondió:

—Sí, pero no habría dejado que me golpeara. Recordé tus instrucciones y no pensé en nada, como me habías dicho que sucedería en una situación como esta. En cuanto a eso —agregó—, también tenía el elemento sorpresa de mi lado. El tío Henry no está acostumbrado a que las mujeres se defiendan a sí mismas. Se sorprendió cuando se cayó hacia atrás.

—¿Caine? Lleva a Sara afuera y espérame. Richards, vaya con ellos.

Los tres le dijeron que no a Nathan al mismo tiempo. Los tres tenían diferentes razones. Caine no quería encargarse de deshacerse del cuerpo. Sara no quería que Nathan fuera a la horca. Sir Richards no quería saber nada con el papeleo.

Nathan aún estaba rígido de furia cuando terminaron de darle sus argumentos. No podía soltar los brazos de Sara para despedazar a Winchester. La situación era extremadamente frustrante.

—Maldita sea, Sara, si me dejaras...

—No, Nathan.

Nathan suspiró profundamente. Ella sabía que había ganado. Sintió deseos de estar a solas con él para poder obtener otra victoria. Fuera como fuera le haría decirle que la amaba.

—Nathan, no podemos irnos hasta que sepa que mamá está segura —le susurró—. Pero ahora quiero ir a casa contigo. ¿Cómo vas a solucionar este problema? —No le dio tiempo para que le respondiera—. Quiero decir, ¿cómo vamos a solucionar este problema?

Su esposo no era de los que se rendían con facilidad. Aún quería matar a su tío. Consideraba que su plan era perfectamente lógico. No solo eliminaría la preocupación de Sara por su madre sino que le brindaría la tremenda satisfacción de darle al hombre un puñetazo en el rostro. Continuó mirando el bastón y pensando en el daño que un hombre podría haber provocado con un arma así. Henry podría haberla matado.

Caine aportó una buena solución.

—Sabes, Nathan, Henry necesita un buen descanso. Quizá un viaje por mar hasta las colonias sería el pasaje que mejoraría su salud.

Nathan reaccionó favorablemente de inmediato.

—Ocúpate de eso, Caine.

—Se lo entregaré a Colin para que arregle los detalles —le contestó Caine. Levantó a Henry tomándole de la nuca—. Todo el equipaje que necesitará serán algunas cuerdas y una mordaza.

Sir Richards asintió con la cabeza.

—Esperaré aquí hasta que tu madre regrese, Sara. Le explicaré que tu tío tuvo un repentino deseo de realizar un largo viaje. También voy a esperar a tu padre. Quiero intercambiar unas palabras con él. ¿Por qué tú y Nathan no os vais ahora? Llevad mi carruaje y decidle a mi conductor que regrese más tarde.

Henry Winchester se había recuperado lo suficiente para tratar de huir. Caine le empujó deliberadamente contra su cuñado.

Nathan aprovechó la oportunidad. Le dio un puñetazo a Henry en el estómago. El golpe envió al tío de Sara otra vez a retorcerse en el suelo.

—¿Te sientes mejor, Nathan? —le preguntó Caine.

—Inmensamente —le contestó Nathan.

—¿Y los papeles que tienes que firmar? —le preguntó sir Richards a Nathan.

—Esta noche llévelos a la fiesta de Farnmount. Usaremos la biblioteca de Lester durante unos minutos. Sara y yo llegaremos alrededor de las nueve.

—Tendré que regresar a buscarlos a la oficina —comentó el director—. Arregla el encuentro para las diez, para estar seguros.

—¿Puedo preguntar qué estáis discutiendo? —intervino Sara.

—No.

La abrupta respuesta de su esposo la irritó.

—Esta noche no quiero salir —le dijo—. Tengo algo más importante que discutir contigo.

Él negó con la cabeza.

—Confiarás en mí, mujer —susurró mientras la sacaba por la puerta.

—Entre todas las cosas irritantes...

Se detuvo cuando él se volvió y la subió al carruaje. Tenía una expresión fría. También advirtió que le temblaban las manos.

No permitió que se sentara a su lado, sino que se sentó frente a ella. Cuando estiró sus largas piernas ella quedó atrapada entre ellas.

Cuando el carruaje se puso en movimiento, Nathan se volvió y miró por la ventanilla.

—¿Nathan?

—¿Sí?

—¿Ahora... te desahogarás?

—No.

Se sintió decepcionada pues esperaba que él necesitaría descargar su frustración como lo había hecho ella. El recuerdo de la forma en que su esposo la había ayudado a aliviar la tensión la hizo sonrojar.

—¿Los hombres no se descargan después de pelear?

—Algunos lo hacen. No tendría que haber golpeado a Henry frente a ti —le dijo sin mirarla.

—¿Quieres decir que si yo no hubiera estado allí no le habrías golpeado, o que te arrepientes...?

—Sí, le hubiera golpeado. No tendría que haber golpeado al maldito delante de ti.

—¿Por qué?

—Tú eres mi esposa —le explicó—. No tendrías que presenciar... la violencia. En el futuro me contendré...

—Nathan —le interrumpió—. No me ha importado. En serio. Volverá a suceder. Me opongo a la violencia —agregó—, pero admito que hay ocasiones en que se necesita un buen golpe. Puede ser muy vigorizante.

Él negó con la cabeza.

—No dejaste que matara a los piratas, ¿recuerdas?

—Dejé que los golpearas.

Él se encogió de hombros. Luego suspiró profundamente.

—Tú eres una dama. Eres delicada y femenina, y cuando esté contigo me comportaré como un caballero. Así será, Sara. No discutas conmigo.

—Siempre has sido un caballero conmigo —le respondió Sara.

—Por supuesto que no —replicó Nathan—. Cambiaré, Sara. Ahora basta de conversar. Estoy tratando de pensar.

—¿Nathan? ¿Estabas preocupado por mí?

—Sí, estaba preocupado.

Le gritó la respuesta. Ella contuvo su sonrisa.

—Realmente me gustaría que me besaras.

Ni siquiera la miró cuando le contestó:

—No.

—¿Por qué no?

—Tiene que estar bien, Sara.

—¿Qué significa eso? Siempre está bien cuando me besas.

—Si te beso, lo arruinaría todo.

—No te comprendo.

—Dime qué sucedió con Henry —le ordenó.

—Le golpeé... allí.

Nathan cambió el ceño por una leve sonrisa.

—¿Recordaste cómo dar un buen puñetazo?

Ella decidió que no le contestaría hasta que la mirara. Pasó un momento bastante prolongado antes de que él cediera.

Estaba luchando por no abrazarla. Pensó que estaba ganando la batalla, hasta que ella sonrió y le susurró:

—Sabía que estarías orgulloso de mí. Sin embargo, la mayoría de los caballeros se habrían espantado.

La colocó con rudeza sobre su regazo. Le enredó los dedos en el cabello.

—Yo no soy la mayoría —le dijo un instante antes de besarla. Le introdujo la lengua en la boca para probar, para acariciar, para atormentar. No podía obtener lo suficiente de ella, no podía acercarse más.

Le besó el cuello, mientras le desabotonaba la parte de atrás del vestido.

—Sabía que si te tocaba no podría detenerme.

Perdió todo control. El carruaje se detuvo, pero solo Sara lo advirtió. Le pidió que le volviera a abotonar el vestido. Tardó mucho más porque le temblaban las manos.

Nathan la llevó de la mano dentro de la casa. Jade sonrió a la pareja cuando vio que subían corriendo por la escalera.

Cuando llegaron a su dormitorio, Nathan había recuperado un poco el control. Le abrió la puerta. Sara ya se estaba volviendo a desabotonar el vestido mientras iba hacia la cama. Se detuvo cuando escuchó que la puerta golpeaba.

Se volvió y vio que estaba sola. Nathan la había dejado. Estaba tan sorprendida que tardó varios minutos en reaccionar. Luego gritó, abrió la puerta y salió corriendo al pasillo.

Jade la alcanzó en el descansillo de la escalera.

—Nathan ya se ha ido. Ha dicho que estuvieras preparada para las ocho. También sugirió que te prestara un vestido, ya que tu baúl aún está a bordo del *Seahawk*.

—¿Cómo ha podido decirte todo eso e irse?

Jade sonrió.

—Mi hermano actuaba como si tuviera el demonio en sus talones. Terminó de darme sus instrucciones desde fuera. Se encontrará con nosotros más tarde. Debe de tener negocios que atender... por lo menos creo que eso fue lo que agregó cuando saltó al carruaje de Caine y se fue.

Sara negó con la cabeza.

—Tu hermano es rudo, desconsiderado, arrogante, obstinado...

—Y tú le amas.

Sara bajó los hombros.

—Sí, le amo. Creo que él también debería amarme. Quizá todavía no se ha dado cuenta, o está un poco preocupado. Oh, ya no lo sé. Sí, por supuesto que me ama. ¿Cómo puedes creer que no?

—No estoy discutiendo contigo, Sara. Creo que Nathan también te ama —agregó asintiendo con la cabeza—. En realidad, para mí es bastante obvio. Es tan... esquivo. Siempre fue un hombre de pocas palabras, pero ahora ni siquiera tiene sentido cuando susurra.

A Sara se le llenaron los ojos de lágrimas.

—Quiero que me diga que me ama —susurró.

Jade sintió compasión. Le palmeó la mano y la condujo a su dormitorio.

—¿Sabes que soy todo lo que Nathan podría querer de una esposa? Nadie podría amarle tanto como yo. Por favor, no me consideres inferior. Realmente no lo soy. Soy muy diferente de ti, Jade.

La hermana de Nathan se volvió desde el armario y miró incrédula a Sara.

—¿Por qué crees que yo podría considerarte inferior?

Sara le explicó cómo los hombres que estaban a bordo del *Seahawk* la comparaban con Jade y que ella siempre perdía la contienda.

—Y luego nos atacaron los piratas y pude redimirme ante sus ojos.

—Me imagino —comentó Jade.

—También tengo valor. No estoy alardeando, Jade. Nathan me convenció de que soy muy valiente.

—También ambas somos leales a nuestros esposos —acotó Jade. Se volvió hacia el armario y siguió buscando un vestido apropiado.

—A Nathan solo le gusta que use vestidos de cuello alto —le aclaró Sara.

—Es notable, ¿verdad?

—Generalmente, trato de complacerle.

Jade no se atrevió a que Sara le viera su expresión. El tono enojado de su cuñada le provocaba risa.

—Quizá ese sea el problema, Jade —le comentó Sara—. He sido demasiado complaciente. Siempre le estoy diciendo a Nathan lo mucho que le amo. ¿Y sabes cuál es siempre su respuesta? —No le dio tiempo a Jade para que le respondiera—. Gruñe. Honestamente, eso es lo que hace. Bueno, ya no más, gracias.

—¿No más gruñidos? —le preguntó Jade.

—No más complaciente. Busca el vestido más escotado que tengas.

Jade se rió.

—Eso va a enloquecer a Nathan.

—Así lo espero —le respondió Sara.

Cinco minutos más tarde, Sara tenía un vestido color marfil en sus brazos.

—Solo me he puesto este vestido una vez y dentro de casa, para que nadie lo viera. Caine no me lo habría permitido.

A Sara le encantó el vestido. Le dio las gracias varias veces a Jade, y luego se fue a su habitación. De pronto se detuvo y se volvió.

—¿Puedo preguntarte algo?

—Ahora somos hermanas, Sara. Puedes preguntarme lo que quieras.

—¿Alguna vez lloras?

Jade no esperaba esa pregunta.

—Sí —le contestó—. En realidad, durante todo el tiempo.

—¿Nathan alguna vez te ha visto llorar?

—No lo sé.

Jade advirtió por la expresión abatida de Sara que esa no era la respuesta que ella esperaba.

—Ahora que lo pienso, sí me vio llorar. No tan a menudo como Caine, por supuesto.

—Oh, gracias por compartir ese secreto conmigo. No sabes lo feliz que me has hecho.

La sonrisa de Sara era radiante. Jade estaba complacida, aunque tenía que admitir que aún no sabía qué era exactamente lo que emocionaba tanto a Sara.

Dos horas más tarde, Jade y Caine esperaban pacientemente a Sara en el salón de entrada. Jimbo se paseaba junto a la puerta principal.

Jade tenía puesto un vestido de seda negro, con mangas bordadas. El escote apenas llegaba hasta el borde del busto. Caine la miró con el entrecejo fruncido antes de decirle que estaba hermosa. Él llevaba su atuendo formal, y ella le dijo que era el demonio más atractivo del mundo. Luego Jimbo comenzó a regañarlos por no haberse asegurado de que alguien estuviera junto a Sara durante toda la tarde.

—No la pierdan de vista hasta que Nathan se haga cargo —les ordenó Jimbo por quinta vez.

Sara atrapó la atención de todos cuando comenzó a bajar por la escalera. Jimbo la silbó.

—Nathan se pondrá rojo cuando vea a Sara.

Jade y Caine estuvieron de acuerdo. Sara estaba magnífica. Tenía el cabello suelto y los rizos se balanceaban sobre sus hombros con cada paso que daba.

El vestido era extremadamente escotado y terminaba en una «V» entre sus senos. Era el vestido más provocativo que Caine había visto. Él también lo recordaba.

—Pensaba que había roto esa cosa cuando te ayudé a desvestirte —susurró.

Su esposa se sonrojó.

—Estabas apurado, pero no lo rompiste.

—Nathan lo hará.

—¿Entonces crees que a mi hermano le gustará?

—No, no le gustará —predijo Caine.

—Bien.

—Jade, querida, creo que esta no es una buena idea. Todos los hombres de la fiesta codiciarán a Sara. A Nathan le va a dar un ataque.

—Sí.

Sara llegó al salón de entrada y les hizo una reverencia.

—No tienes que ser tan formal con nosotros —le dijo Caine.

Sara sonrió.

—No lo estaba siendo. Solo me estaba asegurando de que no me caeré cuando haga una reverencia.

—¿Qué sucederá cuando tu esposo te esté estrangulando? —le preguntó Jimbo—. ¿Crees que el vestido será resistente?

—Iré a buscar una capa —dijo Caine.

—Tonterías —replicó Jade—. Hace demasiado calor para una capa.

La discusión continuó aun después de que habían partido.

Los duques de Farnmount vivían a un kilómetro de Londres. Su casa era gigantesca, con jardines muy bien arreglados. A los lados del camino había sirvientes con antorchas para iluminar la entrada.

—Se dice que el príncipe ha tratado de comprar la residencia de Farnmount —comentó Caine—. Él no cederá, por supuesto.

—Sí —respondió Jade, aunque casi no estaba prestando atención a las observaciones de su esposo. Estaba observando a Sara—. Estás un poco sonrojada. ¿Te sientes bien?

—Ella está bien —respondió Caine.

Sin embargo, Sara no se sentía bien. Su mente estaba llena de temores.

—Esta noche los Winchester estarán allí —comentó repentinamente—. Ninguno de los hombres se atrevería a ofender al duque ni a la duquesa. Sin embargo, no comprendo por qué esta es la única fiesta a la que asiste la familia St. James.

Caine hizo un mohín.

—Es la única fiesta a la que los invitan —le explicó.

—Estoy preocupada por Nathan. Jimbo, quiero que tú también entres. Caine podría necesitarte para cuidar a mi esposo.

—El muchacho estará bien —le dio una palmada en la mano—. Deje de preocuparse.

Nadie dijo nada más hasta que el carruaje se detuvo frente a la mansión. Jimbo se bajó de un salto y se volvió para ayudar a Sara.

—Estaré junto al carruaje. Cuando haya tenido suficiente, salga a la puerta principal y la veré.

—Ella se quedará con nosotros hasta que llegue Nathan —dijo Caine.

Sara asintió con la cabeza. Respiró profundamente, se levantó la falda y comenzó a subir por la escalera.

La fiesta era en el último de los cuatro pisos de la residencia. La escalera estaba llena de velas y flores.

En la entrada había un mayordomo. Para llegar hasta la pista de baile había que bajar tres escalones. Caine le entregó la invitación al sirviente, y esperó hasta que tocara la campana. Era una señal para los otros invitados. Muy pocos prestaron atención y solo dirigieron una rápida mirada hacia la entrada, ya que estaban bailando un vals y todos estaban muy concentrados en sus pasos.

—El conde de Cainewood y su esposa, lady Jade —anunció el mayordomo en voz alta.

Luego le tocaba el turno a Sara. Le entregó al hombre la invitación que le había dado Caine y permaneció junto a él hasta que realizó la presentación.

—Lady Sara St. James.

Fue como si hubiera gritado fuego. El anuncio tuvo el mismo efecto. Se produjo un murmullo entre los invitados y, cuando todos ya habían sumado sus susurros, el sonido tenía las proporciones de un terremoto.

Una pareja chocó contra otra cuando el hombre y la mujer se esforzaron para ver mejor a Sara.

Ella mantuvo alta su cabeza y miró fijamente a los invitados. Luego Caine le tomó la mano. Jade se colocó del otro lado de Sara y le tomó la otra mano.

—Sara, querida, ¿te has dado cuenta de que los Winchester están todos juntos en el lado derecho del salón y los St. James están todos en el izquierdo? Se podría decir que no se llevan muy bien.

Jade fue la que hizo esas observaciones. Sara se sonrió. Su cuñada parecía tan perpleja.

—Se dice que no —respondió Sara bromeando.

—Creo que nos quedaremos en el medio para no mostrar parcialidad —les anunció Caine mientras las conducía hacia la pista.

—Nathan aún no está aquí, ¿verdad? —preguntó Jade—. Sara, continúa sonriendo. Todo el mundo te está mirando con la boca abierta. Me imagino que es por el vestido. Esta noche estás deslumbrante.

La siguiente hora fue una prueba. El padre de Sara estaba en la fiesta. Hizo todo un espectáculo mirando fijamente a su hija. Cuando ella miró hacia el lado de los Winchester, los invitados le dieron la espalda.

Todo el mundo advirtió el desaire. Caine estaba furioso por Sara hasta que le miró el rostro y vio que estaba sonriendo. Entonces se tranquilizó.

Dunnford St. James tampoco pasó por alto el desaire. El líder del clan St. James bufó y luego se acercó para hablar con el sobrino de su esposa.

Dunnford era un hombre corpulento con más músculos que grasa. Tenía el cabello gris, fino y corto como un escudero. Tenía una barba tupida, hombros anchos y parecía enfermo pero tranquilo con su traje negro formal y su corbata rígida.

—¿A quién tenemos aquí? —exclamó cuando estuvo frente a Sara—. ¿Esta es la mujer de Nathan?

—Sabes perfectamente bien quién es ella —le respondió Caine—. Lady Sara, ¿conoces a Dunnford St. James?

Sara hizo una reverencia formal.

—Es un placer conocerle —le dijo.

Dunnford parecía desconcertado.

—¿Está bromeando conmigo?

Ahora ella parecía confundida.

—¿Perdón?

—Ella tiene modales, Dunnford. Soprendente en una St. James, ¿verdad?

Al hombre le brillaron los ojos.

—Ella acaba de convertirse en una St. James. Tendrá que probarlo antes de que le dé la bienvenida.

Sara se adelantó. Eso le sorprendió más que la reverencia. Estaba acostumbrado a que las mujeres retrocedieran. Ellas tampoco sonreían. Esta era diferente, pensó.

—¿Cómo debería probarlo? —le preguntó Sara—. ¿Tendría que dispararle a uno de sus hermanos para obtener su aprobación?

Ella estaba bromeando. Él se tomó a pecho la sugerencia.

—Bueno, creo que eso depende de qué hermano eligieras. Tom siempre es una buena elección.

—Por el amor de Dios, Dunnford, Sara estaba bromeando.

Dunnford gruñó.

—¿Entonces para qué se ofreció?

Caine negó con la cabeza.

—Era una broma aludiendo a la vez en que le dispararaste a tu hermano —le explicó.

Dunnford se frotó la barba. Hizo una mueca diabólica.

—Así que te enteraste del pequeño malentendido, ¿verdad? Tom no tiene rencor. Fue una lástima. Una buena enemistad entre la familia.

Antes de que nadie pudiera responder al comentario de Dunnford, él gruñó:

—¿Dónde está tu esposo? Quiero hablar con él.

—Llegará en cualquier momento —le contestó Caine.

—¿Dónde está su esposa? —le preguntó Sara—. Me gustaría conocerla.

—¿Para qué? —replicó Dunnford—. Probablemente estará en el comedor buscando mi comida.

—¿No me vas a saludar? —le preguntó Jade a su tío—. Me estás ignorando. ¿Aún estás disgustado porque le di a Caine una hija y no un hijo?

—¿Aún no estás embarazada? —le preguntó Dunnford.

Jade negó con la cabeza.

—Entonces no te hablaré hasta que me des un sobrino. —Se volvió hacia Caine—. ¿Te acuestas con ella? —le preguntó.

Caine hizo un mohín.

—Cada vez que tengo oportunidad.

Sara se sonrojó. Advirtió que Jade trataba de no sonreír. Dunnford miró fijamente a la hermana de Nathan. Luego se volvió hacia Sara otra vez y le colocó sus grandes manos sobre las caderas.

—¿Qué estás haciendo? —le preguntó Caine. Trató de apartarle las manos a Dunnford.

Sara estaba tan sorprendida que no pudo moverse. Simplemente le miró fijamente las manos.

—La estoy midiendo —respondió Dunnford—. No parece lo suficientemente ancha de caderas para traer un bebé al mundo. La falda podría ser engañosa —agregó asintiendo con la cabeza—. Sí, quizá seas lo suficientemente ancha.

Luego le miró el pecho. Sara se lo cubrió de inmediato con las manos. No permitiría que le midiera nada más.

—Veo que tienes lo suficiente como alimentar a un bebé. ¿Aún no estás embarazada?

Sara ya no podía sonrojarse más. Dio un paso hacia delante.

—Tendrá que comportarse. Si me vuelve a tocar, señor, le golpearé. ¿No tiene modales?

Dunnford pensó que no. Cuando se lo dijo, Sara se adelantó otro paso. Caine estaba sorprendido por su intrepidez. También fue sorprendente el hecho de que Dunnford retrocediera.

—Me gustaría beber un poco de ponche, tío Dunnford —le dijo Sara—. Sería apropiado que usted me lo trajera.

Dunnford se encogió de hombros. Sara suspiró.

—Supongo que podría pedirle a uno de los Winchester que me lo trajera.

—Antes te escupirían —le anunció Dunnford—. Te estás inclinando para nuestro lado de la familia, ¿verdad?

Ella asintió con la cabeza. Él hizo un mohín.

—Me alegrará traerte el ponche.

Sara observó a su tío mientras se abría paso entre los invitados. Había una fila esperando que el sirviente les sirviera una porción del ponche rosa. Dunnford apartó a los invitados con un golpe.

—Si fuera tú, no bebería ponche —le dijo Caine después de que Dunnford tomó el recipiente del ponche y bebió varios sorbos. Volvió a colocar el recipiente sobre la mesa, sumergió una copa en el líquido y se volvió para cruzar otra vez por el salón.

Se secó la barba con la mano cuando le entregó la copa a Sara.

Caine observó que ya no había ninguna fila frente al recipiente de ponche. Extendió la mano y tomó la copa para que Dunnford no derramara accidentalmente el líquido rosa sobre Sara.

—Dile a Nathan que quiero hablar con él —le volvió a decir Dunnford. Luego se volvió y regresó al lado del salón donde estaban sus familiares.

Sara observó que los otros invitados le abrían paso. Pensó que era muy parecido a Nathan.

—El marqués de St. James.

El anuncio atrajo la atención de todos. Sara se volvió para mirar hacia la entrada. Cuando vio a su esposo, su corazón comenzó a latir frenéticamente. Nunca le había visto antes vestido con un traje formal. Tenía el cabello peinado hacia atrás y llevaba la chaqueta y el pantalón negro como un poderoso rey. La arrogancia de su postura y su expresión le hicieron temblar las rodillas.

Comenzó a caminar instintivamente hacia él.

Nathan pudo encontrar fácilmente a su esposa entre los invitados. Tan pronto como anunciaron su nombre, todos los invitados se fueron hacia los lados del salón. Sara se quedó sola en el centro de la pista. Le pareció magnífica. Estaba tan delicada, tan exquisita... tan desnuda.

Nathan bajó por la escalera y se dirigió hacia su esposa. Ya se estaba quitando la chaqueta.

Tan pronto como Nathan bajó, los Winchester se adelantaron. De inmediato los hombres de St. James imitaron la acción.

Caine tocó ligeramente con el codo a Jade.

—Ve a sentarte —susurró—. Podrían haber problemas y no quiero preocuparme por ti.

Jade asintió con la cabeza. Quería que Caine pensara solo en proteger a su hermano. Luego vio que Colin bajaba por la escalera. Por el bulto que tenía bajo la chaqueta supuso que estaba armado para cualquier eventualidad.

Nathan se quitó la chaqueta, pero cuando llegó hasta Sara no pudo recordar qué iba a hacer.

—¿Sara?

—¿Sí?

Esperó que le dijera algo.

Él parecía contento de estar allí mirándola fijamente. El amor de Sara se veía en su mirada. Su sonrisa era tierna. Él era indigno de ella, y aun así le quería, pensó Nathan.

Sintió un sudor frío. Trató de tomar el pañuelo que Colin le había colocado en el bolsillo, pero luego advirtió que tenía la chaqueta en la mano. No sabía por qué. Se la volvió a poner. No podía dejar de mirar a su bella esposa y se le enredó el brazo en la manga, hasta que finalmente la arregló.

Sara se adelantó y le arregló la corbata, y luego retrocedió.

Nathan aún no podía hablarle. Tenía que hacerlo bien, se dijo a sí mismo. Ella se lo merecía. No, no, para ella tenía que estar perfecto, no solo bien. La llevaría a la biblioteca, firmarían los papeles, y luego...

—Te amo, Sara —le dijo con un tono como si hubiera probado su sopa.

Ella se lo hizo volver a decir. Tenía los ojos llenos de lágrimas, y él sabía que lo había oído la primera vez.

—Se suponía que no debía decir eso... aún no, de cualquier manera, te amo —susurró.

La expresión de Sara no cambió. La de él sí. Parecía que se iba a desmayar.

A ella le dio lástima.

—Sé que me amas, Nathan. Tardé mucho tiempo en comprenderlo... casi tanto como tú en ir a buscarme... pero ahora lo sé. Me amas desde hace mucho tiempo, ¿verdad?

Su alivio fue evidente.

—¿Por qué no me dijiste que lo sabías? —le preguntó—. Maldita sea, Sara, pasé por el infierno.

Sara abrió bien los ojos y se sonrojó.

—¿Pasaste por el infierno? Tú eres el que se negó a confiar en mí. Tú eres el que nunca dice lo que tiene en su corazón. Yo te lo dije siempre, Nathan.

Él negó con la cabeza. Hizo una tímida mueca.

—No, Sara, siempre no. Me lo decías una vez al día. Algunos días esperabas hasta después de la cena. Me estaba poniendo nervioso.

Por la expresión de su rostro advirtió que se sentía complacida con su confesión.

—¿Te casarás conmigo? —le preguntó Nathan con un cálido susurro. Se inclinó hasta que casi le tocó la frente—. Si quieres, me pondré de rodillas, Sara. No me gustaría —agregó con honestidad—. Pero lo haría. Por favor, cásate conmigo.

Nunca había visto a su esposo tan atolondrado. Obviamente, para él era una tortura decirle lo que sentía en su corazón.

—Nathan, ya estamos casados, ¿recuerdas?

Su público estaba sojuzgado. La pareja que se miraba tan amorosamente a los ojos era un espectáculo muy romántico. Las mujeres se secaban los ojos con los pañuelos de sus esposos.

Nathan se había olvidado de los otros invitados. Estaba intentando terminar con su plan para poder llevar a Sara a casa.

—Tenemos que bajar a la biblioteca —le anunció—. Quiero que firmes un papel rompiendo el contrato.

—Está bien, Nathan —le respondió.

Su rápido consentimiento no le sorprendió. Ella siempre tenía mucha confianza en él. Aún se sentía humillado por su confianza en él.

—Dios mío, Sara, te amo tanto... que duele.

Ella asintió con solemnidad con la cabeza.

—Ya veo. ¿Te estás mareando?

El negó con la cabeza.

—Después de que firmes tu papel, yo firmaré el mío —afirmó Nathan.

—¿Qué papeles? —le preguntó Sara.

—También voy a romper el contrato. No quiero la herencia. Ya tengo el regalo más grande de todos. Te tengo a ti. —Su sonrisa estaba llena de ternura cuando agregó—: Eres todo lo que siempre he querido.

Sara comenzó a llorar. Él no pudo evitar abrazarla. Se inclinó y besó a su esposa. Ella le devolvió el beso.

Todas las mujeres del lugar suspiraron al unísono.

Sin embargo, la esperanza de que la noche fuera perfecta para su esposa no estaba plenamente satisfecha. Para los Winchester era un suceso enorme. Para cualquiera era una pesadilla.

Sin embargo, nadie olvidaría el alboroto.

Comenzó inocentemente cuando Nathan se volvió para llevar a Sara a la biblioteca. Ella le tiró de la mano para que se detuviera.

—Creo que tú me amas, Nathan —le dijo cuando la

volvió a atender—. No tienes que renunciar a la dote del rey para probarlo.

—Sí, tengo que hacerlo —replicó—. Quiero demostrarte lo mucho que te amo. Es la única manera que tengo para que me creas. Me has amado desde hace tanto tiempo y yo solo te brindé agravios. Es una penitencia, Sara. Tengo que hacer esto.

Ella negó con la cabeza.

—No, no tienes que hacer esto. Nathan, me demostrarás que confías en mí y que me amas sin renunciar a la dote. Has esperado muchos años esa herencia y vas a conservarla.

—Ya he tomado una decisión, esposa.

—Cámbiala —replicó Sara.

—No.

—Sí.

Por la expresión de su rostro veía que estaba decidido a realizar ese noble sacrificio por ella. Ella también estaba decidida a no dejarle ir.

—¿Y si no firmo mi papel? —le preguntó Sara.

Se cruzó de brazos y le miró con el entrecejo fruncido mientras esperaba su respuesta.

Cielo santo, cómo le amaba, pensó. Y cómo la amaba él también. Parecía que quería estrangularla. Sara se tornó risueña.

—Si no firmas el papel, Sara, entonces tu familia podrá quedarse con la dote del rey. No la quiero.

—No me quedaré con ella.

—Mira, Sara...

Él no se dio cuenta de que estaban gritando. Ella sí. Se volvió y miró hacia el lugar en que se encontraban los St. James, para encontrar al hombre que buscaba.

—¿Tío Dunnford? —gritó—. Nathan quiere renunciar a la dote del rey.

—Maldición, Sara. ¿Por qué has hecho eso?

Ella se volvió y le sonrió a su esposo. Nathan se estaba quitando la chaqueta. Luego Sara vio que Colin y Caine estaban haciendo lo mismo.

Comenzó a reírse.

Que Dios la ayudara, ya se había convertido en una St. James.

Nathan ya no parecía mareado. Tenía un brillo en los ojos. Era un hombre muy arrebatado. Y ella la mujer ideal para manejarle. Le miró el pecho y le cubrió los hombros con su chaqueta, y le ordenó que pasara los brazos por las mangas.

—Si te vuelves a poner ese vestido, te lo arrancaré —susurró—. Allí vienen.

Los hombres de St. James avanzaban como una tropa de soldados en guerra.

—Te amo, Nathan. Recuerda no poner el pulgar debajo de los dedos. No querrás rompértelo.

Nathan levantó una ceja ante esa sugerencia. Ella se vengó guiñándole lentamente un ojo. La tomó de las solapas de la chaqueta, la besó y luego la empujó hacia atrás.

Sin duda era una noche para recordar. El duque y la duquesa de Farnmount, ambos de más de sesenta años, estaban muy complacidos con el entretenimiento. Su pequeña reunión daría que hablar durante bastante tiempo.

Sara recordó que había visto a la pareja en el escalón de arriba. Ambos tenían una copa de vino, y después del primer puñetazo, el duque de Farnmount le indicó a la orquesta que comenzara a tocar un vals.

Sin embargo, a Sara le gustó más lo que sucedió después de la pelea. Tan pronto como terminó la contienda, Nathan se la llevó. No quería perder tiempo en llevarla hasta el barco, así que la llevó hasta la casa de Caine y Jade.

Estaba ansioso por tocarla. Ella estaba ansiosa por dejarle que lo hiciera. Hicieron el amor con pasión, ardor y mucho amor. Sara estaba sobre su esposo en el centro de la cama. Tenía el mentón apoyado sobre sus manos entrelazadas, le estaba mirando fijamente.

Él parecía completamente satisfecho. Le estaba frotando suavemente la espalda. Ahora que estaban solos, Nathan podía decirle lo mucho que la amaba sin sonrojarse. Era tan poco romántico. Abrió el cajón de la mesilla de noche, sacó un papel y se lo entregó.

—Elige las que te gusten —le ordenó.

Ella eligió «querida», «mi amor» y «mi dulce» de la lista de palabras cariñosas. Nathan le prometió memorizarlas.

—Envidiaba un poco a Jade —le comentó—. No pensé que podría ser como ella y mi personal seguía haciendo comparaciones.

—No quiero que te parezcas a nadie. Tu amor me ha dado tanta fuerza, Sara.

Se inclinó para besarla.

—He aprendido a confiar en tu amor. Se convirtió en mi ancla. Tenía esa certeza y he tardado mucho en comprenderlo.

—¿Cuánto tiempo tardarás en tener completa confianza en mí? —le preguntó Sara.

—Ya tengo plena confianza en ti —replicó Nathan.

—¿Me contarías tu pasado?

Parecía un poco más cauteloso.

—En su momento.

—Cuéntamelo ahora.

Él negó con la cabeza.

—Solo te disgustaría, querida. Llevé una vida bastante oscura. Hice algunas cosas que tú considerarías... inquietantes. Creo que será mejor que te cuente la historia en otro momento.

—¿Entonces no me has contado tu pasado solo por consideración a mis tiernos sentimientos?

Nathan asintió con la cabeza.

—¿Algunas de esas cosas fueron... ilegales?

Su esposo parecía muy incómodo.

—Algunos dirían que lo fueron —admitió.

Tuvo que esforzarse para no reírse.

—Me complace que te preocupes tanto por mis sentimientos, esposo, y ahora sé que has dudado en contarme tu pasado porque podía preocuparme y no porque pensaras que accidentalmente podría comentar algo muy significativo.

La chispa que se le encendió en la mirada le desconcertó. Ella tramaba algo, pero no sabía qué podía ser. Le abrazó la cintura y bostezó satisfecho. Cerró los ojos.

—Sé que me amas —le susurró—. Y en su momento, digamos dentro de cinco o diez años, te contaré todo. Para entonces ya estarás acostumbrada a mí.

Sara se rió. Él aún estaba un poco asustado. Sara sabía que confiaba en ella, que la amaba, pero todo era tan nuevo para Nathan que tardaría en bajar todas sus defensas.

Ella no tenía esos problemas. Le amaba desde siempre.

Nathan apagó la llama de la vela y frotó la nariz contra la oreja de su esposa.

—Te amo, Sara.

—Yo también, Pagan.